事例で学ぶ
生徒指導・進路指導・教育相談

中学校・高等学校 編

長谷川啓三　佐藤宏平　花田里欧子 編

第4版

遠見書房

はじめに

　本書は大学で「教育相談」を学ぶ際に使用されることを念頭に置いて企画された。それはまず，晴れて「先生」と呼ばれる資格を得られた方々が，現場での，その実践に役立つものにしたいということである。今一つは，教科書として，生徒指導・進路指導・教育相談の基礎的な知識を獲得していただくのに役立つものにしたいということである。

　この2つは矛盾するものではないが，往々にして「乖離（かいり）」した教科書も目にする。

　そうはしたくないと決意した私たちは，いわば「実践に役立つ基礎知識」を目指して本書を執筆している。そのために読者への具体的な発問，問いかけと，実際の実践事例を各章全体に配置した。各章の後半にそれを置いてあるので，何よりも，教育相談の実際から学びたいという読者は，この発問から入るのも近道だと思う。

　さらに本書の企画意図を満たすために執筆者を共通に貫くものがある。それは「解決志向」と呼ばれるスタンスである。それが「生徒指導・進路指導・教育相談」の対象になる多くの問題にアプローチするのに有効であることを，私たちは1986年以来，我が国で検証してきた。生徒指導・進路指導・教育相談が対象とする問題に「どう向かうのか」。その向かい方如何（いかん）で，解決は近くもなるし，遠いものにもなってしまう。重要なのは，問題へどう向かうのかというスタンスの問題であり，方法論である。解決志向というあり方は，その「メソドロジー／方法論」の一つと言っていい。

　どの学問にも特有の問題と方法がある。私たちは「生徒指導・進路指導・教育相談」という分野に「解決志向」という「方法」が有効なものの大きな一つであることを，これまでの実践の積み重ねから，主張したいのである。

　その詳細と具体事例は全章を挙げて検討を加えているが，それは，問題の原因を，事細かに摘出して取り除く──という直線的な発想を大いに補うものである。

　対人関係の問題で，その原因を「過去の，より小さな，より単純なもの」に求めようとし，そのこと自体が困難であることが体験される。生徒指導・進路指導・教育相談が対象とする問題の多くが同様である。例えば「いじめ」という問題があって，その原因をいじめっこ側かいじめられっこ側か？　と考えて，例えば今度は，いじめっこ側の「性格」のせいに帰して，さらにその性格の生みだされたと推測される生育歴へと，一見，「理解」は進む。が，仮に，いじめっこの生育歴が「正しく」分かったところで，いじめが停止するまでの予想される経緯は，とても実際からは遠くなってしまう。

　反対に「解決志向」でアプローチして成功した事例で，教頭がいじめっこと目された子どもを1日，授業を休ませて，話をした。彼の興味，進路，家庭のことなど話せることは，全てである。子どもの良いこと，良いところは大いに評価した。いじめの話は一切しない。これでいじめが止まった。何が効いたのか？　それは，いじめの原因を特定する方向では全くない。

　また同様に，いじめられたと，担任に訴えて来た女子がいる。「クラスのみんなに無視される」という。ある担任は，まず受容したうえで，クラス名簿を渡し，無視されていない子どもに赤鉛筆で印をつけさせた。それだけで子どもはクラスに戻った。いったい何が良かったのか？

　本書は，教育相談における，基礎的な知識に加えて，このような事例の問題因ではなく，成功を促進した，いわば「成功因」の側を，今日的な問題を出来る限り取り上げて

検討している。

　生徒指導・進路指導・教育相談においては，教育学や心理学，社会学などの幅広い学際的な知識が必要になる。子どもたちや親たち，大人たちの置かれている状況も多様になっており，さまざまな知恵が必要になる。本書にも出来うる限り，生きた知恵を詰めたつもりである。ぜひとも，我々の成果を読み進めていただきたい。

改訂にあたって（第4版）

　従来の改訂では，下記のような改訂を行ってきたが，第4版では，昨今の法改正，制度等を踏まえ内容を刷新するとともに，種々の統計データのアップデートなどの適宜内容の加筆，修正を行った。また，本改訂では新たな試みとして，各種教育関連資料へのアクセス利便性の向上を図ることを目的として，QRコードを掲載した。

改訂版：「学級経営（第13章）」を加えた。
第3版：「ヤングケアラー（介護者としての子ども）」，「SNS上のいじめ」「ひとり親家庭の現状と支援」等，新たに6つのコラムを追加した。

編者を代表して
東北大学名誉教授　長谷川　啓三

もくじ

はじめに　3

第Ⅰ部　総論編

第1章　生徒指導・進路指導・教育相談とは——意義と役割
長谷川啓三・佐藤宏平・花田里欧子　11

Ⅰ．生徒指導　11／Ⅱ．教育相談　13／Ⅲ．生徒指導・教育相談において求められる視点　14／Ⅳ．進路指導　16／ワーク（考えてみよう）　17

コラム❖言葉のチカラ——言葉はもともと魔術だった!?
....Words were originally magic.
佐藤宏平　19

第2章　生徒理解の基礎
奥野誠一　20

Ⅰ．生徒理解の目的　20／Ⅱ．生徒理解の内容と方法　21／Ⅲ．代表的な知能検査　23／ワーク（考えてみよう）　27

コラム❖中高生の自己形成プロセスと進路選択
高橋恵子・小林なぎさ　29

コラム❖不安定な自己——自己愛パーソナリティ
亀倉大地　30

第3章　思春期・青年期の発達課題
神谷哲司・渡部敦子　31

Ⅰ．青年期とはどんな時期か——青年期の成り立ちと構造　31／Ⅱ．「青年期」という発達段階　32／Ⅲ．「青年」の基礎的理解——その身体・認知・思考の特徴　36／Ⅳ．現代日本における「青年期」の変遷とキャリア教育の意義　38／ワーク（考えてみよう）　39

コラム❖中学生・高校生の社会形成・社会参加支援
古澤あや　41

コラム❖中学生・高校生の恋愛について
小林大介　42

第Ⅱ部　各論編

第4章　不登校・ひきこもり
佐藤宏平・花田里欧子・若島孔文・横谷謙次・上西　創　45

Ⅰ．不登校とは　45／Ⅱ．不登校児童生徒の状態像と予後　47／Ⅲ．不登校児童生徒の類型・アセスメント　48／Ⅳ．不登校問題を捉える3つの視座　51／Ⅴ．未然防止・早期発見・早期対応の重要性　52／Ⅵ．不登校事例における対応の留意点　52／ワーク（考えてみよう）　55／ワーク（事例）　56

コラム❖中学生の健康と安心の確保──性教育
　　　　　　　　　　　　　　　　　　　宮﨑　昭　60

コラム❖若者の就労等支援のあり方
　　　　　　　　　　　　　　　　板倉憲政・浅井継悟　61

第5章　いじめ
　　　　　　　　　　　若島孔文・兪　幗蘭・狐塚貴博　62

Ⅰ．はじめに　62／Ⅱ．いじめの定義と統計の変遷　63／Ⅲ．いじめの構造についての理論　65／Ⅳ．いじめの介入についての理論　68／Ⅴ．おわりに　69／ワーク（考えてみよう）　70／ワーク（事例）　71

コラム❖困難な状況ごとの取り組み──ニート，ひきこもり
　　　　　　　　　　　　　　　　　　　古澤雄太　74

コラム❖SNS上のいじめへの対応
　　　　　　　　　　　　　　　　　　　小岩広平　75

第6章　思春期・青年期の非行の問題
　　　　　　　　　　　　　　　　久保順也・三澤文紀　76

Ⅰ．非行とは　76／Ⅱ．非行少年の類型（少年法）　76／Ⅲ．少年犯罪の推移と現状　77／Ⅳ．非行少年の処遇の流れ　80／Ⅴ．少年による暴力　81／Ⅵ．非行問題への対応　84／ワーク（考えてみよう）　86／ワーク（事例）　87

コラム❖外国人中学生・高校生への支援──日本語支援から心のケアまで
　　　　　　　　　　　　　　　　　兪　幗蘭・張　新荷　91

第7章　思春期・青年期における発達障害の理解と対応
　　　　　　　　　　　　　　　　　　　宮﨑　昭　92

Ⅰ．これまでの定型発達の教育と特別支援教育　92／Ⅱ．発達障害者の定義とアセスメント　92／Ⅲ．思春期・青年期の危機と自己理解　97／Ⅳ．進路を開く　100／ワーク（考えてみよう）　103／ワーク（事例）　104

コラム❖デス・エデュケーション
　　　　　　　　　　　　　　　　　　　三上貴宏　109

第8章　思春期・青年期における精神医学的問題
　　　　　　　　　　　　　　　　田上恭子・山中　亮　110

Ⅰ．思春期・青年期の発達と心の問題の理解　110／Ⅱ．思春期・青年期における代表的な精神医学的問題　112／Ⅲ．おわりに　118／ワーク（考えてみよう）　118／ワーク（事例）　119

コラム❖中学生・高校生の被害防止，保護
　　──「自分の身は自分で守る」意識を植えつけるには
　　　　　　　　　　　　　　　　　　　松田喜弘　124

コラム❖支援を要する生徒とその家庭への支援がうまく進まない時に振り返るポイント──5つの支援阻害要因
　　　　　　　　　　　　　　　　河合陽子・花田里欧子　125

第9章　学校における緊急支援
　　　　　　　　　　　　　　　若島孔文・森川夏乃　126

　Ⅰ．学校の危機とは　126／Ⅱ．緊急支援とは　128／Ⅲ．学校に生じうる危機――中高生の自殺・自傷　129／Ⅳ．おわりに　133／ワーク（考えてみよう）　133／ワーク（事例）　134

　　　　コラム❖放課後の居場所づくり
　　　　　　　　　　　　　　　岩本脩平・花田里欧子　138

第10章　学校組織と関係機関・家庭との連携
　　　　　　　　　　　三谷聖也・奥野雅子・生田倫子　139

　Ⅰ．学校が関係機関と連携するうえでのポイント　139／Ⅱ．各関係機関との連携について　141／ワーク（考えてみよう）　148／ワーク（事例）　148

　　　　コラム❖多様な主体による取り組みの推進――治療的家庭教師とMCR活動
　　　　　　　　　　　　　　　小林　智・赤木麻衣　153

　　　　コラム❖統合失調症の就学支援と薬物治療
　　　　　　　　　　　　　　　伊東　優・花田里欧子　154

第11章　カウンセリングの理論と技法
　　　　　　　　　　　石井宏祐・石井佳世・松本宏明　155

　Ⅰ．さまざまなカウンセリングの理論　155／Ⅱ．予防開発的アプローチ　158／Ⅲ．カウンセリングの基本姿勢と着目点　160／Ⅳ．カウンセリングのトレーニング　164／ワーク（考えてみよう）　166／ワーク（事例）　166

　　　　コラム❖中高生の携帯電話とインターネットに関する問題と対応
　　　　　　　　　　　　　　　　　　　　　　加藤高弘　170

第12章　進路指導の理論と方法
　　　――思春期，青年期における進路指導
　　　　　　　　　　　　中村　修・高綱睦美・吉中　淳　171

　Ⅰ．はじめに　171／Ⅱ．進路指導とキャリア教育　171／Ⅲ．進路指導・キャリア教育を構成する活動――職業理解，自己理解を中心に　177／Ⅳ．進路相談，キャリアガイダンス，キャリアカウンセリングの基となる理論　181／Ⅴ．おわりに――これからの社会動向を踏まえたキャリア教育の方向性　184／ワーク（考えてみよう）　185／ワーク（やってみよう）　186

　　　　コラム❖ひとり親家庭の現状と支援の手立て
　　　　　　　　　　　　　　　　　　　　　　萩臺美紀　189

　　　　コラム❖子どもと貧困――現状と支援の実際
　　　　　　　　　　　　　　　　　　　　　　二本松直人　190

第13章　学級経営
　　　　　　　　　　　　　　　　岩本脩平・香月佳容子　191

　Ⅰ．学級を経営するということ　191／Ⅱ．学級を組織化するために

193／Ⅲ．学級経営と保護者との連携　198／ワーク（考えてみよう）202／ワーク（事例）　203

コラム❖非行少年の家族支援と就労支援
板倉憲政・小林　智　207

コラム❖介護者としての子ども――ヤングケアラーとは
奥山滋樹　208

さくいん　巻末

第Ⅰ部
総論編

第1章

生徒指導・進路指導・教育相談とは
——意義と役割

長谷川啓三・佐藤宏平・花田里欧子

Ⅰ．生徒指導

1．生徒指導とは

　生徒指導提要改訂版（文部科学省，2022）によると，生徒指導とは「児童生徒が，社会の中で自分らしく生きることができる存在へと，自発的・主体的に成長や発達する過程を支える教育活動」であり，生徒指導の目的は「生徒指導は，児童生徒一人一人の個性の発見とよさや可能性の伸長と社会的資質・能力の発達を支えると同時に，自己の幸福追求と社会に受け入れられる自己実現を支えること」とされている。また「生徒指導は学校の教育目標を達成する上で重要な機能を果たすものであり，学習指導と並んで学校教育において重要な意義を持つもの」と述べられている。さらにこの生徒指導の実施にあたっては，「学校の教育活動全体を通じ，その一層の充実を図っていくことが必要」と記されている。

　また中学校学習指導要領（『中学校学習指導要領解説総則編』文部科学省，2017b）や高等学校学習指導要領（『高等学校学習指導要領解説総則編』文部科学省，2018）においては，「生徒が，自己の存在感を実感しながら，よりよい人間関係を形成し，有意義で充実した学校生活を送る中で，現在及び将来における自己実現を図っていくことができるよう，生徒理解を深め，学習指導と関連付けながら，生徒指導の充実を図ること。」と記されている。

　教育の対象となる児童生徒は，一人ひとりがかけがえのない存在であると同時に，さまざまな個性を有している。そうした個性を伸ばしながらも，一方で社会の規範に則りつつ，自己実現を支え育んでいくことが生徒指導である。またこうした営みは，授業を中心とした学習指導を通して達成されることはもちろんであるが，一方でクラブ活動，生徒会活動，学校行事や学級活動といった特別活動等を含めた学校教育全体を通して成し遂げられるものである。さらに，そうした生徒指導を支える基盤となるのは，教師と生徒との信頼関係（ラポール）であるといえる。

2．戦後の生徒指導のおおまかな歴史

　ここでは，戦後の生徒指導の変遷について簡単に触れたい。1951年，少年非行の第1のピーク（生活型非行）を迎えるが，この年，『学習指導要領一般編』において生徒指導（ガイダンス）が学校教育の重要な任務として明記された。1958年，戦前から使用されてきた生活指導という用語に代わり生徒指導という言葉が使用されるようになる。さらに1964年，東京オリンピックが開かれる一方で，少年非行が第2のピーク（反抗期型非行）を迎えることとなった。こうした中，後述する生徒指導主事の養成が始まり，翌1965年には，『生徒指導の手引き』が作成され，全国の中学校・高等学校に15万部が配布されている（生徒指導主事は1975年に制度化）。さらに1970年には，高等学校指導要領に「生徒指導の充実」が明記された。

生徒指導提要：生徒指導の実践に際し，教員間や学校間で教職員の共通理解を図り，組織的・体系的な生徒指導の取組を進めることができるよう，生徒指導に関する学校・教職員向けの基本書として，小学校段階から高等学校段階までの生徒指導の理論・考え方や実際の指導方法等を，時代の変化に即して網羅的にまとめたもの（文部科学省，2010）。

学習指導要領：学校教育法等に基いて，文部科学省が定める小学校，中学校，高等学校の各教科の教育課程（カリキュラム）の基準。時代や社会の変化に応じてほぼ10年ごとに改定されている。

ラポール：もともとはカウンセリングの用語で，カウンセラーと来談者の間の信頼関係を指す語。

70年代後半から，校内暴力や非行が深刻化する。この時期の不良少年，不良少女はツッパリ，スケバンと呼ばれ，独自のファッション文化，暴走族文化を生み出した。またシンナー，覚醒剤乱用の問題も深刻化した。こうした状況を受け，1981年には『生徒指導の手引（改訂版）』が公表されている。またこの時期，管理教育が推し進められ，校則も強化された。バイク三ない運動（免許を取らせない，買わせない，乗らせない）などはその象徴といえよう。

その後，80年代半ばには，いじめ自殺が相次ぎ，いじめが社会問題化する。

90年代に入ると，こうした学校の荒れに関する問題は沈静化する一方，生徒たちの行動をあまりに細かく規定する校則が問題視されるようになった。当時，いくつかの地域では，中学生男子に丸刈りを校則で定めていたが，時代の要請や人権意識の高まりから訴訟が起こるなどし，こうした規則も徐々に廃止されていった。

また不登校児童生徒数が増加し，さらに1994年には愛知県で再び深刻ないじめによるいじめ自殺が起こり，いじめ問題が再び注目された。こうした状況をうけ，1995年にスクールカウンセラー活用調査研究委託事業，2001年からはスクールカウンセラー活用補助事業が始まり，全国の中学校にスクールカウンセラーが配置されることとなった。

3．学校における生徒指導体制——生徒指導主事と生徒指導部

上述したように，我が国においては1975年に生徒指導主事が制度化された。生徒指導主事とは，「校長の監督を受け，学校における生徒指導計画の立案，実施，生徒指導に関する資料の整備，生徒指導に関する連絡・助言等生徒指導に関する事項を司り，当該事項について教職員間の連絡調整に当たるとともに関係教職員に対する指導，助言に当たる者」を指す。生徒指導は，いうまでもなく校内の全教員が行うものであるが，そうした生徒指導体制のコーディネーター役が生徒指導主事であるといえる。長期休業前の全校集会時における講話，生徒対象のアンケートの実施，校内研修の企画・運営，関係緒機関（警察・児童相談所等）との連携の窓口役など業務は多岐にわたる。

一方，校内生徒指導体制の実施主体が生徒指導部である。生徒指導部は，校務分掌の中に位置づけられ，生徒指導主事を中心に，各学年の主任や生徒指導担当，養護教諭等から構成されることが多い。学校によっては管理職（校長・教頭）やスクールカウンセラーが入ることもある。定期的に生徒指導部会を開催し，各学年で気になる生徒や問題となっている事柄等について情報共有し，対応の方針を決め，場合によっては担任への指導，助言などを行うこともある。

4．懲戒と体罰

学校教育法第11条は，「校長及び教員は，教育上必要があると認めるときは，文部科学大臣の定めるところにより，児童，生徒及び学生に懲戒を加えることができる。ただし，体罰を加えることはできない」と規定している。また「校長及び教員が児童等に懲戒を加えるに当つては，児童等の心身の発達に応ずる等教育上必要な配慮をしなければならない」（学校教育法施行規則第26条）とも記されている。

懲戒には，①事実行為としての懲戒と，②法的効果を伴う懲戒があり，前者は，「注意」「叱責」「居残り」「別室指導」「起立」「宿題」「清掃」「学校当番の割当て」「文書指導」「訓告」などが，後者には，「退学」「停学」が含まれる。「退学」は，①性行不良で改善の見込がないと認められる者，②学力劣等で成業の見込がないと認められる者，③正当の理由がなくて出席常でない者，④学校の秩序を乱し，その他学生又は生徒として

ツッパリ：リーゼントやパンチパーマといった髪型，ボンタンと呼ばれる幅の広いズボン，短ラン，長ランと呼ばれる着丈が極端に短い（長い）制服などが流行した。女子も長い丈のスカートが流行した。

暴走族：「道路交通法第68条の規定に違反する行為その他道路における自動車又は原動機付自転車の運転に関し，著しく道路における交通の危険を生じさせ，又は著しく他人に迷惑を及ぼす行為を集団的に行い，又は行うおそれがある者」（警察庁）。特攻服と呼ばれる衣服に身を包み，竹槍マフラー（長いマフラー）を備えた改造バイクや改造車数十台で蛇行運転などの暴走行為を行い道路を占拠するなど，大きな社会問題となった。

校則：校則は，生徒心得などと呼ばれることもあるが，学校生活における諸規則を定めたものである。

スクールカウンセラー活用補助事業：臨床心理士，精神科医，心理学の大学教員などがスクールカウンセラーとして週に8時間（後に6時間），全国の中学校に配置された。なお，心理支援の国家資格である公認心理師の誕生に伴い，2019年度より，上記に加え公認心理師も追加されている。

校務分掌：分掌とは，仕事・事務を手分けして受け持つことである。したがって，校務分掌とは，学校におけるさまざまな校務を，各教職員が分担することを指す。

の本分に反した者に対して，学校長によって行われるが，公立の義務教育段階にある小学校や中学校（中高併設校を除く），特別支援学校においては行うことはできない。また停学については，教育の機会を奪うこととなるため，国立・公立・私立にかかわらず，行うことができない（ただし，懲戒には含まれない<u>出席停止</u>は可能）。

体罰に関しては，「体罰の禁止及び児童生徒理解に基づく指導の徹底について（通知）」（24文科初第1269号・平成25年3月13日）に以下のように記されている。

「体罰は，学校教育法第11条において禁止されており，校長及び教員（以下『教員等』という）は，児童生徒への指導に当たり，<u>いかなる場合も体罰を行ってはならない</u>。体罰は，<u>違法行為であるのみならず，児童生徒の心身に深刻な悪影響を与え，教員等及び学校への信頼を失墜させる行為である</u>。／<u>体罰により正常な倫理観を養うことはできず，むしろ児童生徒に力による解決への志向を助長させ，いじめや暴力行為などの連鎖を生む恐れがある</u>。…（中略）…<u>身体に対する侵害を内容とするもの（殴る，蹴る等），児童生徒に肉体的苦痛を与えるようなもの（正座・直立等特定の姿勢を長時間にわたって保持させる等）に当たると判断された場合は，体罰に該当する</u>。…（中略）…<u>児童生徒から教員等に対する暴力行為に対して，教員等が防衛のためにやむを得ずした有形力の行使は，もとより教育上の措置たる懲戒行為として行われたものではなく，これにより身体への侵害又は肉体的苦痛を与えた場合は体罰には該当しない。また，他の児童生徒に被害を及ぼすような暴力行為に対して，これを制止したり，目前の危険を回避したりするためにやむを得ずした有形力の行使についても，同様に体罰に当たらない。これらの行為については，正当防衛又は正当行為等として刑事上又は民事上の責めを免れうる</u>」（下線は筆者が加筆）

また「体罰の禁止及び児童生徒理解に基づく指導の徹底について（通知）」（文部科学省，2013）において，体罰と懲戒，正当防衛・正当行為の一例が示されている。章末の資料に掲載したので参照されたい。

II．教育相談

1．教育相談とは

教育相談とは，「一人ひとりの生徒の教育上の問題について，本人又はその親などに，その望ましいあり方を助言すること」とされている（文部科学省，2022）。生徒指導と教育相談は重複する部分も少なくないが，生徒指導が個別的な指導・援助に加え，学級，学年，全校生徒といった集団に対する指導を含むものであるのに対し，教育相談は，<u>カウンセリング</u>や<u>臨床心理学</u>の視座に基づいた個別的な対応・支援を指して用いられることが多い。

何者でもないために周囲に影響を受けやすく，また第二次性徴による身体的な変化，自分の容姿や能力といったものに関心が向かいやすいのが思春期であり，その先に自分は何者になるのかを模索し決断しなければならない青年期が待ち構えている。生徒たちは，さまざまな悩みや思いを抱えながら中学・高校時代を生きている。これらの時期にある生徒と向き合う教師は，こうした思いを汲み取る想像力と包み込む包容力を持ちたいものである。

2．学校内における教育相談体制

教育相談には，いわゆる生徒指導における生徒指導主事のような法的に位置づけられ

出席停止制度：本人に対する懲戒ではなく，学校の秩序を維持し，他の児童生徒の義務教育を受ける権利を保障するという観点から行われる措置。

カウンセリング：学校現場では，C・ロジャーズによる「人間中心療法（PCA: Person Centered Approach）」（クライエント中心療法や非指示療法と呼ばれる場合もある）を指している場合が多い。PCAにおいては，受容，共感に基づく傾聴が重要視されており，アドバイスや指示は極力行わない点が特徴である。なお，詳細については，第11章の「カウンセリングの理論と技法」を参照されたい。

臨床心理学：心理的な問題を，心理学的な知識に基づき支援することを目指す心理学の応用領域の一つ。

たコーディネーターは存在しない。しかし，各学校には教育相談担当教員や教育相談部が置かれる場合が少なくない。教育相談担当教員は，スクールカウンセラーをコーディネートするスクールカウンセラーのコーディネーター教員や特別支援教育コーディネーター，あるいは養護教諭などが担当することもある。

学級担任制である小学校とは異なり，中学校や高等学校では教科担任制であり，問題を抱える当該生徒については学年の教員や部活の顧問等含め複数の教員が日常的に関わっている。さらに養護教諭やスクールカウンセラーが関わりを持つ場合も少なくない。当該生徒については，担任が一人で抱え込まずに，こうした当該生徒に関わる教員全員がチームで対応するチーム支援が基本である。こうした校内連携の取りやすさも学校の教育相談機能を左右する大きな要因となる。

Ⅲ．生徒指導・教育相談において求められる視点

1．児童生徒理解の視点

生徒指導や教育相談の対象となる子どもたちは皆，一人ひとりがかけがえのない存在である。と同時に，それぞれが異なる能力（身体能力・学習能力），パーソナリティ，適性興味・関心を持っている。したがって，生徒指導や教育相談を行ううえで，児童生徒理解の視点は欠かせない。ここでは，この児童生徒理解について，少し考えてみたい。

①2つの「理解」

広辞苑によれば，「理解」には，以下の2つの意味がある。

- 物事の道理をさとり知ること。意味をのみこむこと。物事がわかること。「文意を――する」
- 人の気持ちや立場がよくわかること。「――のある先生」「関係者の――を求める」

一つは，頭で知的に分かることである。子どもたちの諸特性や置かれている状況，学級内での人間関係，家庭環境その他についてきちんと押さえておくことであり，理解の重要な側面ではある。しかし，理解にはもう一つの意味がある。他人の気持ちや立場を察するといった意味での理解である。とりわけ思春期や青年期の子どもたちは，さまざまな葛藤を抱えやすい時期でもある。単にその子どもの特徴や状況を頭で理解するということにとどまらず，こうした共感に基づく理解，心で理解するといった点を忘れてはならない。

②その時期の一般的な子どもの理解――発達段階・発達課題を理解する

こうした児童生徒理解の基盤となるのが，当該の時期の子どもたちが一般的にどのような発達を遂げるのかについて押さえておくことである。つまり児童期，思春期，青年期といった時期は子どもたちにとってどのような時期で，また，乳児期，幼児期，あるいは中年期や高齢期とどのように異なるのかを理解しておくことが重要である。そのため，発達段階や発達課題についての理解は欠かせない。

③個－学級－学校－地域

個の理解はいうまでもないが，学級集団，あるいは学校システムの理解といったものも重要となる。さらには，学校が置かれている地域（その地域の風土や文化，歴史といった累積的文脈）を捉えておくことも必要である。

④時代性・世代性

1970年代の中学生と現代の中学生は同じであろうか？　そうではないであろう。子ども達は時代によってその姿を変えていく。教師という職業は，同じ年代の子ども達を数十年にわたって見守る職業であり，こうした時代性や世代性（コーホート）といった視点も考慮に入れて子ども達と向き合う姿勢が求められる。

発達段階・発達課題：第3章を参照のこと。

2．問題の背後に隠された意味を探る

　生徒の表面的な問題行動にはそれぞれ意味がある。教師に対して反抗的な態度をとる生徒，万引きをする生徒，授業中体調不良を訴えて頻繁に保健室にやってくる生徒，万引きをする生徒等の背後には，かまってほしいというさみしさ，愛情に対する希求が存在していることもある。問題の表層ではなく，深層の意味を汲み取ることが肝要である。

3．ソリューション・フォーカストの視点

　困難を抱える（と見なされている）生徒と向き合う際，私たちは，ついつい生徒の問題や短所，うまくいっていない部分に焦点をあてがちである。問題に対するこうした向き合い方は「プロブレム・フォーカスト」と呼ばれるが，問題ばかりに焦点をあてた対応は，犯人探しに終始し問題が解決しないばかりか，さらなる悪循環を生みだしてしまう等，問題をより大きなものにしてしまう場合も少なくない。さらに付言すれば，教員のメンタルヘルスにも決していい効果は生まないものである。カウンセリング技法の一つである家族療法の展開の中で生まれたアプローチに，「ソリューション・フォーカスト・アプローチ（Solution focused）」と呼ばれるアプローチがある。これは問題ではなく解決に焦点をあて，問題を解決することよりも，今すでに存在する解決（うまく行っていること，対応，工夫）を増やすことに重きをおくアプローチである。こうした解決志向の視点に基づく関わり（すなわちソリューション・フォーカスト・エデュケーション）も忘れないようにしたいものである。

4．家庭・地域・関係機関との連携・協働

　生徒の抱える問題解決にあたり，家庭や地域，関係機関との連携，協働が必要な場合が少なくない。例えば，不登校事例では，子どもが教師との接触を拒む場合，家庭との連携が必須となる。さらに，その生徒が医療機関を受診していたり，適応指導教室に通ったりしている場合には，こうした外部機関との情報共有も必要となってくる。非行の事例では，警察や児童相談所，家庭裁判所等との連携が求められる。なお，他機関との連携については，第10章で詳しく述べる。

5．3段階の心理教育的援助サービス

　石隈（1999）は，学校心理学（school psychology）の観点から，学校における生徒に対する心理教育的援助サービスとして以下の3つを挙げている（図1）。

　一次的援助サービスとは，全ての子どもを対象として，入学時やクラス替え時の適応を支える，あるいは学習スキル，対人関係スキルなどを育む指導援助であり，問題を予防するための関わりといえる。

　特に入学時やクラス替え時，「友達はできるだろうか」「いじめられないだろうか」といったさまざまな不安を感じる生徒も少なくない。自己紹介シートの作成・掲示や構成的グループエンカウンター等を活用し，クラス内の人間関係づくり，生徒間の信頼関係づくりを目指したい。

　二次的援助サービスとは，SOSサインを出し始めた生徒，苦戦している生徒に対する支援である。いわば早期発見，早期対応によって，問題が大きくなる前に問題の芽を摘む指導・援助といえる。

　三次的援助サービスとは，問題が顕在化している特定の生徒に対する援助サービスである。三次的援助サービスにおいて対象となりうる問題には下記のようなものがある。

SOSのサイン：遅刻，早退が目立つ，登校しぶり（月曜に休みがち，欠席が目立つ），成績が落ちる，宿題を出さない，表情が硬い，昼休みや教室移動時一人でいる，言葉遣いが荒い，頭髪・服装の乱れ，イライラしている，体調不良を訴える，保健室に頻繁に来室する，などが挙げられる。

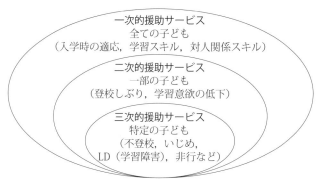

図1　石隈（1999）による3段階の心理教育的援助サービス

三次的援助サービスにおいて対象となりうる個別的な問題
（1）不登校
（2）いじめ
（3）発達障害：ADHD，LD，ASD
（4）児童虐待
（5）精神医学的問題：パニック障害，強迫性障害，摂食障害，リストカット症候群，大うつ病性障害，統合失調症，自殺
（6）非行・反社会的な問題：飲酒，喫煙，薬物乱用，暴力行為，器物損壊，万引き，恐喝，性非行，家庭内暴力，家出
（7）その他

Ⅳ．進路指導

1．進路指導とは

　学校教育法第21条には，義務教育の目標として，「10　職業についての基礎的な知識と技能，勤労を重んずる態度及び個性に応じて将来の進路を選択する能力を養うこと」が掲げられており，また高等学校の目標として，同第51条には「1．義務教育として行われる普通教育の成果を更に発展拡充させて，豊かな人間性，創造性及び健やかな身体を養い，国家及び社会の形成者として必要な資質を養うこと。／2．社会において果たさなければならない使命の自覚に基づき，個性に応じて将来の進路を決定させ，一般的な教養を高め，専門的な知識，技術及び技能を習得させること。／3．個性の確立に努めるとともに，社会について，広く深い理解と健全な批判力を養い，社会の発展に寄与する態度を養うこと」と記されている。

　また中学校学習指導要領総則では「生徒が自らの生き方を考え主体的に進路を選択することができるよう，学校の教育活動全体を通じ，計画的，組織的な進路指導を行うこと」と規定されている。

　進路指導は，かつて職業指導とも呼ばれたが，職業指導が就職のための指導（履歴書の書き方や面接指導）のみを指す概念であるとの誤解を避けるため，また特定の職業や実務に関する専門的教育である職業教育との混同を避けるため，名称が変更となり，今日に至っている。進路指導は，学習指導要領上は，主に進路選択を迫られる中学校，および高等学校における教育的営為を指す言葉として長きにわたって用いられてきた。しかし近年の雇用環境や子ども達を取り巻く環境の変化に呼応する形で，小学校やそれ以前，また大学やそれ以降も含めた進路や生き方に関する教育（勤労観・職業間の育成）の必要性が増し，1999（平成11）年，中央教育審議会答申「初等中等教育と高等教育との接続の改善について」において，小学校や高等教育以降においてもこうした職業観

教育の重要性が叫ばれるようになった。こうした生涯にわたる職業観教育はキャリア教育やキャリアガイダンスと呼ばれている。現在では，中学校や高等学校において，職場体験が盛んに行われ，また高等教育においてもインターンシップなどの職業体験が取り入れられるようになっている。

2．校内における進路指導体制

学校教育法施行規則第71条において，「中学校には，進路指導主事を置くものとする」とされ，その職務について「校長の監督を受け，生徒の職業選択の指導その他の進路の指導に関する事項をつかさどり，当該事項について連絡調整及び指導，助言に当たる」と記されている。また進路指導主事を中心として，校内の進路指導体制の運営にあたるのが進路指導部である。

中学校においては，職場体験の実施，各高等学校の情報収集や生徒への周知などが行われている。また高等学校においては，進路指導室が置かれ高等教育機関の情報や各企業の求人などが閲覧できるようになっている。また高大連携の観点から，高校に大学の教員を招いて大学の講義を体験させたり，また大学のオープンキャンパスに参加させたりといった取り組みも行われている。

ワーク（考えてみよう）

1．体罰について例を挙げながら，グループで考えてみよう。

2．あなたの中学校・高校の校則を調べ，グループで共有しよう。

3．あなたが中学生・高校生だったころと，現在の中学生・高校生はどんな点が共通しており，またどんな点が異なっているのか，グループで話し合ってみよう。

参考・引用文献

石隈利紀 (1999). 学校心理学　誠信書房
木之下隆夫（編）(2013). 子どものこころを理解する学校支援のための多視点マップ：始め方・使い方　遠見書房
国立教育政策研究所生徒指導研究センター (2009). 生徒指導資料第1集（改訂版）：生徒指導上の諸問題の推移とこれからの生徒指導―データに見る生徒指導の課題と展望
文部省 (1988). 生徒指導資料集第20集　生活体験や人間関係を豊かなものとする生徒
文部省 (1955). 職業指導の手びき―管理・運営編
文部省 (1961). 進路指導の手引―中学校学級担任編　日本職業指導協会

文部科学省 (2008). 中学校学習指導要領解説（特別活動編）
文部科学省 (2011a). 小学校キャリア教育の手引き（改訂版）
文部科学省 (2011b). 中学校キャリア教育の手引き
文部科学省 (2012). 高等学校キャリア教育の手引き
文部科学省 (2013) 体罰の禁止及び児童生徒理解に基づく指導の徹底について（通知） http://www.mext.go.jp/a_menu/shotou/seitoshidou/1331907.htm（2024 年 4 月 25 日閲覧）
文部科学省 (2017a). 小学校学習指導要領解説
文部科学省 (2017b). 中学校学習指導要領解説
文部科学省 (2018). 高等学校学習指導要領解説
文部科学省 (2022). 生徒指導提要　東洋館出版社
小野直広（編）(1993). 教育心理学体系 3　生徒指導　中央法規出版
仙崎武・野々村新・渡辺三枝子・菊池武剋（編）(2012). 改訂生徒指導・教育相談・進路指導　田研出版
寺田晃・佐藤怜（編）(1993). 教育心理学体系 3：生徒指導　中央法規出版社
吉田辰雄編 (1992). 最近の生徒指導と進路指導―その理論と実践　図書文化

資料　体罰と判断される行為の一例

□**体罰**（通常，体罰と判断されると考えられる行為）

身体に対する侵害を内容とするもの：体育の授業中，危険な行為をした児童の背中を足で踏みつける／帰りの会で足をぶらぶらさせて座り，前の席の児童に足を当てた児童を，突き飛ばして転倒させる／授業態度について指導したが反抗的な言動をした複数の生徒らの頬を平手打ちする／立ち歩きの多い生徒を叱ったが聞かず，席につかないため，頬をつねって席につかせる／生徒指導に応じず，下校しようとしている生徒の腕を引いたところ，生徒が腕を振り払ったため，当該生徒の頭を平手で叩（たた）く。給食の時間，ふざけていた生徒に対し，口頭で注意したが聞かなかったため，持っていたボールペンを投げつけ，生徒に当てる／部活動顧問の指示に従わず，ユニフォームの片づけが不十分であったため，当該生徒の頬を殴打する。

被罰者に肉体的苦痛を与えるようなもの：放課後に児童を教室に残留させ，児童がトイレに行きたいと訴えたが，一切，室外に出ることを許さない／別室指導のため，給食の時間を含めて生徒を長く別室に留め置き，一切室外に出ることを許さない／宿題を忘れた児童に対して，教室の後方で正座で授業を受けるよう言い，児童が苦痛を訴えたが，そのままの姿勢を保持させた。

□**認められる懲戒**（通常，懲戒権の範囲内と判断されると考えられる行為）（ただし肉体的苦痛を伴わないものに限る）
※学校教育法施行規則に定める退学・停学・訓告以外で認められると考えられるものの例

放課後等に教室に残留させる／授業中，教室内に起立させる／学習課題や清掃活動を課す／学校当番を多く割り当てる／立ち歩きの多い児童生徒を叱って席につかせる／練習に遅刻した生徒を試合に出さずに見学させる。

正当な行為（通常，正当防衛，正当行為と判断されると考えられる行為）：児童生徒から教員等に対する暴力行為に対して，教員等が防衛のためにやむを得ずした有形力の行使／児童が教員の指導に反抗して教員の足を蹴ったため，児童の背後に回り，体をきつく押さえる／他の児童生徒に被害を及ぼすような暴力行為に対して，これを制止したり，目前の危険を回避するためにやむを得ずした有形力の行使／休み時間に廊下で，他の児童を押さえつけて殴るという行為に及んだ児童がいたため，この児童の両肩をつかんで引き離す／全校集会中に，大声を出して集会を妨げる行為があった生徒を冷静にさせ，別の場所で指導するため，別の場所に移るよう指導したが，なおも大声を出し続けて抵抗したため，生徒の腕を手で引っ張って移動させる／他の生徒をからかっていた生徒を指導しようとしたところ，当該生徒が教員に暴言を吐きつばを吐いて逃げ出そうとしたため，生徒が落ち着くまでの数分間，肩を両手でつかんで壁へ押しつけ，制止させる／試合中に相手チームの選手とトラブルになり，殴りかかろうとする生徒を，押さえつけて制止させる。

「学校教育法第 11 条に規定する児童生徒の懲戒・体罰等に関する参考事例」
（文部科学省，2013）より抜粋

コラム ❖ column

言葉のチカラ——
言葉はもともと魔術だった!?
....Words were originally magic.

佐藤宏平

振り返ってみると，これまで自分が出会ってきた先生が発した無数の言葉の中に，不思議と記憶に残る言葉があるのではないだろうか？　その言葉とはどんな言葉だっただろうか？

精神分析学の祖，S・フロイトは，『精神分析入門』（Freud, 1917）の序章において，次のように述べている。

> 「言葉は，もともと魔術でした。言葉は，今日でも昔の魔力をまだ十分に保存しています。われわれは，言葉の力によって他人を喜ばせることもできれば，また絶望におとしいれることもできます。言葉によって，教師は生徒に自分のもっている知識を伝達することができるし，講演者は満堂の聴衆を感動させ，その判断や決意を左右することもできます。言葉は感動を呼び起こし，人間が互いに影響しあうための一般的な手段なのです」（『精神分析入門』より）

上記の言葉についての論考は，フロイトが心理療法について述べたものであるが，心理療法も教育も共に言葉によって支援対象であるクライエントや児童・生徒に何らかの肯定的な影響をもたらそうとする営みといってよい。言葉を道具に仕事をする点で，心理療法も教育も共通している。

また言葉は言語のみではない。姿勢，表情，アイコンタクトやジェスチャー（身振り手振り）といった非言語的な側面もあれば，抑揚やイントネーション，リズムやテンポ，声の大きさ，あるいは間や沈黙といったパラ言語と呼ばれる側面もある。さらに，記号論的な観点からすれば，こうした広義の言葉には，服装や化粧，装飾品といった人工物も含まれることとなる。

加えて言葉は，それが置かれる文脈や状況によっても，全く意味を変える性質をもっている。

こうした広義の言葉の力をどのように考えたらよいのであろうか？　どんな言葉をどんな状況で生徒に伝えるのが良いのだろうか？　これは教員にとって永遠の課題の一つではないだろうか？

生徒にとって，教師の発する言葉は知識を伝える以上の意味をもっている。生徒のやる気や力を引き出す言葉，生徒が抱えた心の重荷をほんの少しだけ軽くする言葉，心の琴線に触れる言葉，生徒の心傷つきを癒す言葉……。こうした言葉には，どんなものであろうか？　また，あなたの中には，どんな言葉が眠っているだろうか？

教師の言葉によって，生徒を絶望の底に突き落とすようなことだけは決してあってはならない。教師は，こうした言葉の魔術の良き使い手でなければならないのである。

参考・引用文献

Freud, S. (1917). *Vorlesungen zur Einführung in die Psychoanalyse.* Leipzig and Wien: Hugo Heller & Cie.（高橋義孝・下坂幸三訳 (1973). 精神分析入門（上）　新潮文庫）

第2章

生徒理解の基礎

奥野誠一

I. 生徒理解の目的

　生徒理解とは，教師が生徒のパーソナリティ，能力，行動傾向，対人関係，家庭的背景，興味関心などを把握することである。教師に限らず，専門家はそれぞれの専門性に基づいて実態を把握し，実態把握に基づいて対策を立てる。例えば，医師は患者の症状を診断し，診断に基づいた治療を行う。スクールカウンセラーはクライエント（生徒・保護者）に対する心理アセスメントに基づいてカウンセリング（またはコンサルテーション）を行う。これらと同じように，教師は生徒理解に基づいて指導を行う。医師の「診断」やスクールカウンセラーの「心理アセスメント」に相当する指導の根拠が生徒理解である。

　生徒理解の目的は，「指導方法を定めること」「生徒および保護者に寄り添えるようにすること」の2点である。本章では，「指導」という言葉を教師による生徒への働きかけ全てを含んだ意味で用いる。つまり，学習指導だけでなく，不登校生徒への関わりなど，教師による日常的な関わり（心理面に配慮した対応や何気ない会話など）も含めて考える。

　学習指導においては，「どうしてそのような指導をしたのですか？」と尋ねられた場合には，生徒の実態について根拠を示して効果的な指導方法であることを説明できる必要がある。学習指導案に生徒の実態を記述するように，ある指導方法を適用するためには生徒の学力レベルやつまずき，過去の学習経験，扱った素材（教材）などを踏まえた，生徒の実態を把握していることが求められる。

　同様に，心理的に落ち込んだり，傷ついたりしている生徒への関わりにおいても，「生徒が〇〇という状態と判断したので，このような関わりが適切と考えた」といえる必要がある。特に，心理的に何らかの傷つきを抱える生徒に対しては，苦痛に思いをめぐらせて，寄り添う姿勢を持つことが指導の基本となる。苦痛を抱える事情が理解できれば，寄り添いやすくなる。自分が経験したことのないことであっても，教師の専門性において理解しようとすることが大切である。

　そのため，「指導方法を定めること」「生徒および保護者に寄り添えるようにすること」のいずれも満たさない生徒理解は，生徒指導に役立たない。特に，「〇〇が問題だ。だからダメなんだ」で終わり，アプローチを考えないものは生産的でない。「〇〇が問題」だとするならば，〇〇の部分にどのようにアプローチしたらよいかという対策案を出せるように理解する必要がある。したがって，実態に基づいた効果的な指導を行うためには，指導方法（授業・学習指導方法，接し方など）についてもバリエーションを持っておいたほうがよい。

　また，新たな情報を得たら，適宜，理解と指導方針を修正する柔軟性も必要である。指導方針を頻繁に変えることは良くないが，実際と適合しなくなったら修正することは大切である。

パーソナリティ：個人の「その人らしさ」を特徴づける基本的な行動様式のこと。ここでいう行動とは，振る舞い，認知・思考・判断，感情なども含み広く捉えている。また，環境や状況によって変容するものでもある。

コンサルテーション：援助対象者に直接関わる人物に働きかける間接的援助のこと。心理の専門家が援助対象者と直接関わらない形の援助である。生徒への理解や関わり方について教師や保護者と相談することはコンサルテーションの一形態といえる。

心理アセスメント：クライエント（援助対象者）に関する情報を集めて問題を明確にし，問題が形成・維持されてきたプロセスについて仮説を立て，対応方針を定めること。心理的な問題には，多くの要因が複雑に絡み合っているため，それらを面接や心理検査などで系統的に情報を集めて全体的に理解しようとするものである。

Ⅱ．生徒理解の内容と方法

1．生徒理解の内容

　生徒理解は「何となく」するものではない。向山（1986）は，授業の技術を支える心構えを，次に示す「授業の原則（技能編）8カ条」として論じている。

　　第1条　子どもの教育は菊を作るような方法でしてはならない
　　第2条　子どもは断片的にしか訴えない。言葉にさえならない訴えをつかむのは教師の仕事である
　　第3条　子どもを理解することの根本は，「子どもが自分のことをどう思っているか」ということを理解することである
　　第4条　意見にちがいがある。だから教育という仕事はすばらしいのだ
　　第5条　時には子どもの中に入れ。見え方が変わる
　　第6条　秒単位で時間を意識することは，あらゆるプロの基本条件である
　　第7条　技術は，向上していくか後退していくかのどちらかである
　　第8条　プロの技術は思い上がったとたん成長がとまる

　詳細は向山（1986）にあたってほしいが，2，3，5条は，上記の文章を見ただけでも子どもの理解に関する部分であることが分かる。このように，教育の前提として生徒理解は重要な位置づけである。2023年4月1日に施行されたこども基本法では，意見表明権など子どもの権利を尊重することを理念に掲げている。上記の第2条と関係の深い内容である。教師には，子どもの訴えや思いを想像し，言語を助けることも求められる。

　生徒を理解するためには，生徒に関するさまざまな情報が必要となる。これには，日常的な観察，関わりから得られるものもあれば，改まった形で本人に尋ねたり，保護者・他の教師・外部機関の関係者などから情報を集めたりする必要がある。情報を集めたうえで，その生徒のおかれた環境，年齢相応に発達している部分，そうでない部分，自己への認識などを把握する。

　集める情報は，問題（生徒本人や保護者が困っていること），目標・ニーズ（どうなったら良いか），問題の経過（きっかけ，時期，周囲の対応など），相談歴（専門機関などに相談したことはあるか），生育歴（どのような発達の経過をたどっているか），対人関係（親子関係，家族関係，友人関係），身体状況（健康状態や疾病経験など）などである。また，好きなこと・得意なこと・興味関心などについての情報も重要である。これらの情報は，生徒の得意分野や興味を活かした指導法を考えたり，教師との関係を近づけたりするのに役立つ。

　しかし，実際に生徒の全てのことを把握することは現実的でない。指導上，必要な情報は何かを知っておき，適宜情報を得られるようにしておくことが大切であろう。情報を集めたうえで，「あの子はこういう子」といった理解ではなく，「子どもが自分自身のことをどう思っているのかということを理解する」ことが重要である。

2．生徒理解の方法

　①生徒理解の代表的方法

　人間には多様な側面がある。生徒を多面的に理解するには複数の方法を組み合わせる必要がある。代表的な方法を表1に示した。以下，簡単に補足する。

　1）心理検査法：心理検査とはいえないが，学校単位で行われるアンケート（いじめや学校生活に関するものなど）や学力テストも生徒理解のための参考資料として活用できる。特に学業成績の急な低下は何らかの心理的ストレスを抱えている可能性も高いた

表1　生徒理解の代表的方法

方法	概要
心理検査法	知能，発達の程度，パーソナリティなどある特定の心理機能を測定するために作成された検査を用いる方法。 検査ごとに実施の手続きが定められていて，採点から解釈まで一定の手続きで行われる。
観察法	子どもの行動を観察し，その結果を分析して，行動の質的側面・量的側面を把握する方法。 教師にとっては最も基本的で現実的な方法。
面接法	対象の生徒と直接話すことを通して生徒の実態を把握する方法。 本人の内面を直接把握する。
周囲からの情報収集	対象の生徒以外の関係者から情報を収集する方法。 保護者・教科担当の教師・養護教諭・以前に関わったことのある教師・友人・その他の関係者などから様々な側面からの情報を得る。
提出物・作品法	日常の教育活動の中での児童の作品から心理状態を把握する方法。 多くの健康な生徒の作品や以前の作品との比較などで内面の様子を推測する。

め注意深く様子を見ることが重要であろう。

生徒指導提要改訂版では，子どもの発達上の課題を把握する方法の例として，適応行動を評価するVineland-Ⅱ（ヴァインランド・ツー），知能を測定するWISC-ⅤおよびKABC-Ⅱがあげられている。なお，代表的な知能検査については後述する。

2）観察法：観察法では，「自分の判断（主観的記述）」と「その根拠となる観察可能な現象（客観的記述）」とを分けておくことと，問題となる行動の直前に何が起こり問題となる行動の直後に何が起こったのかについても細かく観察することが大切である。教師は，日常的に生徒と関わっているため，「ふだん」の様子との違いも観察可能である。

3）面接法：中学生以降であれば，ある程度自分のことを客観的に内省することができるようになるため，面接法は有効な方法である。生徒の考えや感情を丁寧に受け止めながら話をきくと，そのこと自体が生徒の内省を促す援助となる。生徒にとっては話をすることで，頭の中が整理されたり，気持ちが軽くなったりするからである。生徒の考えや感情を確認する作業は生徒の成長に役立つことを念頭に置いておくとよいであろう。しかし，客観的事実を把握することも必要である。話をきく目的に応じて，どのような話のきき方をするとよいかを考えておくとよいであろう。

質問をしてもすぐに応えられずに黙ってしまうこともあるだろう。教師としては言葉を変えて質問し直したくなるかもしれない。しかし，質問に応えるには，質問を受けて自分の中を探索して整理するというプロセスが必要である。したがって，今まで考えたことのない質問や，生徒の中でまだ整理できていないことはすぐに応えることは難しい。生徒の内省を促進するために沈黙して待つことが生徒への援助になる。この間，生徒は頭の中で，自分を振り返り整理する作業をしているため，質問を重ねることは内省を妨げることになる。

その一方で，生徒にも応えたくないものもある。特に，思春期年齢の生徒に対して，踏み込まれたくない領域に踏み込まれることは脅威と認知されかねず，生徒との人間関係を損ないかねない。原則として，無理に応えさせようとすることは禁物である。応えたくないことは無理に応えなくてよいということを事前に伝えて面接するとよいであろう。よく表情を見ながら「この話題はしたくない感じかな」などと声をかけながら教師が話題を引くことも有用である。このようなやりとりの繰り返しによって関係が形成される。情報を無理なく引き出すような工夫が大切である。

4）周囲からの情報収集：中学校は教科担任制となるため各教科の教師が生徒に関わ

Vineland-Ⅱ（ヴァインランド・ツー）：Vineland-Ⅱ適応行動尺度の略称で，対象者をよく知る関係者に半構造化面接（あらかじめ決まった質問項目を用意しつつ，相手の反応によって質問の順番や内容を変化させて柔軟に詳細を尋ねる面接）を行い適応行動の水準を評価する方法。対象年齢は0歳〜92歳11ヶ月と幅広い。

表2　教師による生徒認知のプロセス（前田，1999）

ステップ	特徴	例
①注目	外見的特徴，行動，状況に目を向ける段階	ある生徒が教師に乱暴な言葉づかいをしているのをみる
②速写判断	外見的特徴，表情などを手がかりとして，即座に主観的な判断が生じる段階	「この生徒は反社会的な傾向を持っている」と瞬間的に判断する
③帰属過程	行動観察に基づいて，なぜその行動が起こったか，意図，性格，行動傾向などを推測する段階	「それは攻撃的な性格をもっているからである」と原因を推測する
④特性推論	推測された特性（例えば内向的な性格）から，別の特性（例えば友人が少ないなど）を連想する段階	「思いやりに欠ける性格かもしれない」と推測する
⑤印象形成	断片的な情報をもとに，その児童生徒の全体的なイメージを思い浮かべたり，好ましさなどを判断する段階	好ましくない人物というイメージを持つ
⑥行動の予測	これまでの判断から，その児童・生徒がこの先，ある状況・場面でどんな行動をとるかを予測する段階	「勉強もやる気がないだろう」と予測してしまう

ることになる。小学校に比べ，担任が関わる時間は短くなるが，その分，多くの教師と関わることになる。そのため，各教科や教師との関係などで多くの情報が得られる。各教科での様子や態度の違いなどは生徒を理解するうえで重要な情報である。

5）提出物・作品法：生徒が表現するものには多かれ少なかれ，価値観・興味関心・感情状態などの内面が反映される。作品だけをみて生徒理解を行うのは不適切であるが，気になる内容のものがあればその生徒に注意を払うようにするといった活用ができる。

②教師による生徒認知のプロセス

前田（1999）は，教師の生徒認知のプロセスについて，表2のような段階があることを紹介している。そして，このうち，「②速写判断」の段階が生徒認知に大きな影響を及ぼすことを指摘している。この瞬間的な判断は，対象の生徒に関する情報が少ないと偏ったものになる。生徒と接する機会や情報が多ければさまざまな状況での行動について，この6段階を繰り返すことで，偏りを修正し内面的な特徴を理解できるようになる。

情報の少なさはこうした偏った理解を生じさせるということを知っておくとよいであろう。教師は日常的な観察や関わりが可能なため，修正する機会を持つことができる。これは大きな強みといえるであろう。

以上のように，複数の方法を組み合わせ，多面的・意識的に生徒を理解することが大切である。生徒を理解するには，「理解しよう」という意欲だけでは不可能であり，理解するための技術を身に付ける必要がある（向山，1987）。指導技術を高めることにもつながるため，意識的に研鑽を積むことが望ましい。

Ⅲ．代表的な知能検査

現在，心理検査は診断や心理アセスメントの道具として，医療機関など多くの学校外の専門機関で実施されている。実施には専門的知識と訓練が必要とされるため，教師が実施することは現実的ではないであろう。しかし，生徒が専門機関で検査を受けた場合には，検査結果を持参してくることが多い。指導に活用するためにも，学校側から検査結果を持参するように依頼することもある。そのため，教師も心理検査に関する知識と基本的な結果の見方を知っておいたほうがよいであろう。特に，近年は知能検査結果を活用する機会はとても増えている。そこで本節では，代表的な知能検査を紹介し，検査

ウェクスラー式知能検査（次ページ）：1939年にウェクスラーが作成したウェクスラー・ベルビュー知能検査（W-BI）をはじめとして，1949年に児童用のWISC，1955年に成人用のWAIS，1967年に幼児用（対象年齢：3歳10カ月から7歳1カ月）のWPPSI（Wechsler Preschool and Primary Scale of Intelligence；通称ウィプシ）が開発された。2023年9月時点で，日本版では，幼児用はWPPSI-III，児童用はWISC-IVおよびV，成人用はWAIS-IVが発売されている。WISC-Vは2022年に発売されたところであり，今後はIVからVへの移行が見込まれる。

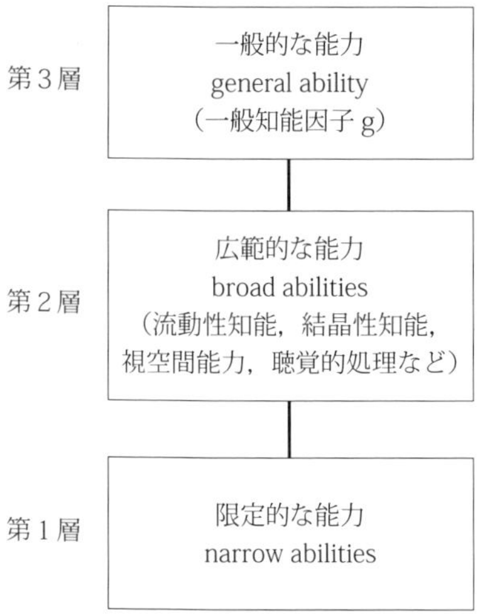

```
第3層  ┌─────────────────┐
        │  一般的な能力    │
        │ general ability │
        │（一般知能因子 g）│
        └────────┬────────┘
                 │
第2層  ┌─────────┴─────────┐
        │   広範的な能力     │
        │  broad abilities   │
        │（流動性知能, 結晶性知能,│
        │ 視空間能力, 聴覚的処理など）│
        └────────┬──────────┘
                 │
第1層  ┌─────────┴─────────┐
        │   限定的な能力     │
        │  narrow abilities  │
        └───────────────────┘
```

図1　CHC理論における階層構造

結果の活用にあたっての留意点について述べておきたい。

1．WISC-Ⅳ（Whechsler Intelligence Scale for Children-Forth Edition）

児童用のウェクスラー式知能検査第4版の日本版である。通称WISC（ウィスク）と呼ばれており，子どもの知能検査の中でも代表的な検査の一つである。対象年齢は5歳0カ月〜16歳11カ月である。それ以上の年齢の生徒には，成人用のWAIS（Whechsler Adult Intelligence Scale；ウェイス）が適用される。

ウェクスラー Wechsler, D. は知能を「目的に合うように行動し，合理的に思考し，自分の環境を効果的に処理する総合的な能力」と定義している。WISC-Ⅳは，こうした知能観に基づきつつ，CHC（Cattell-Horn-Carroll）理論を理論的基盤として取り込んで作成されている。

CHC理論は，キャッテル Cattell, R. B. とホーン Horn, J. L. による流動性知能（Gf; general fluid intelligence）ー結晶性知能（Gc; general crystallized intelligence）の理論とキャロル Carroll, J. B. の階層モデル（3層理論）を統合した理論である。3人の研究者の頭文字を取って名づけられている。CHC理論では，知能を第1層（個別の状況で用いられる限定的な能力），第2層（個別の状況で用いられる能力が集まって構成される広範的な能力），第3層（全てに共通する一般的能力）の3階層からなると考えている（図1）。流動性知能ー結晶性知能は，この中の第2層に位置づけられている。全体的な知能（一般知能）は最上位の第3層に位置する。第2層に位置する広範的な能力が相互に関連しあって全体的な知能を構成すると考えるものである。おおむね2000年以降に改訂された多くの検査はCHC理論に基づいて作られている。CHC理論は，心理測定学に基づき，多くの研究の蓄積により実証されてきたものである。CHC理論に基づくことで理論的根拠が強化されている。

WISC-Ⅳは，10個の基本検査と5個の補助検査の全部で15個の下位検査から構成されている。各下位検査の得点を組み合わせて，全検査IQ（FSIQ；Full Scale Intelligence Quotient）および4つの指標（VCI, PRI, WMI, PSI）の合成得点を算出し，生徒の認知特徴を把握する。表3は各指標の合成得点に下位検査を対応させたものである。FSIQは，子どもの全体的な認知能力の発達水準を測定している。これは，CHC理論における第3層の全体的な能力（一般知能）に位置づけられる。以下に述べる各指標は，それぞれCHC理論における第2層の広範的な能力に位置づけられる。VCI（Verbal Comprehension Index；言語理解指標）は語彙，言語による推理能力，習得した知識を測定する。PRI（Perceptual Reasoning Index；知覚推理指標）は，視覚的情報に基づく推理能力，視覚的な情報処理能力を測定する。WMI（Working Memory Index；ワーキングメモリ指標）は，課題などの一定の心的作業を行うために一時的に必要となる記憶能力を測定する。PSI（Processing Speed Index；処理速度指標）は，単純な視覚情報を素早く処理する能力を測定する。WISC-Ⅴでは PRI が VSI（Visual Spatial Index；視空間指標：視覚的・空間的な認識能力の指標）と FRI（Fluid Reasoning Index；流動性推理指標：非言語的な問題解決や新しい状況での応用能力の指標）に変わり，主要な指標

ウェクスラー：知能をさまざまな側面から分析的・診断的に捉える必要性を指摘し，さまざまな患者に実施可能な検査を探索した。ビネー式知能検査，陸軍α式知能検査，陸軍β式知能検査を中心とした既存の検査問題の信頼性や妥当性の検討を行い，問題を選抜し，W-BIを作成した。ウェクスラーは，知能を言語性知能，動作性知能に分けて捉えた。また，知能の指標として偏差知能指数（DIQ）を導入し，検査結果を同年齢集団の中で位置づけて解釈できるようにした。

流動性知能ー結晶性知能の理論：流動性知能は，非言語的な問題解決や，新たな状況への応用能力（演繹的推理，帰納的推理，図形処理，空間認識など）で，成人以降，加齢とともに減退する。一方，結晶性知能は，学習経験によって身に付けられた知的能力（知識，言語理解，語彙，社会的知識など）で，加齢によって低下しない。キャッテルがこれら2つの能力を提唱・検討し，ホーンがこれら2つだけでなく9〜10個の広範能力を含むように拡張した。

偏差知能指数（次ページ）：検査結果を平均からどれだけ離れているかという観点で捉える指標である。知能の分布に正規分布を仮定し，平均を100とする。平均から±1標準偏差（85〜115）の範囲に同年齢の約68％，±2標準偏差（70〜130）の範囲に約95％が含まれる。これにより，同じ年齢集団内での相対的な位置を示すことができる。現在の知能検査で算出される「知能」の多くはこの偏差知能指数のことである。

表3　WISC-Ⅳの下位検査の構成と指標得点

指標	基本検査	補助検査
VCI（言語理解指標）	類似 単語 理解	知識 語の理解
PRI（知覚推理指標）	積木模様 絵の概念 行列推理	絵の完成
WMI（ワーキングメモリ指標）	数唱 語音整列	算数
PSI（処理速度指標）	符号 記号探し	絵の抹消

表4　偏差知能指数の分類

合成得点	分類	理論上の割合
130以上	非常に高い	2.20%
120～129	高い	6.70%
110～119	平均の上	17.10%
90～109	平均	56.80%
80～89	平均の下	12.10%
70～79	低い（境界域）	3.60%
69以下	非常に低い	2.20%

は5つになった。

FSIQでは偏差知能指数（DIQ/偏差IQ；Deviation Intelligence Quotient）が算出される。各指標の合成得点にも同様の考えが適用されている。表4にFSIQおよび各指標の合成得点の値の捉え方に関する目安を示した。

WISC-Ⅳでは，FSIQ，各指標の合成得点の数値を検討することで同年齢の子どもと比べてどの水準にいるのか，同年齢集団内での相対的な位置が分かる（表4）。また，各指標の間に差（ディスクレパンシー）がないかを検討することで，個人の中での得意な部分，苦手な部分を把握することができる。生徒の得手・不得手を理解することで，得意な能力を生かし，苦手な作業には必要な配慮をするといった指導や工夫につなげやすくなっている。

2．田中ビネー知能検査Ⅴ

田中ビネー知能検査の第5版である。田中ビネー知能検査は，スタンフォード・ビネー検査（1916年にターマンTerman, L. M. がビネー・シモン知能検査を改訂したもの）の日本版をもとに作られたものである。対象年齢は2歳～成人までと幅広い。WISCと並ぶ代表的な知能検査である。田中ビネー知能検査Ⅴは，2歳～13歳までと14歳以上によって検査結果を表す指標が異なる。

2～13歳までは，ビネー Binet, A. の知能観に基づき，問題に直面したときに共通に作用する能力（一般知能）を測定する。そのために，精神年齢（MA；Mental Age）および知能指数（IQ；Intelligence Quotient）を算出する。精神年齢は各年齢級の検査課題をどの程度通過しているかによって算出される。知能指数は精神年齢を生活年齢（CA；Chronological Age）で割ったものに100をかけて算出する。つまり，実際の生活年齢13歳の生徒が精神年齢13歳であれば，IQは100となり年齢相応に発達していることを示すものである。精神年齢がそれを下回れば100より小さくなり，上回れば100を超える。このIQは比率IQとも呼ばれ，個人内の発達状況を示す指標であるといえる。WISC-ⅣのようにDIQ（偏差IQ）ではないため，集団内での相対的な位置を把握することはできない。

一方，14歳以上の場合には，先述のCHC理論に基づき，検査結果をDIQで表す。総合DIQ（CHC理論の第3層）および領域別DIQ（「結晶性領域」「流動性領域」「記憶領域」「論理推理領域」；CHC理論の第2層）を算出し，同年齢集団内での相対的位置を把握し，特徴をプロフィールなどで示す。

生活年齢や精神年齢が低い子どもには，WISCよりも田中ビネー知能検査のほうが適

ビネー：1905年にシモンSimon, T. と共同でビネー・シモン知能検査を開発した。知的障害の子どもに適した教育を受けさせるために，知的障害の子どもとそうでない子どもを弁別することを目的としていた。1908年の改訂により精神年齢の概念を導入し，全体的な知的能力の把握をできるようにした。ビネー・シモン知能検査がはじめての知能検査とされ，現代の知能検査の基礎となっている。

比率IQ：IQを検査で測定された精神年齢と生活年齢（実際の年齢（暦年齢））との比率で表す指標である。左記の計算式で算出される比率IQは，スタンフォード・ビネー検査ではじめて導入された。しかし，この指標は次のような問題点を持つ。①成人以降は年齢区分がなくなるため，生活年齢が高くなるとIQが低くなる。②生活年齢が低い場合，年齢よりも少し上の年齢の問題ができるだけでもIQがかなり高くなる。③同一年齢集団内での相対的位置は分からない。これらの理由のため，現在ではほとんど使用されていない。

表5　カウフマンモデルの尺度構成（KABC-Ⅱ）

認知尺度	継次尺度
	同時尺度
	計画尺度
	学習尺度
習得尺度	語彙尺度
	読み尺度
	書き尺度
	算数尺度

表6　CHCモデルの尺度構成（KABC-Ⅱ）

第3層	第2層
CHC尺度	長期記憶と検索尺度
	短期記憶尺度
	視覚処理尺度
	流動性尺度
	結晶性能力尺度
	量的知識尺度
	読み書き尺度

用しやすいと考えられている。

3．KABC-Ⅱ（Kaufman Assessment Battery for Children Second Edition）

　日本版 K-ABC の第2版である。対象年齢は2歳6カ月～18歳となっている。子どもの認知能力と基礎学力の面を測定することができる。KABC-Ⅱには，「ルリア理論に基づくカウフマンモデル」と「CHC モデル」という2つの理論的基盤があり，各々の視点から解釈できる。また，必要に応じて非言語尺度の得点を算出でき，言語を使用しない情報処理能力を測定することもできる。

　①ルリア理論に基づくカウフマンモデル（以下，カウフマンモデル）

　カウフマンモデルは，ルリア Luria, A. R. の神経心理学的・認知心理学的な知見に基づいて構成されている。認知能力（基本的な認知能力を反映すると考えられる；認知総合尺度）と，習得度（認知能力を通して獲得した知識や技能の程度で，学校での学習成果の積み重ねを反映すると考えられる；習得総合尺度）の2つの観点から検査結果を解釈できるようになっている。このため，子どもの認知能力の水準と習得度の水準を多面的に捉えることができる。カウフマンモデルの尺度構成を表5に示す。カウフマンモデルでは，認知能力として，**継次処理（Successive）・同時処理（Simultaneous）**（第2機能単位と関係），計画能力（第3機能単位と関係），学習能力（3つの機能単位全てと関係）を測定している。

　② CHC（Cattel-Horn-Carol）モデル

　CHC モデルは，WISC-Ⅳのところで述べた CHC 理論に基づいたモデルである。そのため，認知能力と習得度に分けて考えるのではなく，第3層に一般知能を仮定し CHC 総合尺度により測定し，第2層の広範的能力の部分に7つの能力を並列的に位置づけている。各下位検査問題も含めて，第1層では23個の限定的能力を測定している。CHC モデルの尺度構成を表6に示す。

　カウフマンモデルはルリアの臨床的観察から生まれたもので，どちらかというと実践主導のモデルである。これに対して，CHC モデルは心理測定学の理論から生まれたもので，データ主導のモデルである。KABC-Ⅱにおいて，起源の異なる2つの理論的基盤を採用しているのは，子どもを理解するには実践的にも理論的にも柔軟に考える必要があるためとされている。KABC-Ⅱは，検査結果を指導上の工夫に結びつけやすく，指導計画を考える際に活用しやすくなっている。検査結果は，得意な認知能力を活用したり，弱い能力だけを使わないといけないような指導を避けたりするなどといった形で活用できる。認知特徴をより良く理解するために WISC など他の検査と組み合わせて活用できるであろう。

　ルリア：発達心理，学習心理，神経心理学的研究など多岐にわたって研究を行った。本章と関連するのは，知的障害者や脳損傷者に関する臨床的観察や神経心理学的研究である。ルリアは，脳の基本機能を3つの機能単位に分け，脳の領域の機能単位ごとに異なる認知機能を担っていると考えた。第1機能単位（脳幹，間脳，大脳半球の腹側領野の領域）は注意・覚醒機能（必要な刺激に意識的に注意を向け，無関係な刺激に意識的に注意を向けない），第2機能単位（後頭葉，頭頂葉，側頭葉の領域）は符号化機能（外界からの情報を処理して取り込む），第3機能単位（前頭葉（特に前頭前野）の領域）はプランニング機能（行動を計画し組織化する）とそれぞれ関連づけられている。

　継次処理・同時処理：ルリア理論の「符号化」機能の中心であり，外界からの情報を取り入れる様式のこと。継次処理は，特定の時系列的順序で刺激を統合する情報処理で，一つひとつの情報を順番に思い出したり，情報を順序立てて理解したりする能力などに関係する。一方，同時処理は，刺激を一つにまとめたり，グループにまとめたりする情報処理で，空間関係，部分と全体との関係，全体像を理解する能力などに関係する。なお，部分と全体との関係とは，例えば，文字のならびを「単語」として理解したり，文章のまとまりを「段落」として理解したりするといったことも含まれる。

4．知能検査活用の留意点

　本節では，代表的な知能検査を紹介したが，最後に活用にあたっての留意点を述べておきたい。まず，心理検査で測定された数値を絶対的なものと捉えないことである。検査で得られた得点は，統計的には「推定値」である。「（真の値）＝（推定値）＋（誤差）」となる。「真の値」を検査で測定することはできない。したがって，誤差があることを考慮し検査結果の数値は幅として理解することが適切である。多くの知能検査には，検査報告に数値の幅を表す記述（「信頼区間」と呼ばれるもの）が示される。田中ビネー知能検査Ⅴの場合は，幅を示す記述はないが測定値±8の範囲（測定値がIQ＝75の場合，67-83）で考えるとよいとされている。このように，検査の測定値として表される一つの数値ではなく，幅によって値を捉えることが望ましい。

　また，知能検査の目的は，本人の特徴を踏まえた指導を行うために状態を把握することである。知能検査を実施することが決まった後，「検査ができるように」との主旨で検査課題と類似の課題を行い練習させていたという話をきくことがある。このようなことをすると，本来苦手な部分が強い能力と判断されてしまうなど，能力が検査結果に適切に反映されない。その結果として，生徒は自分の能力に合った指導が受けられなくなるため，このような使い方はしてはいけない。

　そして，検査結果はあくまでも生徒理解の一手段であるということを忘れてはならない。ごくまれに「発達障害という診断がないと配慮できないので検査をしてほしい」とのニーズが寄せられることがある。発達障害でないと配慮した指導ができないという考えは生徒理解と指導についての誤解があると思われる。検査結果を踏まえながら生徒を理解し，集団指導でも個別指導でも程度の差はあっても個人の特徴に配慮して指導することが求められている。

> 検査で得られた得点：心理検査は身長や体重と異なり，直接測定できないものを測定している。知能検査は，『この課題をこの程度できれば○○という能力があると考えられるだろう』という仮定のもとに作られている。そのため，「真の値」は直接測定できない。仮に繰り返し同じ課題を行っても，回によっては結果にばらつきがでてくる。これが「測定誤差」であり，数値を「幅」として捉えることが大切と考える理由である。

✎ ワーク（考えてみよう）

1．同じように教職を学んでいる後輩が「教師は教科の内容を教えればよいので生徒理解なんて必要ない」と言っていたとする。あなたは，生徒理解の重要性・必要性をどのように納得できるように説明できるだろうか。

```
[                                                                      ]
```

2．AとBの2人の生徒がいるとする。
A．幼少期よりしつけられていないため，自己中心的に振る舞っている生徒が自分の思い通りに行かなくて暴力をふるった。
B．ふだん，ときに周囲に合わせ，しかし言うべきことはしっかりと言う生徒がちょっとした言い合いから暴力をふるった。
　これらの2人の生徒を理解するのに，この少ない情報を基に，それぞれどのような背景を推測できるだろうか？　自分の中にどんな枠組みがあることに気づくだろうか？そして，その枠組みがあることによって，生徒理解にどのような偏りをもたらしているだろうか？

3．知能検査／心理検査の結果（所見）と，自分が観察している生徒の様子が異なる場合，どのように理解するとよいだろうか。

参考・引用文献

藤本昌樹 (2017). 子どもの発達の特徴をとらえるためのアセスメント　鎌倉利光・藤本昌樹（著）子どもの成長を支える発達教育相談　第4版　北樹出版　pp.20-31.

Hogan, T. P. (2007). *Psychological testing: A practical introduction, 2nd ed.* John Wiley & Sons.（繁桝算男・椎名久美子・石垣琢磨（訳）(2010). 心理テスト―理論と実践の架け橋　培風館）

小林正幸 (1999). 教育カウンセリングのすすめ方　小林正幸（編）実践入門教育カウンセリング　川島書店　pp.46-52.

前田基成 (1999). 生徒理解　前田基成・沢宮容子・庄司一子（著）生徒指導と学校カウンセリングの心理学　八千代出版　pp.21-30.

松尾直博 (2008). 心理的問題の状態把握　In　小林正幸・橋本創一・松尾直博編　教師のための学校カウンセリング　有斐閣　pp.84-92.

文部科学省 (2022). 生徒指導提要改訂版

向山洋一 (1986). 続・授業の腕をあげる法則　明治図書

向山洋一 (1987). 子どもを動かす法則　明治図書

中村淳子・大川一郎・野原理恵・芹沢奈菜美 (2003). 田中ビネー知能検査Ⅴ理論マニュアル　田研出版

日本版 KABC-Ⅱ 制作委員会 (2013). 日本版 KABC-Ⅱ　マニュアル　丸善出版

日本版 WISC-Ⅳ刊行委員会 (2010). 日本版 WISC-Ⅳ知能検査　理論・解釈マニュアル　日本文化科学社

上野一彦 (2022). 日本版 WISC-Ⅴの改訂ポイント（日本版 WISC-Ⅴテクニカルレポート #1）　日本版文化科学社　https://www.nichibun.co.jp/use/technicalreport/wisc5.html

沼初枝 (2009). 臨床心理アセスメントの基礎　ナカニシヤ出版

奥野誠一 (2011). 個別支援のための総合的なアセスメント　小林正幸・奥野誠一（編）ソーシャルスキルの視点から見た学校カウンセリング　ナカニシヤ出版　pp.31-38

奥野誠一 (2017). 特別支援教育とは　鎌倉利光・藤本昌樹（編）子どもの成長を支える発達教育相談　第4版　北樹出版　pp.46-55.

染木史緒 (2011). 発達障害のアセスメント　小林正幸・奥野誠一（編）ソーシャルスキルの視点から見た学校カウンセリング　ナカニシヤ出版，pp.39-51.

コラム ❖ column
中高生の自己形成プロセスと進路選択
高橋恵子・小林なぎさ

近年日本では，高校進学率は約97％，大学進学率は約50％でそれぞれ横ばいとなっており，中高生にとって「受験」や「進路選択」は大きなライフイベントとなっている。一方で，中高生において「自己不明瞭感（現在から将来にかけての自分自身が把握できないこと）」が進路意識・学習意欲・友人関係に影響を及ぼすこと（下坂，2001）や，中学生の無気力感に関する研究では，登校している中学生も不登校の中学生も同程度に無気力感を抱えている可能性があること（牧ら，2003）も示されている。このような問題は，教育相談場面でもたびたび遭遇するテーマである。

事例

A子は，常に受身的でクラスでも目立たない生徒であるが，中学1年の夏休み明けから，本人自身も明確な理由が分からずに学校を欠席するようになった。当初，スクールカウンセラーとのカウンセリングの時間だけ登校していたA子だが，A子の読書好きを知ったスクールカウンセラーは担任の先生と相談の上，図書室もA子の居場所の一つとして提案することとした。A子は図書室では主に読書をして過ごしていたが，ある時スクールカウンセラーの誘い掛けからA子自身が小説の執筆をするようになっていった。A子は小説を書く過程で，さまざまな文章表現を考えたり，英単語を辞書で調べたりする作業を自主的に行うようになり，その他の教科学習に対しても意欲や関心が湧いてきたようだった。中学3年になり周囲の生徒が受験を意識し始めるころ，A子も自分の将来やりたいことについて思いを巡らすようになった。A子は，"普通の"学校生活をおくる同級生と，教室に入ることのできない"普通とは違う"自分を比較して劣等感を抱くこともありながらも，「自分は自分」と考えるようになり，A子なりに納得のいく形で，高校進学を決めることができた。

この事例では，いつも受身的で，主体的に何かを決めたり自己主張をしたりすることが得意ではなかったA子に対し，支援者は，A子がもともと持っていたリソース（A子の興味関心，能力，可能性）に注目し，それをA子にフィードバックするよう心掛けていた。それとともにA子は次第に自分なりの自己表現方法を手に入れ，A子の自己不明瞭感は低下していった。なお，エリクソンは青年期の発達課題としてアイデンティティの確立を提唱しているが，青年期は，さまざまな不安や劣等感を抱き心理的に揺れながらも，自己と向き合い，自分の進む道を模索していく時期ともいえるだろう。不登校生徒に限らず，支援者は，中高生全般が経験する「進路選択」といった"ピンチ"を，アイデンティティを確立する"チャンス"として捉え，寄り添いながら支援していくことが重要である。

参考・引用文献

e-Stat 学校基本調査年次統計 (2013). http://www.e-stat.go.jp/SG1/estat/eStatTopPortal.do

返田健 (1986). 青年期の心理学　教育出版

牧郁子・関口由香・山田幸恵・根建金男 (2003). 主観的随伴経験が中学生の無気力感に及ぼす影響：尺度の標準化と随伴性認知のメカニズムの検討　教育心理学研究, 51(3), 298-307.

下坂剛 (2001). 青年期の各学校段階における無気力感の検討　教育心理学研究, 49, 305-313.

髙坂康雅 (2009). 青年期における内省への取り組み方の発達的変化と劣等感との関連　青年心理学研究, 21, 83-94.

劣等感：青年期は他者と自己の比較から劣等感を抱きやすい時期と言われる（例えば，返田，1986；髙坂，2009など）。

コラム ❖ column

不安定な自己
――自己愛パーソナリティ

亀倉大地

「自己愛」という言葉を，みなさん一度は耳にしたことがあるのではないだろうか。「自己愛」について文字通りに考えるならば，「自分を愛している」ということになる。「あの人は自己愛が強いよね」といった言葉には，どこかその人への蔑みが含まれているであろう。みなさんは，自己愛が強い人（以降，自己愛傾向者とする）について，自分に対して強い関心を持ち，能力に自信を持っていると想像されるかもしれない。しかし，自己愛傾向者が自分を愛しているとは言い難いことが示されている。

例えば Bushman & Baumeister（1998）では，自己愛傾向者は否定的なフィードバックを受けた際に怒りが高まることが明らかにされている。このことは，メタ分析（複数の研究をまとめ，統計にかけたもの）からも支持されている。なぜ，自信があるはずの自己愛傾向者が怒りを示すのだろうか。その理由の一つとして，彼らの自己イメージが「思い描いている自分」と「取り柄のない自分」しかない（市橋，2015）ことが考えられる。また，岡野（2014）は「怒りには，自己愛が傷つけられたことによる苦痛，すなわち恥が先立っている」（p.19）と述べている。このことから，自己愛傾向者にとっての怒りは，自分の傷つきを回復するために行われているのだと考えられる。

では，自己愛傾向者の怒りに対して，周囲はどのような関わりができるのであろうか。彼らを傷つけないように，私たちは常に配慮しなければいけないのであろうか。その場合，自己愛傾向者の望む空間を提供することが私たちに求められるであろう。しかし，そのことを続けることは厳しいことである。私たちができることとして，彼らの傷つきについて理解を示すことが考えられる。自分を守ろうと怒っている自己愛傾向者に初めから現実を突きつけることは，より彼らの反発を招くのではないだろうか。傷つきへの理解を伝えたうえで，「望んだ結果が得られないこともある」ということを伝えることが求められると思われる。このことは，自己愛傾向者が自らの思いと現実の異なりを受け入れるための一歩となるのではないだろうか。

参考・引用文献

Bushman, B. J. & Baumeister, R. F. (1998). Threatened egotism, narcissism, self-esteem, and direct and displaced aggression: Does self-love or self-hate lead to violence? Journal of Personality and Social Psychology, 75, 219-229.

市橋秀夫 (2015). 自己愛性心的構造に対する精神療法―自尊心の病理　精神療法, 41, 322-326.

岡野憲一郎 (2014). 恥と「自己愛トラウマ」―あいまいな加害者が生む病理　岩崎学術出版社

第3章

思春期・青年期の発達課題

神谷哲司・渡部敦子

I. 青年期とはどんな時期か——青年期の成り立ちと構造

1.「青年」はどこから来たのか——子どもの「誕生」と青年の「発見」

「青年」とはだれのことだろうか？ そのように尋ねたとしたら，おそらく，「大人でもなく子どもでもない時期」「10代から20代にかけての若者」といった回答が寄せられるであろう。たしかに，発達過程を考えてみれば，青年期は児童期（学童期）の後，成人期の前に位置している。しかし，こうした**発達段階**の一つとしての「青年期」は，太古の昔からずっと存在したわけではなく，歴史の中で作られてきたものなのである。本章ではそうした歴史の中で，「青年期」がどのように捉えられてきたのかを中心に述べ，現代の「青年」について考えてみたい。

まず，「青年」は「子ども」と「大人」の狭間にいる存在であるが，この「子ども」という存在もまた，歴史の中で生み出されたものだとされている。フランスの歴史家アリエス（Ariès, 1960）によると，ヨーロッパでは17世頃までは，はっきりとした「子ども期」を指す言葉が存在しなかったこと，当時は，賭け事や祭りなどの遊びが大人と子どもの区別なく行われてきたことを挙げ，子どもは，「子ども」としてではなく，「小さい大人」として扱われてきたという。このことについては，現代的な感覚では少々理解しづらいが，17, 18世紀頃の子育てについては，現代のように子どもは大事にされず，産まれたのちにその多くが里子に出されたり，捨てられたりしていたというフランスの社会思想家バダンテールBadinter, E.の指摘（1980）を踏まえると，現代のように**バース・コントロール**もなく，また，子どもの死亡率もきわめて高い時代においては，「子ども」の生命はそれほど大事に扱われてはいなかったのだと考えられる。当時，「家族」というものは地域社会に開かれていた，というよりも，地域社会に溶け込んでおり，現代でいう「公共的なエリアと区分された純粋にプライベートな空間としての家族」というものは存在しなかった。そのため，親たちは，子どもをたくさん作っておいて，そのうちの何人かが生き残ればいいと考えており，子どもに対する愛情も現代とはまた異なっていたようである。例えば，16世紀フランスの哲学者モンテーニュ Montaigne, M. E. は以下のように述べている。「乳児期の子どもを2，3人なくし，残念に思わなかったわけではないが，ひどく悲しむというほどのことではなかった」（姫岡，2008）。

しかし，16～18世紀あたりから，家にある家族の肖像画や家具に日付を記すという習慣や，生年月日（年齢）と出生地によって個人を確認するという慣習が少しずつ一般化していった。そうした変化の中，少しずつ，「家族」というものが夫婦間・親子間に必要な感情の場になり，子どもは匿名状態から抜け出し，家庭の中心的存在となり，親は子どもの教育に多大な関心と配慮を示すように変化してきた。さらに，そうした習俗・家族関係・心性の変化を背景として，教育の形態が変化し，「学校」が子どもを囲い込み，19世紀には「子ども期」が，20世紀には「青年期」が特別に重視されるようになったのである（Ariès, 1960；藤田，1988）。

> **発達段階**：人間の発達的変化には，急激に変化する時期と比較的変化の少ない時期とがあると捉えた際に，変化の少ない時期ごとにそれを段階として捉える発達の考え方。一般には，幼児期や児童期，青年期など。ただし，本文中でも青年期と成人期の移行について述べているように，必ずしも明確な段階があるとは限らない。

> **バース・コントロール**：産児制限のこと。人為的に妊娠や出産を統制すること。

すなわち，昔は「青年」どころか「子ども」という観念すらなく，産まれてくる子どもたちはそれほど注目されぬまま，一定の年齢になると徒弟制度による生産活動へと従事することが求められていたのである。しかし，16〜18世紀に，宗教改革，市民革命，農業革命，産業革命といった大きな社会変動を体験したヨーロッパ社会は，近代的な産業構造へと形を大きく変えてきた。そうした変化に伴い，新たに「子ども」，「青年」といった年齢区分が生じてきたのである。そして，18世紀にルソー Rousseau, J. J. が，「わたしたちは，いわば，この世に2回生まれる。1回目は存在するために，2回目は生きるために。はじめは人間に生まれ，次には男性か女性に生まれる」と述べ，思想史上，「青年」は発見されることとなった（藤田，1988）。

ルソー（1712-1778）：フランスの哲学者，教育学者。『社会契約論』など，現代の教育や福祉につながる思想を展開した。

2．「青年期」の構造と歴史的変遷

藤田（1988）は，「青年期」の構造の歴史的変遷を，1）未分化な〈若者〉の時代，2）青年期の発見，3）青年の制度化，4）青年期の大衆化，5）青年期の長期化と常態化の5つの段階にまとめている。第1段階は，「反抗する若者」は存在したものの，青年は一般的には年齢に沿って子どもから年齢階梯的秩序に従って大人になっていった時代であり，まだ「思春期」や「青年期」といった観念は存在しなかった。しかし，前述のような社会変動が進むにつれて，「子ども」，「青年」といった年齢区分が新たに生じ，社会的に限られた範囲においてではあれ，ルソーによって発見された「青年」という観念が浸透し，「青年期」が特別な扱いを受けるべき時期として大人期や子ども期と区別されるようになった（第2段階）。19世紀に入ると，近代国家の発展に伴って**労働法や刑法，教育法**が整備されることによって，法制的に青少年が大人とは違う処遇を受けるようになった。結果として，青年たちは市場から締め出され，青年の生活と学習の場を提供する学校という場へと取り込まれていく（第3段階）。20世紀の前半に入ると，多くの西欧社会において工業化，都市化が進展し，さらに中等教育の大衆化に伴って，青年はさらに長い期間，学校で過ごすようになり，同時に青年期特有の文化を形成するようになっていった（第4段階）。このころは，アメリカの心理学者ホール Hall, G. S.（1904）の『青年期―その心理学およびその生理学，人類学，社会学，性，犯罪，宗教，教育との関係』が編まれるなど，青年に対する学術的な関心が高まり，さまざまな青年期研究が展開していく時期でもあった。さらに1950年代以降，高等教育の大衆化，大衆消費社会の出現，都市化と情報化の進行などに伴って5番目の青年期の長期化と常態化の段階へと至る。それは，青年（若者）にとって「大人社会への参入」という新たな発達上の課題をもたらすこととなるとともに，「自己の定義にもがく」ことをもたらした。こうした変遷からも見て分かる通り，「青年期」は単なる生物学的な成長過程の一区分としてではなく，文化や社会が大きく変動してきた中で生じてきたものであるといえる。

労働法・刑法・教育法：例えばイギリスでは，1833年の工場法により9歳未満の子どもの工場労働が禁止され，その後の改正により18歳未満の子どもの労働時間が制限されている。また，1854年に少年犯罪法が成立し，1870年には初等教育法が制定され，5歳から13歳の子どもの就学が義務づけられた（藤田，1988）。

II．「青年期」という発達段階

1．発達過程の一段階としての「青年期」の成立

1950年代は発達心理学の歴史においても大きな変化を示す時期である。19世紀末から20世紀初頭におけるプライヤー Preyer, W. T. やホールによる児童・青年研究を端緒とし，その後の**遺伝・環境論争**，ピアジェ Piaget, J. やヴィゴツキー Vygotsky, L. S. などの論争を経て，20世紀中ごろになると，児童心理学・発達心理学研究は，研究の幅を広げるとともに，心理学内外の他領域との接近や交流が深まってくる（岡本，1994）。そうした中，アメリカの教育社会学者であったハヴィガースト Havighurst, R. J. の発達課題論，**精神分析学**の流れを汲むエリクソン Erikson, E. H. のライフサイクル

遺伝・環境論争：子どもの成長・発達を規定する要因として，遺伝と環境のどちらが優位かについて繰り広げられた論争。

精神分析学：S・フロイトによって創始された，人間の心理メカニズムに「無意識」を想定した精神医学的理論。

論が，人間の発達を乳児期から老年期まで包括するものとして提示され，その後の「ゆりかごから墓場まで」を対象とする生涯発達心理学へと展開していくこととなった。先述のように「青年心理学」は，20世紀初頭に「学校」に囲い込まれ，大衆化した青年を対象としており，また，青年の問題を解明するために成立したという独自の出自を持っていたが（白井，2015a），この流れの中で改めて「発達過程」の中の一つの段階として位置づけられることとなったのである。

2．ハヴィガーストの発達課題論

　ハヴィガーストは，もともと化学・物理学を修めていたが，理科教育に興味を持ち次第に社会科学，中でも人間の発達に関心を移してきたという経緯を持つ。彼は，1930-40年代の米国の進歩的教育協会の指導者たちの発想を基に，乳児期から老年期までの全ての発達段階における発達課題を設定した（鈴木，1997）。発達課題とは「個人の生涯にめぐりくるいろいろの時期に生ずるもので，その課題をりっぱに成就すれば個人は幸福になり，その後の課題も成功するが，失敗すれば個人は不幸になり，社会で認められず，その後の課題の達成も困難になってくる」というものである（Havighurst, 1953）。その源泉として，彼は，①身体成熟，②社会の文化的圧力，③個人的な動機や価値意識の3つを挙げている。身体成熟とは，運動機能の発達による歩行の学習や思春期を迎えてからの異性への関心などを意味する。社会の文化的圧力とは，社会の成員として生活していくために必要なスキル，例えば，文字の読み書きや市民としての社会へ参加する方法の学習などが該当する。個人的な動機や価値意識とは，生まれ持っている力と環境との力の相互作用から生まれる，人の人格や自我をなすものであり，例として職業の選択や準備・人生観の形成などである。これら3つの源泉やその相互作用から各課題は成り立つものであるが，その様相は各段階や課題によって異なるものである。ハヴィガーストが提示した具体的な青年期の発達課題を下記に示す。

　ハヴィガーストによる青年期の発達課題
　1）同年齢の男女両性との洗練された新しい関係を学習。
　2）自己の身体構造を理解し，身体を有効に使うこと。
　3）男性（女性）としての社会的役割を理解する。
　4）両親や他の大人からの情緒的独立。
　5）経済的独立に関する自信の確立。
　6）職業の選択および準備。
　7）結婚と家庭生活の準備。
　8）市民として必要な知識と態度を発達させる。
　9）社会的に責任ある行動を求め，それを成し遂げること。
　10）行動の指針としての価値や理論の体系の学習，適切な科学的世界像と調和した良心的価値の確立。

　現代日本においても受け入れられそうなものも，また，結婚の準備など必ずしも社会的圧力が強くないものも挙げられているが，これらの発達課題は，1930年代の米国の中産階級の子どもの理想的発達像を分析して，その特性を発達段階に分類したものであり，その時代の教育目標について述べたものである。そのため，現代日本という時代も文化も異なる社会について分析を行った場合，類似する点はあろうけれども，また異なる結果による発達課題が設定されることになる。また，それぞれの段階における発達課題は，「教育の適時」を示している点にも留意すべきであろう。すなわち，個々の段階で挙げられている発達課題は，身体が成熟し，社会が要求し，そして自我が一定の課題を達成しようとするときに，教育的努力をはらうべきであることを示しているものなの

である。こうした教育的な発想から，この発達課題という概念は日本の教育界にも多大な影響を与えており，中央教育審議会の諸答申や学校教育現場の指導目標や教育内容の策定にも頻繁に用いられている（仙﨑，2000）。

3．E・H・エリクソンの発達漸成理論

エリクソンは，一般に「アイデンティティ」という言葉を用い始めた人物ということで知られているが，その来歴には次のようなことがあったといわれている。彼は実父との面識がなく，そのことでコンプレックスを感じていたこと。画家を目指していたものの挫折したこと。A・フロイト Freud, A. のもとで精神分析家としての訓練を受けたのち，第二次世界大戦下にアメリカに移住する際に，それまではエリク・ホムブルガーであった自らの名前を E・H・エリクソンとしたこと。大戦後の冷戦の時代に共産主義者の排斥の声が高まる中，公職者がそうした活動に関わらないことを誓う「再宣誓」を，自由の国アメリカの人間としてのアイデンティティに関わる問題として拒否し，大学の職を辞したこと，などである。こうした，彼自身の出自や，境界に生きてこざるを得なかった歴史的・社会的状況が，まさに彼自身に「アイデンティティ」という着想をもたらし，著書『幼児期と社会』において心理・社会的発達の図式として結実することとなったといえる（図1；鑪，1990）。

この図式は一般には発達漸成理論や漸成説，あるいは個体発達分化の図式などと呼ば

Ⅷ 老年期								統合対絶望
Ⅶ 成人期							生殖性対停滞性	
Ⅵ 前成人期					連帯感対社会的孤立	親密対孤立		
Ⅴ 青年期	時間的展望対時間的展望の拡散	自己確信対自己意識過剰	役割実験対否定的同一性	達成期待対労働麻痺	アイデンティティ対アイデンティティ拡散	性的同一性対両性的拡散	指導性の分極化対権威の拡散	イデオロギーの分極化対理想の拡散
Ⅳ 学童期				生産性対劣等感	労働アイデンティティ対アイデンティティ喪失			
Ⅲ 遊戯期				主導性対罪悪感	遊戯アイデンティティ対アイデンティティ空想			
Ⅱ 幼児期初期		自律性対恥・疑惑			両極性対自閉			
Ⅰ 乳児期	基本的信頼対基本的不信				一極性対早熟な自己分化			
社会的発達／生物的発達	1 口唇期 (oral)	2 肛門期 (anal)	3 男根期 (phallic)	4 潜伏期 (latent)	5 性器期 (genitality)	6 成人期 (adult)	(7 成人期)	8 老熟期
中心となる環境	母親的人物	親的人物	家族	近隣・学校	仲間・外集団	友情・性愛	労働・家族	人類・親族
基本的強さ (Basic Strengths)	希望 (hope)	意志 (will)	目的 (purpose)	適格 (competence)	誠実 (fidelity)	愛 (love)	世話 (care)	英知 (wisdom)

図1　エリクソンの発達漸成理論図式（松田（1997）より転載。ここでは Erikson（1950）の漸成的図式ではなく，それにライフサイクル論の領域を加えたものを掲載している）

れている。その詳細は，多くの優れた書籍に当たっていただくこととして（例えば，鑪，1986, 1990），ここでは，この図式がどのようなことを意味しているのかについて概略を示すこととする。前述のとおり，エリクソンは精神分析の流れを汲んでおり，生物学的側面として口唇期や肛門期といったS・フロイト Freud, S. のリビドー発達論を踏まえている。一方で，顕現的な社会的発達として，人の人生を8つの段階に分け，対角上に標準的な心理社会的発達の順序を示した。各段階の心理社会的危機は，乳児期の「信頼 対 不信」のように，正の心的な力と負の力を対にしており，その両者が拮抗する中で力動する危機的な心的状態を示すものとなっている（鑪，1986）。例えば，「信頼 対 不信」の場合，赤ちゃんは母親的人物との間に，不快な思いをして泣いたらあやしてもらうという相互交渉を持つが，あやしてもらえれば相手を「信頼」するし，そうでなければ「不信」を抱く。そして，日常的な相互作用の中で，この信頼と不信がどのような割合で体験されているかによって，その心理社会的危機の乗り越え具合が異なってくるという。不信が信頼よりも優勢であると，基本的に他者を信じることができなくなるし，信頼が不信よりも優勢であり，好ましい割合を持っていれば，徳（基本的強さ）としての「希望」を生じさせ，標準的な次の発達段階へ進行するものと考えているのである。すなわち，各段階における心理社会的危機とは，精神病理的な問題をもたらすような心のきわめて中核的な部分に関わるものであり，社会や文化の中で各発達段階において成就すれば幸福になれるといった発達課題とは異なった概念なのである（鑪，1990）。

　青年期の心理社会的危機は，「自我同一性確立 対 自我同一性拡散」であり，まさにアイデンティティ＝同一性に関する危機である。この危機については，連続性（一貫性）と斉一性（不変性）の2つの面から見ることができる。連続性（一貫性）とは，歴史性ないし時間性であり，自分が歴史的にどのように育ってきたか，現在が自分の過去にしっかり根ざしていることに確信が持てるかどうかの感覚である。また，斉一性（不変性）とは，社会性ないし空間性であり，自分と他人との関係の中で，自分は他人と交わりながら，他人との経験の共通性を認めるとともに，自分の独自性をも認めるという感覚である。青年は，歴史性・時間性において過去とのつながりを持ち，社会性・空間性において，他者との交わりをもつようになっている場合に，自我同一性を達成し，両者が危機の場合においては，拡散状態に陥るのである（鑪，1986）。特に，同一性形成の時期には，乳児期から学童期までに獲得された「基本的信頼，自律性の感覚，想像力，あるいは同一視群としての多様な認知的・社会的技能」が同一性の危機的課題として現れ，その対応の仕方が，それぞれの個人の独自なあり方として統合されてくる。この統合のために，絶えず生じてくる「拡散の危機」の中で，どれだけ本当の自己の願いや才能や個性に誠実に取り組もうとしたか，ということが重要であり，それが徳としての「誠実さ」として現れることとなる（松田，1997）。

　こうした「自分が何者であるのか」という問いは，そもそも，前近代のように子どものうちに社会に位置づけられ，社会の中での役割が明確であった時代には存在せず，近代以降，新たに現れた「青年」が，学校から社会へと参入する際に生じるものである。その意味で，この同一性形成の心理社会的危機という問題は，近代以降の産業構造の中で生み出された多様性，選択性の高い社会にみられる問題といえる。こうした社会では，社会に参入するにあたり，青年は「自分はどのように生きるのか」という問いに直面し，自我同一性の確立が求められているが，一方で，青年たちは社会の側から社会的な責任や役割，義務などが免除されているため（松田，1997），青年たちは，自分がどのようにして生きていこうとするのか，どのような役割を担って生きようとするのかについて，例えば，アルバイトやボランティアなどでさまざまな社会的役割を一時的に試行し，そ

れが自分に適しているかどうかを見極めることができる。エリクソンは，青年期とは「大人としての責任と義務を問われずに，自由に役割実験をすること（理想的な人物に同一化してみたり，さまざまな思想に触れてみたり）が許容される一種の猶予期間（モラトリアム）」であると考えた。これは，社会が青年の心理社会的危機を乗り越えるための期間を準備していたという意味で重要な点であったと考えられよう。

4．生涯発達に位置づけられた「青年期」

　20世紀後半には，産業の組織化や知能検査による年齢の細分化によって年齢に対して社会的・学問的関心が高まったこと，並びに，科学技術の進歩，特に医学の進歩によって高齢者問題に関心が高まったことなどを背景に，生涯発達心理学が勃興してきた（小嶋，1995）。従来の発達心理学が，「大人」を完態とし子どもが大人になるまでのプロセスを明らかにしようとしていたのに対し，生涯発達心理学は，それを老年期まで延長したのみならず，発達を「獲得と喪失の連続」として捉え，多方向性や可塑性を認めるとともに，時代や歴史の中に位置づけられた文脈を重視するという点で異なっている。すなわち，社会が規定する「大人」像に近づくことが発達なのではなく，変動する社会の中で，身体的な成熟に伴いながらさまざまな体験をする中で変化していくことを「発達」として捉えるようになっているのである。その意味で，現代日本ではハヴィガーストやエリクソンが示した青年期の発達課題や心理社会的危機とはまた多少異なる様相を示しているといえる。そのことを述べる前に，では，社会変動の中の発達過程の一段階として捉えられる青年期にはどのような特徴があるかについて，主に身体・認知・思考について着目し，理解することとしよう。本章では，ここまでの議論を踏まえ，青年期を大きく3つの時期に区分し，青年期の前期，中期，後期として考えている。前期は，思春期から中学生期，中期はおおむね高校生期，後期は高校卒業後を意味する。

III．「青年」の基礎的理解——その身体・認知・思考の特徴

1．青年の身体的・生物学的特徴とその影響

　思春期（青年期前期）を迎えると，第2の発育のスパートとして身長・体重の増加が加速するとともに，生殖器官が成熟するなど，第二次性徴が発現する。具体的には，アンドロゲン，エストロゲン，プロゲステロンといった性腺刺激ホルモンの働きによって，精巣や卵巣などの発達が促されるのである。中でも，アンドロゲンの一種であるテストステロンは，攻撃性や飲酒・喫煙といった反社会的行動と関連していることが知られているが，一方で，それらは学校や地域社会，家庭での良好な関係性を持つ場合に影響が低減することも明らかになっており（Udry, 1990），生物学的な要因が社会・文化的要因と交互作用していることが示されている。

　また，後述するメタ認知の獲得を基盤とし，第二次性徴を迎えた青年は，男女とも自分の身体的特徴に目が向くようになる。自分の身体部位を意識する程度は中学から大学にかけて上昇するとともに，女子の方がより早くから他者からの評価を気にするという（片山・松橋，2002）。自分の身体についてのイメージをボディ・イメージというが，過度に不適切なボディ・イメージは摂食障害，醜形恐怖といった病理に関連することもよく指摘されている。

　さらに，性の目覚めに伴い，性的関心や性的行動への欲求も生じるようになる。キスや性交といった性行動について10代を中心に調査した経年比較では，1974年から2005年まで男女とも10代の性行動経験率は増加しており，性の低年齢化が懸念されていた。しかし，それ以降2017年まで性的関心とともに低下していることが示されて

モラトリアム：青年が社会に出て，「おとな」としての役割を担うことを免除される，社会に出る準備期間のこと。

生涯発達心理学：子どもが大人になるプロセスを扱っていた従来の発達心理学とは異なり，誕生から死を迎えるまでの人間の生涯を発達の過程とみなす心理学。なお，現在は，「発達心理学」といった場合も同じ意味で用いられる。

第二次性徴：脳下垂体と性腺が活発になることによって，身体の機能的な男女の特徴が顕在化することを意味する。

おり（片瀬, 2019），性的関心や性行動そのものも第二次性徴という身体的な変化だけではなく，社会・歴史的な変化の中で認識されていることが見て取れる。一般に1990年代には「援助交際」をめぐる高校生女子の性的逸脱行動が盛んにメディアで取り上げられていたこともあり（片瀬, 2022），そのような社会的背景によって性行動そのものも変化する可能性も指摘できるであろう。とすれば，近年のLGBTQに関する性の多様性の動きや，それらを，性教育として学校教育でどのように扱うかという問題は，今後一層重要になってくるものと思われる。

2．青年期における認知・思考の特徴

白井（2015b）は，青年期の思考の特徴として，1）**情報処理能力**の向上，2）抽象的思考の獲得，3）思考過程の意識化，4）青年期の自己中心性，5）社会的な矛盾や葛藤の自覚の5つを挙げている。情報処理の能力は青年期に急激に上昇し，中でも**流動性知能**に関わる処理は青年期から成人期にかけてピークを迎える。さらに，青年期に入ると全てではないにせよ，**仮説演繹的思考**や組み合わせ思考といった抽象的，形式的な思考が可能になり，それらの変化とともに，自分自身の判断や思考にも注意が向くようになり，自分自身の判断や思考を制御するようになる。この自分の認知活動そのものを認知することをメタ認知という。

こうした自分自身の思考過程への着目と形式的推論の獲得によって，青年前期になると，他者の思考過程も推測できるようになるが，逆にこの時期では，そうした他者の視点にとらわれやすくなることが指摘されている。エルキント Elkind, D. はそうした青年の認知的特徴を「青年期の自己中心性」と呼び，「想像上の観客」と「個人的寓話」という側面から説明を試みた（Elkind, 1967）。青年は他者の思考を推論できるようになったため，現実の人間関係であれ，妄想のできごとであれ，他者の反応を常に予期するようになるのだが，しかし，そもそも他者がどのように考えているのかを考えることと，自分自身が持っている関心といったこととを明確に切り離すことは難しい。そのため，現実の他者はそれほど関心を持っていないにもかかわらず，「みんなが自分と同じ関心を抱いている」と考えてしまうのである。これは，まさに現実には存在しない「想像上の観客」を絶えず作り出し，それに向けて反応しているといえる。先のボディ・イメージにもあったように，青年期に入り，自らの容姿を過剰に気にしたり，家族と共に過ごすのを避け，自室にこもったりするようになるのもこうした「想像上の観客」が存在するゆえであるといえよう。また，「個人的寓話」とは，個人の自分自身についての物語であり，万能感や不死といった幻想を伴って作られる神話のことである。自分自身に目が向けられるようになることで，青年は自分自身が社会の中で重要な存在であると信じるようになり，自分の関心や感情は非常に特殊で独自なものであると思い込むようになる。ゲーテによる『**若きウェルテルの悩み**』やサリンジャーの『**ライ麦畑で捕まえて**』の主人公など，文学にみられるような「青年自身の個人的なみじめさや苦しみが独自であるという信念」を基礎として，ありもしないような個人のものがたりとして，個人的寓話を産み出すのである。こうした青年期の自己中心性は，主に青年期前期の特徴であり，後期にかけて減少すると考えられていたが，近年では必ずしもそうではなく，成人期に至っても存在し続けるとの指摘もある（Coleman & Hendry, 1999）。この概念は，現代日本においていわゆる「**中二病**」と呼ばれる現象を説明しうるものと考えられるが，そうした現実に照らしても，全体として青年期後期になるにつれ減少するにしても，その個人差は大きく，中には成人期まで引きずる場合もあるように思われる。一方で青年期には，少しずつ社会的へと目を向けるようになり，社会的現実と自己の持つ価値観と

情報処理能力：人間が外界の情報を認知（入力）し，自分の持つ知識に基づいて判断したり，考えたり，意思決定したりする能力。

流動性知能：人間の知能のうち，計算をしたり，新たな刺激に対応したりといった情報を処理して出力するといった側面についての知能。

仮説演繹的思考：現実世界における経験や観察に基づいて「仮説」を打ち立て，それをさらにより広い現実の出来事に当てはめて確認する思考形式。

『**若きウェルテルの悩み**』：1774年刊行。ゲーテ Goethe, J. W.（1749-1832）による青春小説。主人公と人妻との悲恋を描く。

『**ライ麦畑で捕まえて**』：1951年刊行。サリンジャー Salinger, J. D.（1919-2010）による青春小説。一人称小説で世界的な影響を与えた。村上春樹訳による『キャッチャー・イン・ザ・ライ』も話題になった。

中二病：ネットスラングであり，定義は非常にあいまいであるが，一般には，中学2年生頃に特徴的とされる，非現実的な空想や自己愛的な妄想を抱き，それに基づいた行動をすることを自嘲，あるいは揶揄する際に用いられる表現。

IV. 現代日本における「青年期」の変遷とキャリア教育の意義

1. 日本における「青年期」の成立──アウトサイドイン型の社会参入

　日本においては，明治期に教育の近代化とともに「青年期」が成立し，戦後の高度経済成長に伴い，家庭が裕福となり教育費に投資するようになった60年代から70年代にかけて大衆化した。高度経済成長期において，戦後の労働力人口の割合は，第一次産業従事者が激減する一方，第二次・第三次産業従事者は増加しており，さらに，都市部への人口の集中，家族の矮小化と地域社会の解体といった産業構造が大きく変化した時期でもあった。大学進学率の上昇とともに，大学生の生活は，学業のみならず，麻雀やボウリングのような余暇活動やアルバイトといったキャンパスの外の生活を満喫したり，または安保闘争や学生運動といった社会に対する異議申し立てを行ったりするなど，多様な姿を見せるようになった（溝上，2004）。それはまさに，青年たちが社会に出る前に役割実験を行っている姿であったと見ることができるだろう。

　溝上（2004, 2010）は，こうした時代のアイデンティティ形成を，アウトサイドイン型であると述べている。アウトサイドインとは，自分の外側（環境・社会）に準拠点を置き，内側（自己）を環境や社会に適合させることをいう（溝上，2010）。すなわち，職業でいえば，すでに社会の中に存在する会社員とか公務員といった役割を所与のものとし，その役割を自分で担い，受容できるように努力したり，挑戦したりすることで適応を果たそうとするやり方である。特に日本では，慣行として新卒一括採用が根づいており，高校や大学在学中に，役割実験を行いながらどのような社会的役割を担おうとするのかを吟味することが求められていたのである。

2. 現代日本における成人期移行の難しさ──インサイドアウト型の社会参入

　しかし，1980年代に消費文化が花開く中で，青年たちは，「仕事は仕事として精を出し，夢を抱かず，他方，消費文化世界でやりたいことや自己実現することで，総じて人並みの幸せが得られればそれでいい」と考えるようになり，さらに1990年代にバブル経済が崩壊し経済が流動化する中で，大人社会はアウトサイドインするべき対象としては不完全，不安定になってしまい，人生は大人社会によって保障されるものではなくなってしまった（溝上，2004）。すなわち，アウトサイドインによる生き方は現代では通用しなくなってきており，かわりに1980年代から見られるようになった「自分のやりたいこと」を準拠点とする生き方が生じてきているという。溝上（2010）は，この自分の内側（個人）を準拠点とし，そこから外側（社会・環境）に向けて放射する生き方をインサイドアウト型としている。この生き方は青年の主体性や個性を重んじる利点がある反面，目標を青年自身にゆだねているために，主体的な進路決定を先延ばしにする危険性も内包している（溝上，2010）。さらには，自分のやりたいことと社会の中での役割とが必ずしも一致しないことや，近年の非正規雇用問題やワーキングプア問題を鑑みるに，社会の中に安定した役割が存在しないといった問題も指摘できるであろう。秋入学など大学における学修システムや雇用システムの再検討も行われてはいるものの，一方で流動的な現代社会においては，インサイドアウト型の生き方が成立してしまっており，現代の青年はすでに大人社会と切り離されている。そのため，青年の主体性を重んじながら，青年に社会の現実，求められている役割，期待される環境を学ぶ機会を与えるためのキャリア教育が必要となってきているのである（溝上，2010）。

家族の矮小化：一般に，家族は戦後「核家族化」したといわれているが，実際には核家族の数そのものは戦前と比べて増加しておらず（内閣府，2006），核家族化といわれるものの実態は，戦後増加した「父・母・子ども2人」の4人世帯の増加であるとされる。その傾向も1980年代までであり，1990年代以降は，2人世帯，1人世帯の増加が顕著となっている（神谷，2019）。そこで，ここでは核家族化ではなく，家族の矮小化と呼んでいる。

安保闘争：1960年の日米安全保障条約の改定の際の自民党政府の強行採決を機に繰り広げられた反政府運動，反米運動。

学生運動：主に学生が社会に対して異議申し立てをする社会運動。ここでは，1960年代後半に広がった全共闘運動，学園紛争等を意味している。

消費文化：消費活動，すなわちお金を払って財やサービスを入手し使用することで醸成される社会のあり方。特に70年代から徐々に，青年は独立した「消費者」としてさまざまな消費文化に参加するようになっていた。

非正規雇用問題：安い賃金で雇用期限を決めて労働者を雇用すること。労働者にとっては，身分が不安定で将来の見通しが立たない，仕事のスキル向上の機会が少ない，また職場にとっても後継者が育たない，職場の士気が下がるなどの問題が指摘されている。

3．キャリア教育の意味

　本章で述べてきたような，歴史の中での「青年」の変遷を踏まえると，改めて，キャリア教育が，単なる職業指導や進路指導とは異なるものであることが理解されるであろう。キャリア教育とは，「一人ひとりの社会的・職業的自立に向け，必要な基盤となる能力や態度を育てることを通して，**キャリア発達を促す教育**」であり，一人ひとりの発達や社会人・職業人としての自立を促す視点から，学校教育を構成していくための理念と方向性を示すものである（文部科学省，2011）。それは，社会に安定した目標を見出しにくい青年たちを対象として，流動的な社会を生き抜いていく力を涵養すること，すなわち，本章で述べたような青年期の成り立ちや特徴を踏まえたうえで，絶え間なく変化を続けていく社会の中で，職業のみならず，青年たちが自らの立ち位置（社会的役割）を模索し，生涯にわたるアイデンティティを形成し，変容させていくプロセスを支援することをねらいとするものであるといえよう。

> **ワーキングプア問題**：正規雇用あるいはそれに準ずる雇用形態にもかかわらず，賃金が低いために，「健康で文化的な最低限度の生活」が脅かされてしまう。

> **キャリア発達**：社会の中で自分の役割を果たしながら，自分らしい生き方を実現していく過程（文部科学省，2011）。

✍ ワーク（考えてみよう）

1．自分の両親や祖父母，身近な年長者に，「青年」だったころの話を聞き，現代日本の情勢と何が違うかについて考えてみよう。

　　┌─────────────────────────────┐
　　│　　　　　　　　　　　　　　　　　　　　　　　│
　　└─────────────────────────────┘

2．戦後の日本社会において，青年の仲間関係がどのように変化してきたか。さまざまな文学，映像作品などに触れて考えてみよう。

　　┌─────────────────────────────┐
　　│　　　　　　　　　　　　　　　　　　　　　　　│
　　└─────────────────────────────┘

参考・引用文献

Ariès, P. (1960). *L'Enfant et la vie familiale sous l'Ancien Regime.* Plon.（杉山光信・杉山恵美子（訳）(1980).〈子供〉の誕生―アンシャン・レジーム期の子供と家族生活　みすず書房）

Badinter, E. (1980). *L'Amour en plus: Histoire de l'amour maternel.* Flammarion.（鈴木晶（訳）(1998). 母性という神話　ちくま学芸文庫）

Coleman, J. & Hendry, L.B. (1999). *The Nature of Adolescence, 3rd. Ed.*（白井利明ほか（訳）(2003). 青年期の本質　ミネルヴァ書房）

Elkind, D. (1967). Egocentrism in adolescence. *Child Development*, 38, 1025-1034.

藤田英典 (1988). 青年期への社会学的接近　西平直喜・久世敏雄（編）青年心理学ハンドブック　福村出版　pp.141-180.

Havighurst, R. J. (1953). *Human Development and Education.* MaKay.（荘司雅子監訳 (1995). 人間の発達課題と教育　玉川大学出版部）

姫岡とし子 (2008). ヨーロッパの家族史　山川出版社

神谷哲司 (2019). 子育て環境の社会状況的変化　本郷一夫・神谷哲司（編）子ども家庭支援の心理学　建帛社　pp.62-71.

片瀬一男 (2019). 第8回「青少年性行動全国調査」の概要　日本性教育協会（編）「若者の性」白書　第8回青少年の性行動全国調査報告　小学館　pp.9-28.

片瀬一男 (2022). 1990年代におけるメディアと少女たちの性行動. 林雄亮・石川由香里・加藤秀一（編）若者の性の現在地　勁草書房　pp.171-187.

片山美香・松橋有子 (2002). 思春期のボディイメージ形成における発達的変化―中学生から大学生までの横断的検討　思春期学, 20, 480-488.

小嶋秀夫 (1995). 生涯発達心理学の成立と現状　無藤隆・やまだようこ（責任編集）生涯発達心理学とは何か　金子書房　pp.11-35.

松田惺 (1997). 青年期の自己形成　鈴木康平・松田惺（編）現代青年心理学［新版］　有斐閣ブックス　pp.58-70.

溝上慎一 (2004). 現代大学生論　NHKブックス

溝上慎一 (2010). 現代青年期の心理学　有斐閣選書

文部科学省 (2011). 今後の学校におけるキャリア教育・職業教育の在り方について　ぎょうせい

内閣府 (2006). 平成18年版少子化社会白書　https://warp.da.ndl.go.jp/info:ndljp/pid/12772297/www8.cao.go.jp/shoushi/shoushika/whitepaper/measures/w-2006/18webhonpen/index.html（2024年5月31日閲覧）

岡本夏木 (1994). 発達心理学　梅本尭夫・大山正（編）心理学史への招待　サイエンス社　pp.143-159.

白井利明 (2015a). 青年心理学とは何か　白井利明（編）よくわかる青年心理学［第2版］　ミネルヴァ書房　pp.2-3

白井利明 (2015b). 青年期の思考の特徴　白井利明（編）よくわかる青年心理学［第2版］　ミネルヴァ書房　pp.22-23

鈴木康平 (1997). 青年期とはなにか　鈴木康平・松田惺（編）現代青年心理学［新版］　有斐閣ブックス　pp.1-16

仙﨑武 (2000). 生徒指導の課題と展望　仙崎武・野々村新・渡辺三枝子・菊池武剋（編）入門生徒指導・相談　福村出版　pp.188-200.

鑪幹八郎 (1986). エリクソン, E.H.　村井潤一（編）別冊発達（発達の理論をきずく）, 4, 193-215.

鑪幹八郎 (1990). アイデンティティの心理学　講談社現代新書

Udry, J. R. (1990). Biosocial models of adolescent problem behaviors. *Social Biology*, 37, 1-10.

コラム ❖ column
中学生・高校生の社会形成・社会参加支援
古澤あや

　子どもたちが社会の一員として自立し，権利と義務の行使により，社会に積極的に関わろうとする態度を身に付けるため，社会形成，社会参加に関する教育（シティズンシップ（citizenship）教育）の推進が学校教育の中で求められている。

　中学校・高等学校においては，シティズンシップ教育の一環として総合的な学習の時間や特別活動において「まちづくり学習」や「模擬裁判」といった体験型学習や，ボランティア活動，異文化交流などの社会参加活動が学校教育の中に盛んに組み込まれ実践されてきている。

　このような学びを通して，子どもたちは社会への帰属意識や認識力，社会との関係性を高める効果を期待されている。さらに問題解決力や創造的思考力，他者を受け入れる力やさまざまな変化に対して前向きに対処できる力が育つことなど，社会をより良く変えていこうとする意識やそのためのスキルの育成も求められている。

　上記のように，シティズンシップ教育を通して子どもたちが，公共に主体的に関わり持続可能な社会づくりに参画していけるようになることを目指しているわけだが，現代の多様でかつ急速に変化する社会において，その変化に柔軟に対応していける力の基盤となる能力の一つとして，今の子どもたちに必要なのはコミュニケーション能力であると考える。

　コミュニケーション能力について，劇作家の平田オリザ（2012）は独自の視点から語っている。平田は「会話」と「対話」の概念が日本語において区別が曖昧であるということを指摘すると同時に，その2つの概念の定義を次のようにしている。

「会話」＝価値観や生活習慣なども近い親しいもの同士のおしゃべり。
「対話」＝あまり親しくない人同士の価値観や情報の交換。あるいは親しい人同士でも，価値観が異なるときに起こるその摺りあわせなど。

　そして，「対話的な精神」とは，「異なる価値観を持った人と出会うことで，自分の意見が変わっていくことを潔しとする態度のことであり，あるいは，できることなら，異なる価値観を持った人と出会って議論を重ねたことで，自分の考えが変わっていくことに喜びさえも見いだす態度だと言ってもいい」と語っている。

　今子どもたちが社会形成・社会参加活動の中で身に付くことを求められている力とは「コミュニケーション能力」であり，「対話的な精神」の育成であるといえるのではないだろうか。

　エリクソンは人格発達理論の中で，青年期に達成するべき発達課題をアイデンティティの確立としている。「自分とは何者か」「自分の人生の目的は何か」といった，自己を社会の中に位置づけていく問いかけに対して，社会形成，社会参加活動を通して，そこでの「体験」と「自己」との関係性から，肯定的であれ，否定的であれ，その出会いを，どう感じたのかということについて子どもたちが他者に語るということ。そして，語ることによりその体験を再構成する作業を通してアイデンティティの確立がなされていくといえるのではないだろうか。自分と社会との関係性について考えていく一歩として，子どもたちの体験を「対話」を通して寄りそうことから子どもたちの育ちを支えていきたいと思う。

シティズンシップ：多様な価値観や文化で構成される社会において，個人が自己を守り，自己実現を図るとともに，より良い社会の実現に寄与するという目的のために，社会の意思決定や運営の過程において，個人としての権利と義務を行使し，多様な関係者と積極的に（アクティブに）関わろうとする資質（経済産業省シティズンシップ教育と経済社会での人々の活躍についての研究会（2006）にある定義）。シティズンシップ教育が実施されることによって，シティズンシップなしには成立しえない分野であると考える，①公的・共同的な活動（社会・文化活動），②政治活動，③経済活動の各活動が学校教育において活発になっていくことが期待されている。

参考・引用文献
平田オリザ（2012）．わかりあえないことから：コミュニケーション能力とは何か　講談社現代新書
経済産業省「シティズンシップ教育と経済社会での人々の活躍についての研究会」（編）（2012）．シティズンシップ教育宣言　http://warp.ndl.go.jp/info:ndljp/pid/281883/www.meti.go.jp/press/20060330003/citizenship-sengen-set.pdf（2013年11月5日閲覧）

コラム ❖ column
中学生・高校生の恋愛について
小林大介

　恋愛は大人のみならず，中学生・高校生を含む若者にとっても関心の高いテーマである。実際，専門学校や大学の講義で恋愛について少しでも触れると，質問の欄はほとんどが「男女の友情は本当に成り立つのか？」とか「好きな人と付き合うためにどうすればよいか？」等恋愛に関するもので埋められる。このような関心の一方で，若者の恋愛に伴うリスクについては，語られることが多くない。そこで，本コラムでは，中学生・高校生の恋愛におけるリスクとその対応について述べる。

　リスクと述べたが，恋愛そのものはリスクではないし，むしろ社会的・発達的に非常に重要なものだろう。ただ，石川（2011）が述べるように，性行動に伴う各種問題（望まぬ妊娠や性被害）やデートDVは，恋愛に伴うリスクとして考える必要がある。これらの対応については，各種研究や書籍で学校における性教育，心理教育の重要性が述べられており，有効性も示されている（各種研究の内容はここでは割愛する）。その一方で，齋藤（2018）は，日本における性教育に関する現状を概観し，課題として，性教育の中身のみならず，家庭教育の重要性を唱えている。石川（2011）は，家庭内で男女交際のような性の社会的，心理的側面について親子で話し合いができるような状況が性行動のリスクを減らすことを指摘しており，デートDVについても，Coker et al.（2004）が家族からの寄り添うような情緒的な関わりの存在が被害に伴う不安等の心理的影響を低減することを報告している。

　このような点からも，恋愛に伴うリスクから子どもを守るためには，学校はもちろん，家族の役割も非常に重要であることが伺える。具体的には，家族内で性に関する適切な知識が伝達されていること，被害に遭った際に子どもが相談しやすい環境が構築されていることだろうか。恋愛や性に関する話は非常に繊細さを要するものであり，家族内で話すことに対する難しさは確かにあるかもしれない。今後は，このような難しさをどう克服していくかも一つの重要な研究テーマとなるだろう。

引用・参考文献

Coker, A. L., Smith, P. H., Thompson, M. P., McKeown, R. E., Bethea, L. & Davis, K. E., (2002). "Social Support Protects against the Negative Effects of Partner Violence on Mental Health". *Jounal of Women's Health & Gender-Based Medicine*, 11(5), 465-476.

石川由香里 (2011). 青少年の家庭環境と性行動―家族危機は青少年の性行動を促進するのか　財団法人日本児童教育振興財団内日本性教育協会（編）「若者の性」白書―第7回青少年の性行動全国調査報告（pp.63-80）小学館

齋藤益子 (2018). わが国の性教育の現状と課題　現代性教育研究ジャーナル，87, 1-8.

第Ⅱ部
各論編

第4章

不登校・ひきこもり

佐藤宏平・花田里欧子・若島孔文・横谷謙次・上西　創

Ⅰ．不登校とは

1．不登校の定義

　不登校とは，「何らかの心理的，情緒的，身体的，あるいは社会的要因・背景により，児童生徒が登校しない，あるいはしたくともできない状況にあり，年間30日以上欠席したもののうち，病気や経済的な理由によるものを除いたもの」を指す。

　我が国において，こうした学校に足が向かない子どもが一部の専門家によって注目されはじめたのは，昭和30年代といわれる。当時，「学校恐怖症（school phobia）」と呼ばれ，神経症の一種と考えられていた。その後，我が国においては，「登校拒否（school refusal）」という言葉も用いられたが，実際行きたくても行けないという事例も多く，必ずしも登校を拒否しているわけではないとの理由から，現在では不登校という用語で統一されている。

　また，不登校は，近年，ひきこもりややうつ病との関連が示唆されており，また思春期，青年期においては，統合失調症の前兆である場合もあり，留意する必要があるとともに，対応において，他機関との連携が必要な事例も少なくない。

2．不登校児童生徒数および出現率

　文部科学省が毎年公表している「児童生徒の問題行動・不登校等生徒指導上の諸課題に関する調査結果」において，不登校について詳細なデータを開示している。「令和4年度児童生徒の問題行動・不登校等生徒指導上の諸課題に関する調査結果」（文部科学省，2023）によれば，2022（令和4）年度の不登校児童生徒数および出現率は，小学校および中学校全体で299,048名（3.17％），また校種別にみると，小学校が105,112人（1.70％），中学校が193,936人（5.98％）（図1および図2）であり，いずれも出現率ベースで過去最も高い数値となっている。また，2003（平成15）年度～2012（平成24）年度までは0.31～0.34％で推移していた小学校の不登校児童の出現率が，令和4年度では1.70％と5倍以上になっている。この10年で急速に低年齢化が進行しているといえよう。他方，小学校および中学校における学年別不登校児童生徒数（図3）をみると，小学6年生から中学校1年生にかけて，約1.8倍に増加するなど，いわゆる中1ギャップの影響が読み取れる。

　中1ギャップとは，小学校と中学校との間にある環境格差，段差，壁を指す概念である。神村・上野（2015）によれば，中1ギャップには，以下の5つのタイプがあるとされる。

①「支え喪失不安増大型」：小学校時代の友人や教諭らの支えがなくなり，不適応傾向が顕著化する。
②「自己発揮機会喪失ストレス蓄積型」：小学校時にリーダーなどに活躍していた生徒が中学では自分の居場所がなく，プライドの維持が困難となるタイプ。
③「潜在的ぜい弱性露呈息切れ型」：中学校の学習や部活動のペースについていけないタイプ。
④「現実不満足落胆型」：学習や部活で思うような結果が出ず，理想と現実との差にいら立つタイプ。

学校恐怖症（school phobia）：1941年にアメリカの児童精神科医であるA・M・ジョンソンが，怠学 truancy と区別し，神経症的な心理機制から生じるものとしてもちいた概念。

登校拒否（school refusal）：イギリスのI・T・ブロードウィンが，1932年に最初に使った用語。

不登校児童生徒数：データは，毎年文部科学省HP上の「児童生徒の問題行動・不登校等生徒指導上の諸課題に関する調査結果」で公表されている。

⑤「友人関係展開困難型」：新しい人間関係がうまく築けずトラブルを起こすタイプ。

　一方，高校における不登校出現率は近年1.5％～1.7％前後で推移している状況にあった。しかし，令和4年度においては，2.04％と統計がとられた2004（平成16）年以降最も高い数値となっている（図4）。とはいえ，この数値は中学校の出現率（5.98

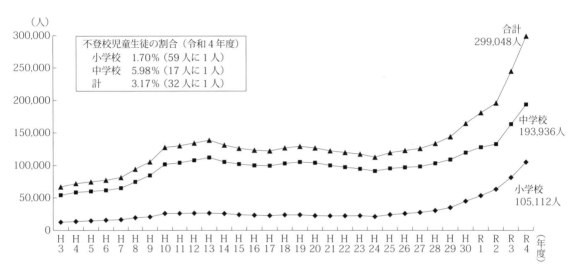

図1　不登校児童生徒数の推移（小学校・中学校）（文部科学省, 2023）

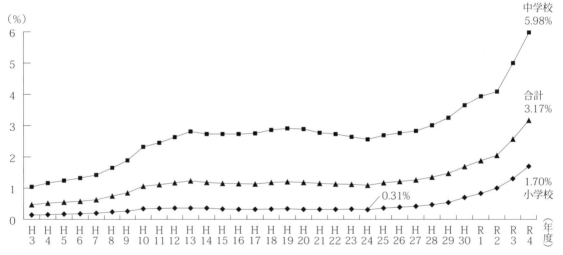

図2　不登校児童生徒の割合（1,000人当たりの不登校児童生徒数）の推移（文部科学省, 2023）

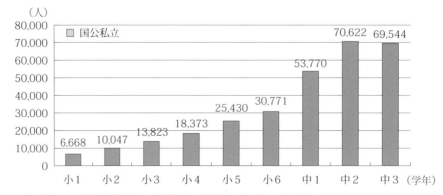

図3　学年別不登校児童生徒数のグラフ（小学校・中学校）（文部科学省, 2023）

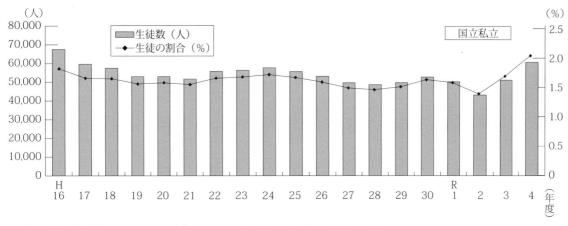

図4　高等学校における不登校生徒数，および出現率の推移（文部科学省，2023）

%）に比べ3分の1に過ぎず，低い値となっているようにもみえる。事実，中学校時に不登校であった生徒が，高校から毎日元気に登校する事例は決して少なくはない。ただし，高校では，小学校や中学校の義務教育段階とは異なり欠席日数が一定数を超えた場合原級留置（いわゆる留年）となり，その後，退学，進路変更となるケースも少なくない。実際，高校における不登校生徒のうち17.3％にあたる10,492名が中途退学している（文部科学省，2023）。このように高校では，不登校としての数値が積みあがらず，一部は中途退学の数値に移行している点に留意する必要がある。

Ⅱ. 不登校児童生徒の状態像と予後

1. 不登校児童生徒の状態像

次に，一般的によくみられる，不登校児童生徒の状態像について述べる。

①頭痛，腹痛，吐き気，発熱などの身体症状（不定愁訴）がみられる

不登校児童生徒の約7割に，さまざまな身体症状がみられる。特に，休み始めの初期の段階においては，毎日学校に行かなければならないという思いと，実際には行けないという葛藤に苛まれ，こうした身体症状が出現することとなる。保護者や教師が休むことを保証することで，こうした症状は落ち着くことが多い。なお，こうした症状は，仮病や詐病ではなく，実際に痛みが生じる。

②昼夜逆転を伴うことが多い

昼夜逆転には主に2つの理由がある。一つは，不登校は，「起床しなければならない理由の喪失」「起床した後の活動の喪失」につながりやすいことが挙げられる。私たちの生活リズムは，職場や学校，あるいは家事や趣味といった，通うべき場所や行わなくてはならない（あるいは行いたい）活動によって維持されている側面がある。仮に朝起床したとしても，その後行うべき（行いたい）活動がなければ，ついつい午睡してしまい，夜眠れなくなるという悪循環に陥りやすい。もう一つは，日中の時間帯は，家族や周囲全体が生産的な活動に従事する時間であり，自室でネットやゲームなどをして過ごすことに対する自責感や抑うつ感が喚起されやすく，逆に周囲が寝静まって活動していない深夜の時間帯は，そうした感情は生じにくいことが挙げられる。一般に，再登校に向けて生活のリズムを整えることを目標とした介入は，徒労に終わることが多く，むしろ，何らかのきっかけで再登校をするようになると，自然に生活リズムが整ってくることが多い。

③外出をいやがることが多い

不登校のタイプによっては同級生や知り合いとの接触を恐れ，外出ができなくなる場合がある。ただし，遠方の行楽地などについては可能である場合も少なくない。

④部屋からなかなか出てこないこともある（特に，TVやゲーム，PCが部屋においてある場合や家族との関係が悪化している状態の時に多い）

家族との接触を避けようとする場合，自室から出てこないケースもある。こうした場合には，まず家族と安心して接触できることが目標となる。

⑤友達と遊べる場合もあるし，そうでない場合もある

ケースによって，友人との接触を避ける場合があるが，一方，友人との接触が可能な場合もある。この点に関しては，「Ⅲ-1．不登校の類型」の項にて述べたい。

⑥食欲不振，睡眠障害，パニック発作，強迫症状（過度の手洗い，確認癖，完璧主義など），リストカット等の自傷行為が見られる場合がある（ただしそう多くない）

また，こうした神経症レベルの症状に加え発達障害が背後にあるケースも少なくない。

⑦ごくまれに，統合失調症や気分の激しい落ち込みや希死念慮といった抑うつ症状が見られる場合がある

精神症状については，第8章「思春期・青年期における精神医学的問題」を参照されたい。

2．予後

不登校経験者の子ども達の予後はさまざまであるが，高校に進学するケースがほとんどである。進学先には，①全日制高校（公立・私立），②定時制高校，③通信制高校などがある。また，④広域通信制高校（従来のサポート校）などに通うケースもある。1年〜2年，充電して，こうした進路を選択するケースや，また全日制高校に進学したものの，途中で休みがちになり，定時制や通信制，広域通信制高校等に進路変更するケースもみられる。不登校生徒数が増加するにつれて，ひところに比べ，不登校生徒をきめ細やかにサポートしてくれる進路多様校や継続的なサポートを提供する専門機関（各種相談機関やNPO法人，フリースクール，フリースペース，放課後デイサービス）も増えている。

Ⅲ．不登校児童生徒の類型・アセスメント

1．不登校の類型（ヨコの見立て）

不登校児童生徒の子どもたちは，百人百様であり，それぞれの子ども達にあった理解や対応があることはいうまでもない。しかし，ここでは，比較的よく見られるいくつかの類型について述べる。

①分離不安タイプ

小学校低学年に多くみられるタイプであり，主な養育者と分離されることに対する強い不安を示すため，不登校状態になるタイプである。幼稚園から何らかの不適応的なエピソードがあることが多い。母親の協力を得て，教室まで付き添ってもらう等の対応をとることで改善に至る場合が多いが，中には長期化するケースもみられるので対応に留意する必要がある。また，養護教諭等による母親面接を通して，母親の不安を軽減することも重要となる。

②家庭環境タイプ

背景に家族の要因が指摘できるタイプ。長期型と短期型がある。

1）長期型：（イ）困難環境型，（ロ）溺愛型，（ハ）過剰期待型の下位カテゴリに分類される。

（イ）困難環境型：小さい頃から家庭環境に深刻な問題がみられ，認知的，情緒的発達等に問題が

広域通信制高校（従来のサポート校）：サポート校は，かつて，不登校経験のある生徒を対象に，高認検定を含め，各種資格取得をサポートする私塾と都道府県内外の通信制高校が提携する学校を指していた。近年では，都道府県内外の不登校児童生徒を対象とした広域通信制高校となっていることが多い。

高認検定：「高卒と同等以上の学力を有することを認定する」高等学校卒業程度認定試験の略称。通常8月と11月に実施される。合格者には，上級学校への進学の道が開かれる。

分離不安：主な養育者と分離されることに対する不安。

表1 古典的タイプと新たなタイプの特徴

	古典的・典型的タイプ （良い子の息切れ）	新たなタイプ （スクールボンド希薄型）
出現数（現在）	少	多
性格傾向	頑張り屋・過剰適応	ストレス耐性が低い
性差	女子に多い	男女ほぼ同数
身体症状	強	弱
自責感・悩み	強	弱
友人との接触	困難なことが多い	可能であることが多い
望まれる対応	ゆっくりと休ませる 共感・傾聴を中心とした対応	出来ることを徐々に増やす 外的リソースの活用

見られることも少なくない。ネグレクト等，被虐待児の範疇に含まれることもあり，こうしたケースでは民生委員や児童相談所との連携も視野に入れる必要がある。

（ロ）溺愛型：中流以上の家庭で，甘やかされて育ち，欲求不満耐性がやや低いのが特徴で，学校生活で求められる規律や集団活動などが困難を抱えやすいケースである。

（ハ）過剰期待型：親の過剰な期待と現実とのギャップで押しつぶされてしまい，登校できないケースを指す。

2）短期型：家族に降りかかるさまざまな問題や困難，あるいは家庭環境の急激な変化の波に子どもが巻き込まれるケースである。こうした家族の問題，困難，急激な変化には，両親の不和，離婚，再婚，親の失業，祖父母の介護，家族の重大な病気やけが，家族との死別等が挙げられる。こうしたケースにおいては，まずは安定した家族環境を整え，その後学校復帰を目指す対応が望ましく，保護者面談が有効である。

またいずれにしても，こうした家庭環境の困難さが背景にあるケースでは，家族が子どものために変化する力（動機づけや時間的・精神的な余裕）があるかどうかについてアセスメントすることも重要であり，困難な場合には，学校のスタッフや時には福祉行政サービスの力を借りながら生徒を支えるといった対応も必要となってくる。

③良い子の息切れタイプ（古典的なタイプ）

優等生，過剰適応，真面目，素直，全ての領域でうまくこなそうとするタイプである。過剰適応で心が疲労し，身体症状等を示し，不登校となるタイプといえる。小学校中学年くらいから見られることがあるが，高学年〜中学校にかけて増加する。1970年代から指摘される古典的なタイプといえ，以前は不登校の中核的なタイプであった（表1）。

④スクールボンド希薄型

30年以上前，スクールボンド（いわゆる学校との絆：学業との絆，給食，委員会，部活等のその他活動との絆，友人との絆，先生との絆）があまり強くない児童生徒たちもその多くは学校に登校していた。しかし，90年代以降，私事化やポストモダン社会の進行等により，多様な生き方や価値観が認められる時代となり，また不登校が増加し，不登校の子どもたちをサポートする専門機関も増える中，「学校に行くことはごくごく当たり前のこと（学校に行かないことはとんでもないこと）」といった言説の信憑性が揺らいでいる。こうした社会の変化に伴い，社会の登校圧（「学校には何が何でも行かなければならない」「学校に行かなければ大変なことになる」）の減少（＝不登校に対する理解の増大）によって，この30年で急速に増加しているタイプである。マクロな視点から不登校数を減少させるためには，このタイプを減らすことが重要と思われる。

⑤非行優位型

70年代からみられた反社会的，非行の傾向が強くみられるタイプ。近年，そう多くはないものの，全くみられないわけではない。学校で求められる規範的な価値基準に反抗心，反発心を抱く一方，学校内外に自分が情熱を傾けることのできる活動に従事した

民生委員：地域住民の相談や指導にあたる無給の支援員で，任期は3年となっている。民生委員法によって規定されている。

児童相談所：児童福祉法に基づき，各都道府県，政令指定都市に設置されている公的機関。児童虐待の対応や心理判定等を行う。

私事化（プライバタイゼーション）：個人が所属する公的な単位（企業・地域社会）よりも私的な単位（家族）を重視する傾向（長津，2004）。

ポストモダン：思想家リオタールによれば，「大きな物語の終焉」とされるが，ここでいう大きな物語とは，これまで自明のものとされ疑うべくもなかった言説を指す。「学校に通うのは当たり前」といった言説もその一つである。

り，信頼できる仲間との関係を構築したりすることも可能で，思春期，青年期の一時的な不適応であることが少なくない。

⑥その他
1）教員（厳しい，怖い）・学校との相性（文化，転校），いじめ等学校における過度の負の体験（トラウマ体験）が存在するタイプ。
2）発達障害，精神障害等が背景にあるタイプ：発達障害については，小学校では手厚いサポートにより適応する場合があるが，中学以降，こうしたサポートが希薄になり，問題が顕在化することがある。また，精神障害については，小，中学校でも見られるが，特に高校以降が好発期となるため，留意する必要がある。
a）ゲームやインターネットへの強い依存傾向がみられるタイプ。
b）対人恐怖傾向（社交不安障害）が顕著にみられ，学校のみならず外出全般が困難なタイプ。

2．不登校の状態像に基づくアセスメント（タテの見立て）

不登校のアセスメントには，多様な観点からなされる必要があることはいうまでもないが，ここでは不登校児童生徒が現在どの段階におり，その段階における適切な課題を知るための一つの目安として，不登校児童生徒の状態像に基づく7段階のアセスメントを紹介する。

表2　再登校プロセスの各ステージ

Stage 1：身体症状・精神症状：食欲，睡眠，頭痛，吐き気，腹痛（休日の痛みの有無も確認），その他身体症状，パニック発作，強迫症状，リストカット，その他気になる行動・症状。 ⇒対応：こうした症状の除去が目標となり，休養を保証する対応が望まれる。
Stage 2：生活リズム・生活習慣：生活リズム（起床時間・就寝時間），はみがき，お風呂，頭髪，身だしなみ等。 ⇒対応：生活習慣，生活リズムの維持に努める。ただし焦らないことが大切である。
Stage 3：家族との接触：自室から出てくる，家族にあいさつをする，リビングにいられる，一緒に食事をする，世間話をする，気持ちを語る，手伝いをする等。 ⇒対応：この段階では，本人と家族との良好な関係の構築を目指す段階といえる。
Stage 4：外界との接触：一人で外出，家族と外出，家族と外食，家族と旅行。 ⇒対応：外出（特に家族との外出）の機会を増やす。外食もよい。
Stage 5：学校的なものへの接触：医療機関，相談機関，フリースペース等に通うことができるか，あるいはメンタルフレンド，（治療的）家庭教師，塾，適応指導教室などに通えるか等。 ⇒対応：限定した接触を図っていくことが大切である。
Stage 6：学校外における学校との接触：友人とのメール・電話での接触，友人と直接会う（自宅内・自宅外），学校の教職員（担任・担任以外の教職員）の電話に出る，学校スタッフ（担任・担任以外の教職員）の家庭訪問に応対する等。 ⇒対応：担任との接触は，本人が嫌がっていない場合，継続する。
Stage 7：学校との接触（夜間登校－別室登校－教室）：夜間登校（頻度・一回あたりの時間），昼間の別室登校（頻度・一回あたりの時間，給食の可否），行事への参加（修学旅行・運動会・文化祭等），教室（給食，HR等），教室（一部の科目（得意科目等）），教室（全科目）等。 ⇒対応：夜間登校から昼間の別室登校へ時間をかけ進める。短い時間での登校でよいので，回数を増やすことを優先させるとよい。

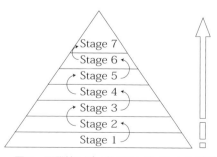

図5　再登校レディネスアセスメントの概念図

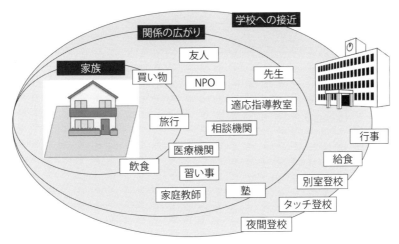

図6　不登校児童生徒の再登校までの道のり

　本アセスメントでは，再登校までのプロセスをStage 1～Stage 7までの7段階に分けて考える。各Stageにおけるチェック項目と対応を表2，概念図を図5にまとめる。基本的な考え方は，子ども達の各段階に応じて無理のない課題を設定することにある。例えばStage 1の段階にいる生徒に対して，別室登校を勧めるなどの対応はなかなかうまくいかない。まずは休養の保証が重要となる。教員が，大まかな再登校までの道のり（図6）のイメージを持ちつつ，当事者の子どもや保護者が無理のない歩みができるようサポートしていくことが重要となる。

Ⅳ．不登校問題を捉える3つの視座

　不登校問題を捉える際に以下の3つの視座がある。

1．マクロの視点

　社会現象としての不登校問題を考える視点であり，"日本の不登校児童生徒数""○○県の不登校児童生徒数"といったマスが対象となる，いわば，文部科学省や教育委員会等の教育行政的な視点といえる。「なぜ○○において不登校が増えるのか？」といった問いに答えるためには現代人の価値観や置かれている状況などを検討する必要があり，例えば学校や学歴の価値の変遷等，社会学的視点が必要となる。

2．メゾの視点

　この視点で捉えた不登校問題への対応として，学級での予防的な関わりや，不登校児童生徒を出さない学級経営・学級づくり，あるいは学校内における相談室登校する児童生徒に対する教室・システムの整備，教育相談体制の整備等が含まれる。こうした視点からの問いには，教育心理学や学校心理学が有用であり，具体的な取り組みとして，日常の学校生活において子どものサインに気づく，心を砕いた関わりをする，学級活動，教育相談・生徒指導，学級システム，学校システムのアセスメント（例えばQ-Uの活用等）を行う等が挙げられる。

3．ミクロの視点

　不登校状態にある個に対する視点を指す。ここでは「不登校状態にある子ども（や家族，先生）をどのように支援すべきか」が主題となる。不登校児童生徒に個別に向き合

Q-U（Questionnaire-Utilities）：教育学者 河村茂雄（監修 田上不二夫）により開発された，学校生活意欲と学級満足度の2つの尺度と自由記述アンケートで構成された学級のアセスメント・ツール。簡便に学級の雰囲気がつかめる。図書文化社から質問紙が発売されている。

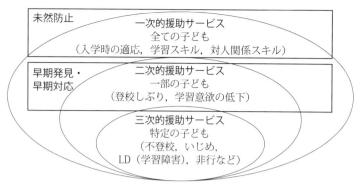

図7　未然防止と早期発見・早期対応

う担任やスクールカウンセラーの視点であり，事例性が重んじられる。目の前にいる不登校児童生徒に対する具体的な支援については，臨床心理学や精神医学等の臨床の知が欠かせない。

V．未然防止・早期発見・早期対応の重要性

1．未然防止

まずは，不登校を出さないクラス作り，学級経営が基本となる。新学期当初，自分が受け持つクラスをどのように経営していこうとするのか。年間の行事等をイメージしながら，各時期の目標を立てつつ，修正することも必要である。また，その土台となるのは，児童生徒理解の視点であることはいうまでもない。子ども達は，一人ひとりがかけがえのない存在である。と同時に，多様な個性をもち，また抱えている問題や，家庭の事情もさまざまである。児童生徒理解に基づく学級経営であることを忘れてはならない。

2．早期発見・早期対応

マクロの視点で捉える不登校問題に対し，未然防止や早期発見・早期対応は特に重要である（図7）。

小林（2009）は，埼玉県熊谷市の「月3日の欠席管理」を紹介している。これは，一月あたり欠席が3日になったら，「その子どもに注意を払う」「その子どもに個別に関わるようにする」「声をかけ，様子を聴く」「3日目に欠席した日は，仮に保護者から連絡があっても，顔を見に放課後に家庭訪問する」「家庭訪問が無理なときには，電話で必ず子どもと話をして，『待っているよ』と伝える」「欠席後の登校時には，『顔を見たかったよ』と声をかける」といった対応を徹底する取り組みを指す。

VI．不登校事例における対応の留意点

1．不登校支援におけるパラドックス

不登校児童生徒に対して学校が支援を行おうとする際，当該生徒が，担任をはじめとする学校の教職員との関わりを一切遮断してしまうケースは少なからずみられる。つまり生徒本人に対する直接的な支援が困難な場合が少なくないのである。いわば「不登校支援におけるパラドックス」といえよう。このような場合には，保護者との連携が必須となる。保護者と定期的にコンタクトをとり，子どもの家での様子を聴取，アセスメントしつつ，各段階で学校が行うことと，家庭が行うことを明確にしつつ，それぞれが課題に取り組み，互いにフィードバックしあう。こうした**家族療法**の考え方を基礎とした関わりが中心となる。

> **家族療法**：問題とみなされている個人に対してではなく，その家族（家族システム）やさらには周辺の重要な他者にアプローチすることで問題解決を図る心理療法（本書第12章に詳細）。

2．本人に対する対応の留意点

①強引に登校させるような言動，行動を慎む

言うまでもないことであるが，不登校の児童生徒に対して，無理矢理登校させるような言動や行動は慎むべきである。昨今，さすがにあからさまにこうした言動や行動は見られなくなっていると思われるが，さまざまな形で子どもに登校を勧める言動はしばしば見受けられる。とりわけ思春期，青年期の子どもたちは，こうした大人の意図をくみ取ることも可能であり，かえって反発を招くケースもある。

②子どもの話に耳を傾ける（受容・共感・傾聴）

じっくりと，批判せず，受容的な立場で接することは，対応の基本である。学校に足が向かない子どもが，学校の先生と会えるだけでも素晴らしいことである。不登校の子どもとの面談に限ったことではないが，子どもとの面談の際の発話比率は，教員：子ども＝1：9を目安にするとよい。

③多様なゴールを設定すること

子ども達は，それぞれ多様な個性，興味，適性，能力，課題を持っている。また子どもの家庭環境や家族が抱える事情もさまざまである。他の子どもと比較せず，その子自身の成長や頑張りを認め，伝えていく作業をゆっくり，じっくり行っていくことは大切なことである。

④支援者である自分自身の心の状態を把握する

支援者である教師自身が「（他の子どもは登校できるのに，）この子どもはどうして登校できないのか？」といった気持ちになっている場合には，自分自身に焦りや不安の気持ちがないか，個別対応の疲れが出ていないか振り返ってみるべきである。教師の焦りや疲労は，非言語やパラ言語を通して，漏れ出してしまうことがある。「ついきつい口調になっていないか」「無自覚に子どもを傷つけるような言い回しになっていないか」，面談の後に振り返ってみるとよい。繊細な子ども達は微弱な「拒絶」のメッセージには敏感である。支援が空回りする一因にもなる。

教師の仕事は，ゴールが見えにくい対人援助職である。対人援助職は，バーンアウトしやすい職業であることを自覚することも必要である。

3．保護者との連携にあたっての留意点

①保護者は児童・生徒ではない

保護者との連携にあたって，保護者は児童・生徒ではないことを自覚する必要がある。日常的に子ども達と接している教師は，子ども達に接するコミュニケーションスタイルが身に付いている。ついつい上から指導するような言葉遣いになったり，上から見下すような態度をとったりしてしまうことがあるかもしれない。保護者ー教師関係は，大人同士の関係であり，子どもの問題解決のために，親と教師それぞれが，互いに知恵をしぼるコンサルテーション関係である。指導でもカウンセリングでもない対等な関係であることを忘れてはならない。

②保護者の傷つきに十分留意する

子どもが学校に行かないという事態は，多くの親にとって予想だにしなかった青天の霹靂の出来事である。驚きや戸惑いと同時に，自らの子育てや対応への自責感，自分の子はどうなっていくのかといった不安，何とかしなければといった焦り等，さまざまな思いを抱いている。また祖父母や親戚から責められている場合もある。子どもの不登校について祖父母や親戚に伝えていないケースもある。こうした保護者の傷つきには十分な配慮が必要である。ましてや，教師が，その傷を深めるようなことがあってはならない。

非言語：視線，姿勢，うなづき，ジェスチャーなどコミュニケーション上必須の非言語的な行動。

パラ言語：抑揚，イントネーション，間，リズム，声の音調等，文字には現れない言語。

バーンアウト（燃え尽き症候群）：対人援助職など，ゴールが明確でない職種の人々に見られる心因反応。「情緒的消耗感」「脱人格化」「個人的達成感の低下」の3つの症状からなる。看護師や教員に見られあやすいとされる。

③犯人探しをしない

不登校の原因が「分かること」と「取り除くことができること」は別である。通常，原因の除去は困難であり，さらに教師が犯人探しに固執して，親の責任を追及することで，親との関係が悪化し，問題が拡大することもある（悪循環）。

④多様な家族・保護者がいることを理解する

子ども達の保護者や家族も多様である。子育やしつけに対する考え方，家族のありよう，家族の雰囲気，抱えている事情もさまざまである。また学校からみて保護者や家族が「やるべきこと」と，「できること」は別である。「できること」の中から，もっとも「やるべきこと」に近いものを探すことが重要である。

⑤無知の姿勢──保護者の語る物語に耳を傾ける

教師は教育や子どもの育ちについての専門家であることはいうまでもない。教師は，さまざまな子ども達との出会いやふれあいを経験している。しかし，当該生徒を最もよく知っているのは，保護者である。保護者こそが当該児童生徒を最もよく知る専門家である。こうした姿勢は，「無知（Not-knowing）の姿勢」と呼ばれるが，教師が保護者と接する際に身に付けておきたい態度の一つである。

⑥保護者支援における目標

とりわけ不登校の問題は，登校／不登校の二項対立で捉えがちで，再び教室に戻らないかぎり問題が全く改善していないと錯覚してしまいやすいことにある。学校には足が向かないものの，家庭内での会話や笑顔が増えたり，手伝いをしたり，友人と接触したりといった小さな改善に目が向きにくい。保護者が，子どもの改善に意識が向かない場合，家庭における悪循環に陥りやすい。したがって，保護者支援において目指す目標は，最終的な目標は再登校であることはいうまでもないが，まずは保護者が，子どもの家庭で見られる小さな解決（生活のリズム，笑顔，会話，部屋の片づけ，手伝い，外出，友人との接触，勉強）に，「①気がつき」→「②認め」→「③それを心底喜んでいることが」→「④子どもに伝わる」といった家庭内における良循環の形成といえる。このためには，保護者が以下のスキルを身に付けられるとよい。

1）子どもの長所・良いところ（内的リソース），頑張っているところ，好ましい変化（大きな変化ではない小さな変化）に気がつくことができるスキル。
2）メートルの単位ではなく，センチメートルの物差しで子どもを見つめるスキル。
3）小さな変化を素直に喜び，子どもに伝えるスキル（子どもをさりげなくほめる，感謝する，礼を言う，良いところや頑張っているところ，ちょっとした好ましい変化を伝える）。
4）子どもの日常に存在しており，子どもが信頼している，子どもが元気になるといった子どもにとっての身近な応援者（身近な外的リソース）を見つけ，応援してもらうスキル。

4．外部機関との連携

不登校事例においては，子どもとさまざまな外部機関とつながる事例が少なくない。むしろ，学校と家庭，外部機関の連携によって不登校児童生徒を支えることとなるのが通例である。ここでは，不登校事例における他機関との連携について留意点も含め述べる。

①不登校支援を行う外部機関

不登校支援を行う外部機関について下記にまとめたので参照されたい。なお，詳細については，第10章にて述べる。

不登校のリソース
1）適応指導教室（教育支援センター）：市町村の教育委員会によって運営されている再登校を支援する教育施設。出席扱いになる場合が多い。
2）教育相談センター：都道府県や市町村の教育相談センター。不登校をはじめ，発達障害，そ

> 無知の姿勢：言語活動を通じて新たな意味の創出を目指す「コラボレイティヴ・アプローチ」において用いられる概念。「（問題については）クライエントこそが専門家である」といった考え方を指す。

の他について相談できる。
3）NPO法人：NPO法人によっては，相談をはじめ，フリースペース，フリースクール，放課後デイサービス，その他さまざまなサービスを展開している。とりわけ民間のNPO法人が運営するフリースクール，フリースペースは，教育機会確保法施行以降，ますます期待が高まっている。
4）学びの多様化学校（いわゆる不登校特例校）：教育機会確保法において新たに提起された，不登校児童生徒の実態に配慮して特別に編成された教育課程に基づく教育を行う新たな枠組みの学校。
5）大学などの臨床心理相談室：大学によって運営されている有料の地域向け相談機関である。
6）医療機関：小児科，心療内科，精神科等がある。

なお，2017（平成29）年2月，「義務教育の段階における普通教育に相当する教育の機会の確保等に関する法律」（以下，教育機会確保法）の完全施行に伴い，学校以外の教育機会を確保することが国や自治体の責務とされた。従来の不登校対策は，学校復帰を前提としたものであったが，今後，学びの多様化学校（いわゆる不登校特例校），適応指導教室，フリースクール等，学校以外での「多様な学びの機会」を拡大させる方向に進むことが見込まれる。なお，2023（令和5）年4月現在，全国に24校の学びの多様化学校（不登校特例校）が開講している。

②外部機関との連携の際の留意点
1）保護者や本人との関係を断ち切らない：当該生徒が外部機関につながることで，学校の不登校生徒本人や保護者に対する関心が著しく低下してしまい，不登校生徒本人や保護者が，学校に見捨てられたという思いを深めるケースもみられる。外部機関につながった後も，保護者支援や本人支援を欠かさないことが重要である。
2）外部機関との連携を欠かさない：外部機関につながると，学校が外部機関に全てお任せといった状態になる場合がある。しかし，生徒の本籍地は学校である。保護者や本人との関係のみならず，外部機関との連携を欠かさないようにすることも大切である。
3）連携の際には，保護者を起点に考える：外部機関との連携にあたって，学校側から外部機関へ直接電話するなどして連携を試みようとする場合がある。しかし，外部機関からみれば，個人情報の保護等の問題もあり，本人や保護者を飛び越えた形での連携は不可能である。連携の際には，保護者を介した連携が必須である。例えば医療機関との連携を図りたい場合には，保護者から医師に学校が情報共有を図りたいと考えている旨を伝えてもらうとよい。

ワーク（考えてみよう）

1．不登校の定義の変遷は何を意味しているだろうか？

2．現代と30年前，50年前の不登校に関する文献に目を通し，それぞれの時代性，歴史性を踏まえたうえで，不登校の違いについて考えてみよう。

3. 不登校問題について，①マクロの視点（例えば文部科学行政の視点），②メゾの視点（生徒指導主事の視点），③ミクロの視点（担任やカウンセラーの視点）から考えてみよう。

✌ ワーク（事例）

■事例1

　中1，卓球部に所属する男子A夫。一人っ子である。6月から休みがちになり，7月から完全不登校となった。小学校6年時にも，若干登校しぶりが見られたという。成育歴等から発達に問題はみられないものの，小学校中学年ごろから学習に困難さがみられ，宿題にも時間がかかる子どもだったとのこと。中1の中間試験では，5教科の合計が150点であった。

　担任は，若い男性教諭（理科）であった。担任は，主任や教育相談に詳しい教員からのアドバイスを受け，まず信頼関係の構築を目的に母親との面談を行った。母親は，いつかこうなるのではないかと心配していたという。またもともと同級生には友人はほとんどおらず，近所の2歳年下のB夫とカードゲームや虫取りなどをして遊ぶことが多かったという。現在も夕方，B夫と遊ぶことがあるとのこと。その担任は，聞き役に徹しつつ，「まずは少しずつやれるところからやっていくこと」「B夫と遊ぶことができているのは大変良いこと」であることを伝えた。母親も納得していた様子であった。さらに担任がプリントを届けてもよさそうかどうか母親を通して本人に聞いてもらうこととした。早速次の日，母親から電話があり，家庭訪問も特に問題なさそうであるとのことであった。

　担任は，主任から，①長居をしないこと，②本人と会うことにこだわらないこと，③もし会えた際にも，決して登校刺激は与えず，本人の好きなことや興味のあることを中心とした会話をすること，の3点についてアドバイスを受けた。

　家庭訪問当日，玄関にA夫は出てきた。顔色も悪くはない様子であった。担任は，温かい態度でA夫が安心できるような言葉をかけた。さらに，玄関にあった虫かごにいたカブトムシを見つけ，自分も子どもの頃カブトムシが好きだったことなどを話し，最後にA夫に，また今度来てもいいかどうか尋ねると，A夫はコクっと頷いた。夏休みを含め家庭訪問を続けた。学校や勉強の話題は避け，A夫が夏休みにアニメ映画を見に行ったことや，温泉にいってクワガタを捕まえたことなどについての話を傾聴した。

　夏休み明け，母親から，A夫が別室登校したいと言っていると連絡が入った。教育相談委員会で話し合い，空き教室を別室登校の部屋とすることが決まり，担任含め学年で声かけ，サポートをすることとなった。

　別室登校初日，やや緊張した面持ちのA夫であったが，養護教諭やスクールカウンセラーから声をかけてもらい，表情も柔らかくなった。最初は1時間，週2回から始め，様子を見ながら登校日を増やしていき，2学期末には，毎日登校し，給食も食べられるようになっていた。また自宅での学習のサポートを目的として，治療的家庭教師（教育学部の男子学生）に来てもらうようになった。3学期には，給食を教室でとるようになり，2年生のクラス編成で配慮したことも功を奏し，2年生から教室で授業が受けられ

るようになった。その後，ほとんど休むことなく登校し，無事卒業を迎えた。3年の卒業式で，担任は，A夫からさまざまなことを学ばせてもらい感謝していると語った。

解説：なぜ解決したのか？

　A夫は，学習の困難さなどがみられ，また同級生との人間関係も希薄であった。いわば，学校の中でなかなか居場所を見つけられずにいた生徒であると思われる。小学校においては，登校しぶりがみられたものの，担任がきめ細やかにサポートをすることで，何とか学校に通うことができていた。しかし，中学校に入り，教科担任制となり，そうしたサポートが得られなくなり，また学習の難易度も上がる中，学校に通うことが難しくなった事例である。その意味で，中1ギャップにより不適応に陥ったドロップアウト型の事例と考えられる。

　ポイントは，若い男性教諭である担任が，A夫と学校との架け橋となった点である。またこの際，A夫の興味にフィットしたカブトムシやクワガタ，アニメなどを話題にすることで，ラポール関係を構築した点も重要である。学校や苦手な学習の話題を避け，A夫の興味関心のある事柄を中心に寄り添い，接した点がその後の解決への糸口となった。

　また，学校には登校していなかったが，A夫は，映画を見に行くなど外出することも可能で，エネルギーも低くない生徒であった。また，こうした外出は，決して反社会的な行動に結びつく類のものでもなかった。こうしたことから，映画などの娯楽を伴う外出については，制限をせずに，むしろ積極的に外出をすすめた。

　こうした対応が奏功し，夏休み明け，A夫は，別室登校を始めることとなったが，この際，できるだけ短い時間，少ない回数から始め，ゆっくりと登校日数を増やしていった。もともと，学習にもつまずきがみられており，別室登校時の課題も，小学校の復習的な課題（例えば掛け算や割り算の文章問題，分数，漢字等）といった，A夫が「できた！」という達成感を持つことのできる課題から始めた。また学年で時間の空いている教員や教育相談員等が，学習指導や丸つけを担当した。別室での学習は，A夫に，勉強が分かることの楽しさに気づかせることとなった。

　学校以外では，治療的家庭教師の存在も大きかった。治療的家庭教師とは，成績を上げることだけを目標としがちな通常の家庭教師とは異なり，学習サポートの機能を中心とした家庭教師の側面と，情緒的なサポートを中心としたメンタルフレンドの側面を併せ持つ存在である。一人っ子のA夫にとっては，勉強を教えてくれるとともに，よき話し相手でもあり，お兄さんのような存在となった。この治療的家庭教師との関係は，中学3年の受験が終わるまで続いた。

　A夫のように，学習面のみならず，部活や人間関係，その他の活動含め，苦戦している生徒は少なくない。こうした生徒を，「他の生徒と違う」「他の生徒はできるのになぜこの生徒はできないのか」といった視点ではなく，その生徒の文脈にいったん降り，理解し，対応していった点が，この事例が解決に至った最大のポイントといえよう。

■事例2

　中2女子，吹奏楽部のC子。成績も良好で頑張り屋のC子。生徒会でも活躍し，合唱コンクールでは指揮者としてクラスをまとめていた。また吹奏楽部ではパートリーダーを務めるなど，担任もまったく心配していない生徒であった。しかし，2年の3学期よりぱたりと学校へ来なくなった。

　担任が早速母親面談をすると，合唱コンクールや生徒会，部活等で忙しく，また合唱

コンクールではなかなかクラスがまとまらずに悩んでいたという。さらに，2学期の期末試験で，成績が若干落ちたことで，学習に対する不安が高まり，ときに深夜遅くまで勉強することもあったという。母親によれば，小さいころから負けず嫌いで，進学校に通う兄を追いかけるように育ったとのことだが，兄に比べると若干要領が悪いところもあるように感じていたとのこと。現在，生活のリズムも不安定で，食欲もあまりない様子とのこと。また外出も一切していないとのことであった。

面接を受け，担任が養護教諭に相談すると，「頑張りすぎて疲れてしまったのかもしれない」「まずは休むことを保証してあげたら？」とアドバイスを受けた。

担任は，母親を通じて，今はゆっくり休むことが重要である，自分のペースを大切にしてほしいとメッセージをA子に伝え，月に一度，A子の様子について情報交換することを目的に母親面談をすることにした。中2の3月の面接では，1月の面接時に比べ，表情も明るくなり，食欲も戻っていることが語られた。また，春休みに，家族で北海道に行く予定であると語られた。担任は，元気になっていることは何よりであり，北海道旅行をぜひ楽しんできてほしいと伝えるとともに，適応指導教室や別室登校について母親に情報提供を行い，もし伝えられそうな機会があればA子に伝えてほしいと母親に依頼した。

3年になり4月の面接では，北海道では家族の誰よりも早く起きて，旅行を誰よりも楽しんでいたと語られた。さらに帰宅後も生活のリズムが比較的守られているとのことであった。加えて，母親が適応指導教室について話をしたところ，その時は「考えてみる」との答えだったが，その後，一度適応指導教室に行ってみたいと言い出したとのことであった。また母親から，A子が選んだという北海道のお土産が渡され，担任は，そのお礼に，A子に手紙を書いた。

その後，母親から連絡があり，母親と二人で適応指導教室に出かけたところ，ちょうどその時間にやっていたバドミントンに照れながらも参加してきたとのことであった。週に3日，適応指導教室に行くことにしたいと連絡が入った。担任と適応指導教室との打ち合わせでは，今後も情報交換をしながらA子を見守っていくという方針が確認された。

中3の夏休み明けより，適応指導教室に加え，週2日は別室登校をしたいとの申し出が母親からあり，別室登校を開始。別室では，学年の空いている教員が勉強を教えたり，スクールカウンセラーと話をしたりトランプをしたりしながら過ごした。給食は別室に数人の友人が来て，一緒に給食を食べた。また合唱コンクールにも参加した。

そして12月，本人からそろそろ教室に戻りたいとの申し出があり，教室復帰を果たした。その後，志望した高校にも無事合格し，中学を卒業していった。

解説：なぜ解決したのか？

C子は，成績も良く，まじめで頑張り屋である。しかし，こうした生徒が，不登校になる事例も少なくない。いわば，「良い子の息切れ型」の事例である。本文でも述べたとおり，「良い子の息切れ型」の生徒の心理的な特徴の一つは，過剰適応である。周囲の期待に出来る限り応えようと，ついつい無理をしてしまう。

のちにC子は，学校に通っていたころの生活について次のように語っている。「部活が午後6時に終わって，7時前に帰宅。すぐに夕食と入浴。8時過ぎから3時間弱勉強をして……，12時過ぎに就寝。（さらに土日も部活と塾があり），とにかく忙しかった……」。朝は6時半に起床し，7時半には家を出た。睡眠時間は5時間半であった。不適切な例えかもしれないが，C子の学校での学習と部活，自宅での学習時間，休日の部

活や自宅や塾での学習の時間，これらを仕事の残業時間に換算すると，ひと月あたりどれほどの時間数となっていたのであろうか？

　こうした「良い子の息切れ型」の生徒は，一般に，ドロップアウト型の不登校の子ども達に比べ，より強い葛藤を感じやすく，情緒的な混乱や身体的な症状をきたしやすい。これまでの理想的な姿（学校に通う適応的な自分）と現在の現実の自分（学校に通うことができずにいる自分）とのギャップが大きく，自分を責め，悩み，場合によっては親を罵倒したり，一日布団をかぶって部屋から出てこなかったりといった行動がみられることもある。本人にとってはこれまで経験したことのない大きな挫折体験でもあり，そうした挫折をきちんと乗り越えるという非常に辛く，しかし大切な課題に取り組んでいる状態といってよい。理想と現実の折り合いをつける作業ともいえる。

　こうした生徒に対しては，まずゆっくり休むことを保証することが大切である。また，家族が，本人に対して，（仮に学校に通うことができなくとも）「今のままのあなたでOK」「私たちにとって，あなたは大事な存在」といったメッセージがさまざまな形で伝えられる状況が望ましい。頑張っている適応状態にある自分＝善／頑張ることが難しく不適応状態にある自分＝悪ではなく，自分の中にはさまざまな側面があり，それら全体をひっくるめて自分が存在しているという感覚が，本人の中に芽生えていくことが，再登校に向けた一歩を踏み出させることにつながっていく。

　母親と買い物に出かけたり，料理を一緒にしたり，それまでに経験できなかったような時間を過ごすのもよい。温泉やカラオケに行くのもよい。北海道への家族旅行は，本人にとっても大きな転機となった。

　さらに，同級生との接触に対する不安から学校に戻ることに抵抗のあったC子は，適応指導教室を利用することとなる。適応指導教室では，学校とは異なる先生方や仲間と出会い，またさまざまな体験を通して，本人はいろいろと考えたり，気づいたりといったことがあったようだと母親は語った。

　もともと真面目な生徒である。進学を意識する時期となり，徐々に学習にも力が入るようになり，また看護師という将来の夢も見つけ，卒業後は，夢に向かって頑張っている。

　一般に，学校は頑張ることを教える場である。しかし，頑張りすぎないことを教えたり，頑張らないことを応援したりすることが必要となる生徒もいるのである。

参考・引用文献
神村栄一・上野昌弘 (2015). 中1ギャップ―新潟から広まった教育の実践　新潟日報事業社
小林正幸 (2003). 不登校児の理解と援助―問題解決と予防のコツ　金剛出版
小林正幸 (2004). 事例に学ぶ不登校の子への援助の実際　金子書房
小林正幸・橋本創一・松尾直博（編）(2008). 教師のための学校カウンセリング　有斐閣
小林正幸（監修），早川惠子・大熊雅士・副島賢和（編）(2009) 学校でしかできない不登校支援と未然防止―個別支援シートを用いたサポートシステムの構築　東洋館出版社
文部科学省 (2010). 生徒指導提要　教育図書
文部科学省 (2023). 令和4年度「児童生徒の問題行動等生徒指導上の諸問題に関する調査」結果について　https://www. mext. go. jp/content/20231004-mxt_jidou01-100002753_1. pdf（2023年10月25日閲覧）
長津美代子 (2004). 変わりゆく夫婦関係　袖井孝子（編)少子化社会の家族と福祉　ミネルヴァ書房, pp.14-25.

> コラム ❖ column
> 中学生の健康と安心の確保
> ——性教育
> 宮﨑　昭

1．学校における性教育

学校教育における性教育の位置づけには，2つの側面がある。一つは，教育課程に位置づけられた保健体育や生物などの教科，あるいは総合的な学習の時間や道徳，学級活動として，組織的，計画的になされるものである。もう一つは，生徒指導や教育相談における性の問題への個別指導の側面がある。いずれにしても，学習指導要領には，性教育の一般的な目標・内容が示されていないため，各学校において指導内容を選択・組織することが必要である。

2．思春期のセクシャリティの理解

人間のセクシャリティは，男と女といった2種類の性だけが存在しているのではない。染色体や身体の形状などの「生物学的な性」，自分が男性だと感じるか，女性だと感じるかという「性自認」，感情的・身体的な欲求の対象が異性なのか同性なのか両性なのかという「性指向」，化粧や服装あるいは男らしさや女らしさをどう感じるかという「社会的な性」など，多次元のセクシャリティがさまざまに組み合わされている。その意味で，一人ひとりが違っ たセクシャリティを持っている。

思春期のセクシャリティの問題に，十分な性教育を受けてこなかった教師や親がとまどうことがある。そこで，教師自身が自分のセクシャリティの傾向を知るとともに，自分とは異なるセクシャリティを持つ者に対する理解を深めることが大切である。そのうえで，保護者や地域社会の大人との連携をすすめることが必要となる。具体的には，次のような演習を行うなどして，研修をすすめることが重要である。

> 演習の例
> ①世の中にあるセックスの目的を10個書きだしてみる。
> ②グループで見せ合って，多様なセックスのあり方を確かめる。
> ③自分とほかの人が，安全で満足できると感じる目的を話し合う。

学校の性教育では，生殖という側面が強調されやすい。しかし，世の中には生殖以外の目的で行われる性行為がたくさんある。いつ，どこで，誰と，どんな目的で性行為をすると，お互いに安全で満足できるか考えて行動することが大切である。

3．中学校・高等学校における性教育

思春期に，パートナーができて親密な人間関係を経験することは，大人に向かう成長過程として発現するひとつの発達課題である。そこでの性教育の内容としては，セクシャリティに関する理解を基本として次のような内容が考えられる。

①セクシャリティに関する基本的な知識
　・セクシャリティの生物学的な知識と生命の誕生の理解
　・第二次性徴による男女の心身の変化の違いの理解
　・性的指向とセックスの多様性の理解
　・セクシャリティの理解（自己のセクシャリティの理解を含む）
②豊かな人間関係の育成に関すること
　・人間関係の基礎的な理解と対応
　・家族など特定の親密な人間関係の理解と対応
　・性的関心をもつ特定のパートナーの理解と対応
　・様々なセクシャリティの人々の理解と対応
③社会の一員として性に関する諸問題への対応に関すること
　・社会的な性役割や性差別の理解と対応
　・様々な性情報の理解と対応
　・性の被害・加害の理解と対応
　・性感染症に関する理解と対応

学校教育における性教育：内容についての詳細は，参考図書（一般財団法人日本児童教育振興財団内日本性教育協会編（2020）すぐ授業に使える性教育実践資料集　中学校改訂版　小学館（日本性教育協会編（2008）の高等学校版もある））を参照してほしい。

性別違和：「生物学的な性」と「性自認」とが不一致な状態で生活上の困難を感じている場合につけられる診断名である。身体は男性なのに，「自分は女性だ」と感じて，男子トイレに入ることや男子の中で裸になって身体測定することに違和感を感じたりするものである。また，身体が女性なのに「自分は男性だ」と感じる場合には，第二次性徴に伴う胸のふくらみや生理に嫌悪感を感じてしまうなどの場合も見られる。

同性愛：古くは，精神疾患の一種として考えられていたが，WHOの国際疾病分類（ICD-10）では，「同性愛はいかなる意味においても治療の対象とはならない」と宣言がなされ，生得的なセクシャリティのあり方の一つとして認められるようになっている。

コラム ❖ column

若者の就労等支援のあり方
板倉憲政・浅井継悟

現在，若者が直面する困難として，完全失業率や非正規雇用率の高さ，若者無業者の存在など「学校から社会・職業への移行」が円滑に行われていないことが挙げられる（内閣府，2013）。加えて，入社したにも関わらず，3年以内に離職する若者も増加傾向にある。

若者の就労支援の一貫として，就職活動が上手くいかない若者に自己分析を行なわせるケースが多くある。もちろん，自己分析を通して，自分の向き，不向き，自分の何が足らないのか，何がいけないのか等を分析して，次の就職試験に活かせれば問題はない。しかし，会社の内情を聞くと，不採用になった理由には，縁故入社，女性より男性を取りたい，年齢制限，実は違う職種がほしかった等，求人の内容では分からない要因で落とされる場合も多々存在する。したがって，本来なら外的な要因に帰属をすべき現状が入社試験にはあるにも関わらず，若者に自己分析をさせることで，自身の足りない点についてフォーカスさせてしまう。それは，考えても考えても大きな変化を期待しにくいであろう自分の性格などについてより一層深く考えてしまうことに繋がる。そのため，若者の中には，このまま就活を続けても就職ができないのではないのかという思いが生まれ，就職活動を継続させる力を奪ってしまう恐れもある。筆者らは，若者の就労支援において一番重要なことは，いろいろな不安や辛いことなどを経験しながらも，就職活動を継続させるように支援することであると考えている。そのため，若者の問題点よりも，若者の長所や就職活動を継続するための工夫等にフォーカスした解決志向アプローチが若者の就職活動を継続させるためには効果的であると考える。

さらに，3年以内に離職する若者も増加していることからも，キャリア意識の教育は，入社して終わりではなく，入社後，社内でもキャリア意識の教育を継続していくことが重要になる。特に，若手社員は自分の仕事，もしくは自分の存在がどのように役に立っているのか実感が湧きにくい。人間は①自律的でありたい，②有能でありたい，③他者と関わりをもちたい，という3つの心のニーズを持っている（Deci & Ryan, 1985）。つまり，若手社員の心のニーズが満たされない職場環境である場合に，離職していく可能性が高いのではないかと思われる。したがって，会社は若手社員が会社を信頼し，有能感を持って会社や社会のために自律的に働いていると感じることができるような配慮を行うことが重要な課題であると考えている。

参考・引用文献
Deci, E. L. & Ryan, R. M. (1985). The general causality orientations scale: Self-determination in personality. *Journal of Research in Personality*, 19, 109-134.
内閣府 (2013). 25年度版子ども・若者白書

第5章

いじめ

若島孔文・兪　幜蘭・狐塚貴博

Ⅰ．はじめに

　いじめという現象は本章で対象とする中・高生の学級や学校単位で起こりうる問題であるとともに，大人社会においてもみられる。特に生徒にとって生活の主体の場である学校でのいじめは，日常生活の大部分を占めるがゆえ，周囲の大人たちから些細な出来事と思われる事象でさえ，当該生徒にはとりわけ深刻な問題として認識される。教育領域で臨床活動を行う筆者らの経験では，生徒からの日常における些細な相談からいじめの事実が発覚することも少なくない。例えば，生徒が部活をやめたい，教室に行きたくないといった相談や，腹痛や頭痛といった身体的な訴えからいじめの事実が発覚することもある。

　いじめという現象は，例えば，友人にあいさつをしたが無視をされた，学級活動でグループに入れなかったなど，その状況で偶然に起こる可能性をもつ事象から，自殺にまで追い込まれる深刻なものまで幅広い。特に後者においては深刻であり，相手の苦痛を楽しむことから始まることもある。もし，単に相手を苦しませることだけでいじめと呼べるなら，いじめは古今を問わず世界のどこにでも起こる問題である。しかし，いじめが教育現場において深刻な様相を呈することとなり，我々がそれに対し本格的に問題意識を持つようになったのは，1980年代のことである。特記すべきは，こうした深刻ないじめ問題は日本のみならず各国にみられる現象であり，その関心が高まったのは日本と同様に1980〜1990年代であった。いずれの国においても，深刻ないじめ問題が報告されている。

　例えば，韓国では，1990年代の半ばから，いじめが社会的問題となり，21世紀に入ってからは，「相手にしない」程度に留まらず，暴行事件や自殺事件が報告されている。アメリカにおいては，人種や性と絡んだいじめが報告され，イギリスでは生徒の7割がいじめの被害にあっているという報告もあり，また，ドイツでは25人に1人の児童・生徒が少なくとも1週間に1回は同級生からのいじめ被害にあっているという報告もみられる（森田ら，1998）。

　我が国では，1980年代から過酷ないじめ問題によって自殺にいたるセンセーショナルな報道を機に，約10年周期で世間に浮上している。各国や我が国において繰り返し報告されるいじめの現状からは，いじめという現象の根絶が困難であることがうかがえる。そのため，周囲からのいじめへの介入が非常に難しい問題がある。これには，身体的な攻撃行動による"あからさまな"いじめだけでなく，心理的な苦痛を伴い，周囲からは"みえにくい"いじめの存在もある。加害者は冗談や遊びのつもりで被害者を無視したり，集団から排除したりする。また，周囲の傍観者はいじめの事実を認識しているとしても，自分とは関係ないと思ったり，告げ口をすることは友人である加害者を裏切る行為であると思ったり，あるいは自分がいじめの対象になることを恐れるあまり関わろうとしない。よって，いじめ自体がみえにくい構造になることもある。このみえにく

> **韓国のいじめ**：韓国では，いじめられる子を「ワンタ」（「王様（ワン）」と「相手にしない（タドリム）」の合成語であり，自分のことを王様のように思っている子を相手にしないとの意味）と呼んできたが，21世紀に入っては「相手にしない」程度に止まらず，もっと深刻な状況に落ちている。

さは，被害者側のいじめられているという自覚の欠如，さらには周囲からいじめられているという見方を避けることやいじめの事実を周囲に告発することでさらにいじめがエスカレーションを起こすことへの恐れ，自分自身の弱さを露呈することといった思いから被害者側がいじめ自体を隠してしまうこともある。加えて，昨今の携帯電話の普及により，ネットいじめといわれる，メールのやりとりからいじめに発展するケースも報告され，周囲からのいじめのみえにくさを助長している。

　文部科学省は，2013年，こうした過酷でかつ新種のいじめの対策として，「いじめ防止対策推進法」（文部科学省，2013）を定めた。この法律の主な内容は，「いじめの責任は関連者全員（国，地方公共団体，学校設置者，学校，教職員，保護者）にあること」「インターネットいじめを含め，関連者が連携をとって防止および措置を行うこと」「重大事態に対しては，事実関係を明白にさせること」などである。そこで，本章では，こうしたいじめをめぐる社会的背景を踏まえ，いじめという現象に周囲が関心を持ち，その現象を理解するための枠組みと介入への方針を示していく。まず，いじめの定義の変遷と発生件数についての統計的データを提示し，過去の知見からいじめへの理論的考察（いじめの四層構造，スクールカースト，態度の二重構造，割れ窓理論）について述べ，最後にいじめに関する事例の提示とともにどのようにいじめに介入していくかを考えていく。

いじめの定義の変遷：「個々の行為がいじめに当たるか否かの判断を表面的・形式的に行うことなく，いじめられている児童生徒の立場に立って行うこと」という条件は，第3期にも続いている。

Ⅱ．いじめの定義と統計の変遷

　図1は，我が国において文部科学省が毎年報告する「いじめの認知（発生）件数の推移」（文部科学省，2023）である。図1に示したように，昭和60年から平成5年まで，平成6年から平成17年まで，平成18年から令和4年までと3期に大別されている。第1期から第2期にかけてみられる違いは調査対象となる学校数といじめの定義が少し変わったことである。第1期においては公立小中高のみで，第2期では特殊教育諸学校が含まれることとなった。第3期には私立小中高も含まれると同時にいじめの定義が大きく変わり，また，発生件数の代わりに認知件数を問うこととなった。さらに，平成25

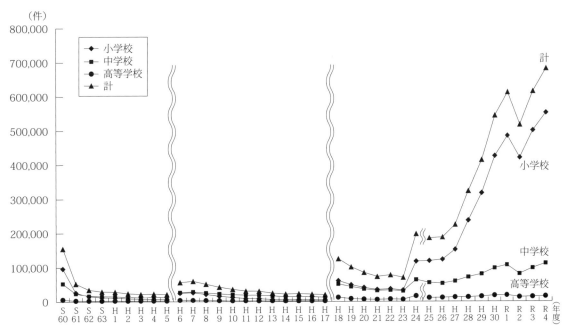

図1　いじめの認知（発生）件数の推移（文部科学省，2023）

年度からは高等学校に通信制課程も含まれている。

1．いじめの定義の変遷

　第1・2期でのいじめの定義には「①自分より弱い者に対して一方的に，②身体的・心理的な攻撃を持続的に加え，③相手が深刻な苦痛を感じているもの」との共通点があるが，第1期の「学校としてその事実を確認しているもの」という定めが，第2期では「個々の行為がいじめに当たるか否かの判断を表面的・形式的に行うことなく，いじめられている児童生徒の立場に立って行うこと」へと変更された。また，第3期では，その定義を「当該児童生徒が，一定の人間関係のある者から，心理的，物理的な攻撃を受けたことにより，精神的な苦痛を感じているもの」としている。この定義の違いは，「自分より弱い者へのいじめ」から「一定の人間関係のある者からのいじめ」への転換である。これは，いわゆる従来いじめられるタイプでなかった生徒，つまり，武道をやっている子やけんかの強い子なども，いじめの対象となるケースが多くなったからと推察される。この調査をみると，平成5年から翌年の平成6年では2倍以上に，平成17年から翌年の平成18年では6倍以上の件数が報告されている。この報告は，いじめという現象が周期的に増加する年があるのではなく，深刻ないじめによる事件が起こりマス・メディアによる報道が相次いだ翌年に増加していることを示している。平成5年には山形県で起きた男子中学生のいじめによる死亡事件，平成6年には愛知県での中学校2年生男子のいじめを苦にした自殺があり，また平成17年には大阪府で起きた中学の女子生徒のいじめによる自殺の報道は記憶に新しい。このように，学校や地域，家庭においていじめに対する意識が薄れたときに，いじめ問題が社会でクローズアップされ社会の関心が寄せられる（若島，2007）。そして，報告件数の変化において，いじめの定義や社会のクローズアップより重要なポイントは，「発生件数」と「認知件数」の違いと考えられる。この差を理解するためには，森口（2007）の提案した「学校で起こっている『いじめ』の現実」（図2）に注目する必要がある。

　図1を見ると，いじめの認知件数は第3期の途中まで減少しているようにみえるが，平成24年からは増加している。認知件数増加の背景には，いじめの定義や理解の広がりがいじめを積極的に認知している結果と捉えられている（文部科学省，2023）。しかし，図2に沿って考えると，学校内で教師が認識しているいじめは全体のごく一部のいじめに限定されるといえる。さらに，近年，コロナ禍での生活環境の変化や制限による交友関係の築きにくさなどが背景にあるいじめも発生しており，学校がいじめを認知し，対応することは決して簡単ではない。

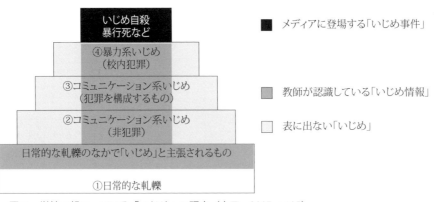

図2　学校で起こっている「いじめ」の現実（森口，2007, p.105）

以上，図1にも示されたように，いじめの報告件数は，いじめの定義の改め，マス・メディアの影響，「発生件数」から「認知件数」への変化によって，大きく変わってきており，いじめの真相を把握することは非常に難しいことが分かる。社会で浮上する大きないじめによる事件を契機とし，いじめの定義の変遷を伴う行政の対応との関連をみると，いじめという現象に極端な増減はなく，ある一定の割合で存続するとも考えられる。したがって，いじめの「件数」の増減でなく，社会的な事象と照らし合わせた慎重な解釈が求められるとともに，いじめという現象の構造的理解といじめ発生直後からの過程を分析することが重要である。

Ⅲ．いじめの構造についての理論

　次に，いじめという現象の構造的な理解を深めるため，いじめの四層構造，スクールカーストについて説明する。

1．いじめの四層構造

　森田・清永（1986）は，いじめを考察するにあたり，フランスの社会学者であるデュルケム Durkheim, E.（1897）の考え方，つまり「逸脱行動といわれている現象は，周りの人々の反応の仕方によって逸脱の表れ方が異なってくるものである」ことを用いた。いじめも逸脱行動の一つであることは明らかであり，「いじめっ子」と「いじめられる子」という加害者－被害者の関係を超え，周りの「観衆」と「傍観者」にも目を向ける必要がある。私たちが他者の行動を判断するにあたっても，望ましい行為であればこれを賞賛し（肯定的作用），反対に望ましくない行為であれば否認する（否定的反作用）。いじめにも同様に「作用」と「反作用」が考えられるが，いじめが望ましい行為とはいいがたく，この2つは「促進的作用」と「否定的反作用」と呼ばれる。

　よって，「促進的作用」から考えると，いじめ集団の**四層構造**（図3）は次のようになる。

①被害者：いじめられている子ども。
②加害者：いじめている子ども。
③観衆：はやし立てたり，面白がっていじめを見ている子ども。加害の中心の子どもに同調・追従し，いじめを助長する。（積極的是認）
④傍観者：見て見ぬふりをする。人がいじめられているのを無視することは，いじめに直接的に加担することではないが，加害者側には暗黙の了解と解釈され，結果的にいじめを促進する可能性がある。（暗黙的支持）

　森田・清永（1986）のいじめの四層構造によると，「観衆」と「傍観者」はいじめを助長したり，抑圧したりする重要な要素である。いじめが誰に，どのような手口で，ど

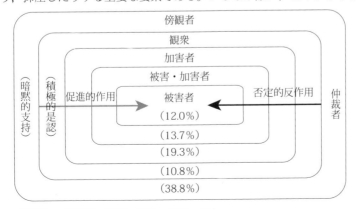

図3　いじめ集団の四層構造（森田・清永，1986, p.51）

> デュルケムの自殺論：デュルケム（1897）は『自殺論』で，「個人の行動は個人がどの程度当該社会へ統合されているかを表す指標である」，また，「社会集団への個人の統合の度合いと，個人に対する集団統制の度合いには関連がある」と述べた。森田・清水（1986）もこの主張をいじめ論に用いた。

> 四層構造での「仲裁者」：森田・清水（1986）はいじめの四層構造に別途に「否定的反作用」をみせる者として「仲裁者」を設定しているが，この役割は「自分もいじめられる」覚悟がなければならないので，現実ではあまり目にすることができない。

> いじめ集団の構造での被害・加害者：いじめの場面では固定された役割ではなく，「加害者」が「被害者」へと陥れられる可能性をふくみ，「被害者」が「加害者」側にまわることもある。

れだけ長く陰湿に行われるかは，加害者にもよるが，同時にかなりの数にのぼる「観衆」と「傍観者」の反応によって決定される。森田・清永（1986）は現在の学級で一番最近に発生したいじめのなかで，児童・生徒がどのように行動したかを調べた結果をいじめ集団の構造モデル（図3）としてまとめているが，この調査によると，観衆11％，傍観者39％であり，双方で50％にのぼると述べている。

2．スクールカースト

　森口（2007）のスクールカーストを述べる前に，まず藤田（1997）の提案した4つの「理念型藤田モデル」を紹介する。現実に学校で起きているいじめはきわめて多様である。その点に着目して，効果的ないじめ対策をとるためにはまず「いじめ」と総称されている事象を分類して把握する必要があると主張した藤田（1997）は，いじめをモラルのアノミー的状況で起こるタイプ，異質性排除の論理で展開するタイプ，閉じた集団の中で起こるタイプ，特定の個人や集団が特定の個人をくりかえし暴力や恐喝の対象とするタイプの4つに分けている。

　森口（2007）は，「今日行われるいじめは，加害者が被害者になったり，被害者が加害者になったりする特徴をもっている」との見解に対し，そういったいじめは藤田モデルのタイプⅠに過ぎないものであると指摘した。また，彼は理念型藤田モデルに強く賛成しながらも，より現実に近いモデルに変える必要があることを主張したうえで「スクールカースト」を提案し，これに基づく「修正藤田モデル」を提案している。

　スクールカーストとは，学級の中でも複数のステータスが存在し，高いステータスのグループから低いステータスのグループまで，まるでインドのカースト制度のような形がとられていることを指している。高いステータスになるには，昔は力強く自己主張の強い子でなければならなかったのだが，今日の教室では異なる。もちろん自己主張をしなければリーダーシップをとることはできないが，他者と相互に共感する力（共感力）がなければ人望を得られず，自己主張も空回りしてしまう。また，クラスのノリ（空気）に同調し，場合によっては空気を作っていく力（同調力）は，クラスを生き抜くうえで不可欠な力である。3つ（自己主張力・共感力・同調力）の総合力がステータスを決める重要な要素であり，森口（2007）は表1のようにこれら3つの力とステータスの関係を明らかにした。

　表1から，いじめるか，いじめられるかは，同調力に左右されることが分かる。当然かもしれないが，いじめができるためには，クラスのノリ（空気）をつくる能力（同調力）が要る。

　次に，より現実的な「修正藤田モデル」を説明する（図4）。「修正藤田モデル」とは，

表1　自己主張力・共感力・同調力とステータス（森口，2007, p.45）

				同調力	
				高い	低い
自己主張力	高い	共感力	高い	スーパーリーダー	栄光ある孤高
			低い	残酷なリーダー いじめ首謀者候補	「自己中」 被害者リスク大
	低い	共感力	高い	人望あるサブリーダー	「いい奴なんだけど……」 被害者リスク中
			低い	お調子者 いじられキャラ いじめ脇役候補	「何を考えているんだか……」 被害者リスク大

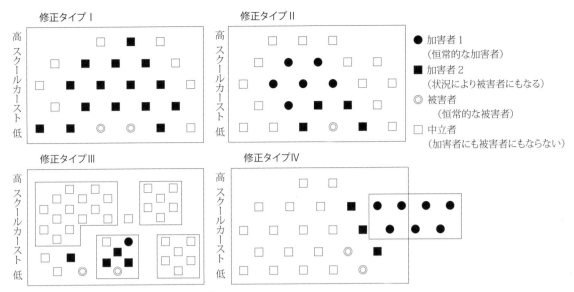

図4　修正藤田モデル（森口, 2007, p.42）

「理念型藤田モデル」の各タイプに，「スクールカースト」という概念を取り入れ，いじめの様相を図解したものである。各のタイプは以下のような特徴をもつ。

修正タイプⅠ：多くの子どもが被害者にも加害者にもなり得るポジションにいる。彼らは，被害者・加害者だけでなく，状況によっては観客にもなる。しかし，凛としていじめから距離を置く子どもも存在し，彼らは，スクールカーストの高い場合が多い。

修正タイプⅡ：修正タイプⅡは，基本的には異質的排除の論理で展開されるいじめであり，いじめに参加しない子どもが修正タイプⅠより多い。よって，修正タイプⅡでは，Ⅰよりも不参加に勇気がいらない。また，このタイプでは時々「いじめられる方にも原因がある」との認識が共有される場合がある。もちろん差別の理由にもよるが，家庭の貧困や低学力などの古典的差別の場合はいじめを不当と感じ，被害者が帰国子女で，スクールカーストに比較し自己主張が強すぎる場合などではいじめを正当と感じる。

修正タイプⅢ：最も一般的なタイプである。子ども達は通常グループに分かれてすごしているので，いじめも多くの場合グループ内に限られる。スクールカーストが上位の子どもほどグループ間を容易に移動できるので，いじめのターゲットになりにくく，スクールカーストの低い子どもは移動ができないため，ターゲットになりやすい。

修正タイプⅣ：都会の下町や地方都市によくあるタイプである。クラスの枠組みを超えた不良グループが存在し，そのメンバーがクラスの弱者をターゲットにしていじめを繰り返す。その態様は，暴行・恐喝など悪質な場合が多い。修正藤田モデルと理念型藤田モデルの違いは，不良グループが決して閉じられた社会でないことである。

以上，森口（2007）のスクールカーストと修正藤田モデルは，いじめの構造を理解するうえで最も重要なフレームの一つである。

3．ネットいじめ

昨今のインターネットの普及，つまり個人の携帯電話の所持により，さまざまなトラブルも生じている。ネットいじめは把握の困難さを有しているため，理論的考察に乏しいが，事例検討によりいくつか共通する特徴が指摘されている。文部科学省（2008）は「ネット上のいじめに関する対応マニュアル・事例集」を発刊し，ネットいじめには次のような特徴があると指摘している。

①不特定多数の者から，絶え間なく誹謗・中傷が行われ，被害が短期間できわめて深刻なものと

> ネットいじめの定義の曖昧さ：大久保（2013）は，ネットいじめの定義について，「定義付けをしてもあまり意味がない」，また，「定義付けをすると，かえってネットいじめの本質が見えなくなる」とも指摘しており，ネットいじめは定義より事例から考える重要性とともに，特にアプリ「LINE」の副作用を強調した。

なる。
②インターネットの持つ匿名性から，安易に誹謗・中傷の書き込みが行われるため，子どもが簡単に被害者にも加害者にもなる。
③インターネット上に掲載された個人情報や画像は，情報の加工が容易にできることから，誹謗・中傷の対象として悪用されやすい。また，インターネット上に一度流出した個人情報は，回収することが困難となるとともに，不特定多数の他者からアクセスされる危険性がある。
④保護者や教師などの身近な大人が，子どもの携帯電話等の利用の状況を把握することが難しい。また，子どもの利用している掲示板などを詳細に確認することが困難なため，「ネット上のいじめ」の実態の把握が難しい。

また，文部科学省（2008）はネットいじめについて，「掲示板・ブログ」系と「メール」系と大別し，前者では誹謗・中傷・個人情報の無断掲載・なりすまし活動が，後者では誹謗・中傷・チェーンメール・なりすましメール送信の類型を指摘した。これらは，基本的にインターネット上の匿名性より始まるものである。よって，情報モラル教育がの重要になるとともに，教員や家族といった身近な他者の関与が必要となる。

IV．いじめの介入についての理論

これまで，いじめの四層構造とスクールカーストについて述べた。そこでは，いじめの構造において「傍観者」の役割や考え方が一貫して強調されてきた。いじめの構造では，「傍観者」さえ容易に「加害者」になり得る可能性を有しており，傍観者たちがどのような思いをもっているかが，いじめの展開に大きな影響を及ぼすといっても過言でない。したがって，いじめのエスカレートを抑制するためには傍観者の役割が重要であるとも考えられる。そこで，いじめの介入に関して，「態度の二重構造」と「割れ窓理論」について述べていく。

1．態度の二重構造

前述の修正藤田モデルの修正タイプⅡでも言及されているが，第三者の傍観者や観衆の中でいじめをいじめられる子のせいにしてしまう傾向がある。こうしたものの中には，被害者でさえ，いじめの発生原因が自分自身にあるとするケースも存在する。例えば，1985年のある生徒のいじめによる自殺の遺書に「うそをついてごめんね」という文章の記載や，1994年のある生徒のいじめによる自殺の遺書に「僕からお金を取った人を責めないでください」という文章の記載が報告されている。このように，いじめの被害者に原因を求めてしまいやすい傾向は「態度の二重構造」として指摘されている。

態度の二重構造が初めて提案されたのは，若島（2007）のいじめプロセス研究である。この研究は，大学生の過去体験における「いじめの体験率」「立場（加害者・被害者・傍観者）によるいじめ発生原因と終結の認識の仕方」，そして「加害者によるいじめ隠しの工夫」「傍観者による仲裁行動の発生」を調査し，いじめ現象のプロセスを考察したものである。その調査結果は次のようである。

①いじめ発生原因の認識：被害体験者は被害体験者自身の要因として最も多く認識し，加害体験者は加害体験者自身の要因として最も多く認識し，また，傍観体験者は被害者の要因として最も多く認識していた。
②いじめの終結の仕方の認識：被害体験者は終結の要因を被害者自身の要因，加害者の要因，分からないとして多く認識し，加害体験者は加害者自身の要因として多く認識し，傍観体験者は時間の経過および分からないとして多く認識していた。

この結果より，いじめ発生の原因では，被害者，加害者ともに自分自身の性格・行動・状態にその原因を帰属していることが分かる。また，終結の仕方において，被害者では

なりすまし：特に，なりすまし系のネットいじめは最も悪質であり，事例としては，「学校の公式ホームページに似せた偽りのホームページが公開され，その中で，生徒や教師の実名，誹謗・中傷，教師が買い物をしている姿などを盗撮した写真が掲載された」ことや「高校2年のA子が自分たちの悪口を言っていると思いこんだ同じ学年のB男とC子とがA子になりすましたメールを作成し，『私は男好きでいろんな人と出会いたい』といった内容のメールをチェーンメールとして5人の友人に送信した」ことなどが挙げられる（文部科学省，2008）。

被害者自身と加害者の要因はほぼ同値であり，自分が悪いと思うが，自分を変えることでいじめから抜け出せるとはいえない側面がある。一方，加害者においては被害者の要因によって終結したという認識は少なく，加害者自身の要因によって終結するという認識が確認される。最後に，傍観者，さらに教員でさえ，いじめの発生原因を被害者の要因として認識していることが多く，いわば「暗黙の支持者」となる。若島（2007）の述べる「態度の二重構造」は，傍観者や教員が被害者にいじめの要因を見出しやすい位置にいることを自覚し，とりわけ日常で生徒と接する教員がいじめへの速やかな介入を行うことこそが重要であることを示唆している。

2．割れ窓理論

　割れ窓理論とは，例えば，壊れた窓を放置すると，やがて他の窓も全て壊されるように，人は匿名性が保証され，責任が分散されていると，自己規制意識が低下し，情緒的・衝動的・非合理的行動が現われ，また周囲の人の行動にそれが広まりやすいという考えであり，1993年にニューヨーク市長に当選したジュリアーニ市長が，市の再生のためにこの理論を実践したことで知られている。ジュリアーニ市長は就任後，グラフィティ消し，ビルの掃除命令，ホームレスの追放，軽微な違反行為（ごみ分類，交通違反）の取り締まりなど，割れ窓理論を徹底し，犯罪率を圧倒的に下げた。同様に，いじめにも割れ窓理論を適用すれば，傍観者がいなくなり，いじめが発生しにくい環境を作ることが重要であることが考えられる。

　このように犯罪率の低下を導いた成功談を，いじめに対しても用いていく必要がある。例えば，学校の教室でも，携帯電話の持込禁止を始め，登校時間厳守，学校内での落書きに対する掃除，先生へのため口の禁止，授業中の雑談をなくすなど，他にもあり得る実践策が今後考えられねばならない。割れ窓理論の実践のように，いじめの事象のみを扱うことだけでなく，生徒自らの意識転換や学級運営自体に介入していく必要がある。

V．おわりに

　本章では，中学生・高校生におけるいじめという現象の理解を深めるため，いじめの定義の変遷，そしていじめの発生件数についての統計的データを提示した。さらに，いじめの構造的理解と介入についての示唆を得るため，いじめの四層構造，スクールカースト，態度の二重構造，割れ窓理論についてふれた。

　人間は基本的に集団を作る。学校でも生徒は集団を作り，この集団を内藤（1984）は「小ユニット」，森口（2007）は「スクールカースト」と定義する。当然，学級には複数の集団が存在し，それらの相互作用を通して，森田・清永（1986）の述べる「四層構造」が構成される。「四層構造」の形成は，いじめへの暗黙的な支持が得られやすい。このようないじめへの暗黙的な支持は，いじめのエスカレートを助長しやすいのではないだろうか。いじめという現象が発見されたとしても，いじめを生む構造を止められるような司法的権限がないため，強制的な介入は困難である。また，周囲は「いじめは犯罪」「被害者は悪くない」といった意識を持ってはいるものの，「態度の二重構造」で指摘したように被害者へのシンパシーは意外に少ないのではないだろうか。いじめという現象を理解するためには，加害者と被害者という単純な理解ではなく，その現象に関与する複雑な人間関係を読み解く必要がある。なぜならば，いじめの問題に関与する加害者と被害者のみに焦点をあてることで，さらなる問題の形成や加害者の解決努力を阻害してしまう可能性も有しているからである。したがって，学校という集団に属する生徒の立場を理解し，学校教員や家庭，スクールカウンセラーなど生徒に関わる周囲の大人たち

が，いじめに対する意識を高め，迅速な対応を行うことが求められる。

　以上，いじめという現象の理解を深めるため，いくつかの枠組みについて示した。最後に，筆者ら学校現場で心理臨床を行う実践家として強調したいことは，学校教員といじめに関わる生徒の保護者との連携の重要性である。そのためにも，学校側は保護者と必要な情報を共有し，同意を得たうえで対応の方針を共に検討する姿勢が求められる。とりわけ，被害者側の生徒の保護者には慎重な対応が必要である。ときには，被害者側の生徒の保護者から学校の対応に対する怒りが向けられることもある。しかしながら，学校側は保護者をいじめの解決に向けた重要な資源を有する存在と認識することが必要である。保護者の意見や提案を十分に聞き入れたうえで進めることにより，いじめの解決に向けた多くの情報を得ることが可能となる。学校側と保護者側が協同していじめに対応することにより，当該生徒にとって有益な方向へ進む可能性が広がると考えられる。

✍ ワーク（考えてみよう）

1. 生徒がいじめの事実について相談することは，その事実を認めたくないという思いや，さらなる被害があるのではないかという恐れから，なかなか口外できないこともある。また，被害者である生徒は，自分自身に問題があるのではないかと考えることもある。このような被害者の心理面を考慮し，生徒がいじめの問題を話しやすくするために，教員や家族はどのような対応ができるか考えてみよう。

2. 中学2年の男子生徒であるBくんが，クラスメイトの3，4名から，頻繁にからかわれたり，笑いの対象となったりしていた。Bくんはお調子者で，その状況に笑って対処し，周囲も笑いながらみている生徒もいたので，一見するとBくんも楽しんでいるようにみえた。しかし，時に，クラスメイトからのからかいはエスカレートし，暴力を伴ってBくんがけがをすることや服がぼろぼろになることもあった。あなたが，このクラスの一員で，このような状況が続いているとき，どのような対応ができるか考えてみよう。

3. いじめを無くす方法として，内藤（1984）はいじめの出発点の「小グループの形成」を根本的に絶つために，クラスを無くすべきだと提案した。また，森口（2007）はいじめの撲滅はできないと断言しながらも，司法処理を学級に適応すべきだと主張した。これらは，一見，極端な提案かもしれないが，それだけいじめ問題が深刻になってきたということでもある。このように，面白くて画期的な（現実的には無理かもし

れないが）いじめを無くす方法をいろいろ考えてみよう。

✌ ワーク（事例）

■事例1
　いじめを訴える高校2年の女子生徒（いじめの相談を受けたスクールカウンセラーからの報告）のケース。
　高校2年生の女子生徒Aさんは，クラスメイトから悪口を言われる，机やロッカーなどに落書きをされるという出来事が続いていることを担任に打ち明けた。Aさんは繊細で口数の少ない生徒であった。Aさんはいじめの解決を担任に求めたが，担任はいじめの実態の把握ができていないという理由から，具体的な対応はなかった。そのような状況をみかねた母親から学校に，迅速な対処を求める電話が毎日入るようになった。このような状況で，Aさんはスクールカウンセラー（以下，SC）に相談した。SCはAさんから，どのようないじめを受け，どのような想いでいるのかを聞き，その苦労をねぎらったうえで，Aさんの校内での様子を観察した。加えてAさんに，大変な状況でも毎日学校に通い，授業や部活にも熱心に取り組んでいることを褒め，何が助けになっているかを尋ねたところ，先生方が心配して声をかけてくれることと，家族が励ましてくれることが挙げられた。
　Aさんのこれまでの経過やSCからの情報を基に教員同士で話し合い，Aさんの母親に対して，学校側から毎日連絡し，Aさんの学校での様子について可能な限り報告を行うことにした。さらに，Aさんと担任との間で「大丈夫。先生はしっかりみているよ」という意味のサイン（特定のさりげない仕草）を決め，教員間で共通認識をもち，多数の教員からAさんにそのサインを送った。学校側から母親に連絡をするようになると，母親から毎日のようにかかってきていた電話はほとんどなくなり，学校側の対応を非難する発言も少なくなっていった。また，母親自身も家庭内で，Aさんが好きなテレビを一緒に見たり，些細な日常会話を続けたりと，Aさんと過ごす時間を意識的にもつようになった。しばらくすると，Aさんが担任やSCに話す内容は，前向きで肯定的な内容が次第に増えていった。いじめについても「まだいじめはたまにあるけれど，気にしないで自分のことに集中するようにしている」と語るようになり，最終的には「いじめはほとんどなくなったように感じる」と落ち着いた。

解説：なぜ解決したのか？
　本事例は，周囲が実際にいじめの事実を確認することができず，Aさんのいじめられているという訴えが中心となっている。また，Aさんは，繊細で口数の少ない生徒であった。そのようなAさんの内向的な性格により，周囲，とりわけ担任は"Aさんが気にし過ぎているのではないか"といった見方をしてしまう可能性がある。また，いじめがあるか否か，もしくはその事実の確認を優先し，それらに多くの時間を費やしてしまう。このようないじめの事実確認を慎重に行う姿勢は，必要なことではあるが，いじめへの対応が遅れ，深刻化してしまう傾向も有している。しかし，本事例では事実確認よりも，

周囲がAさんの主張をまずは受け入れる立場を明確に示した。つまり，いじめがあるというAさんの視点を前提とし，その苦難に共感的な態度を示したうえで，家族や先生方の情緒的なサポートといったAさんのもつ資源を引き出している。一見すると周囲からは些細なことに思われる出来事でも，生徒の訴えを受け入れ，いじめの原因を被害者に帰することなく早期対応を行ったことが重要と思われる。

また，Aさんの母親に対しては，学校側は連絡を待つのではなく，学校側から母親に連絡し，Aさんの学校での様子を伝えた。いじめの被害にあう生徒のみならず，その保護者にとって，我が子を学校に送り出すことは，容易なことではない。学校に登校してほしい気持ちといじめの被害に遭っているのではないかという不安に掻き立てられているものと考えられる。したがって，本事例のように，学校側がいじめを阻止する決定的な対策がなくとも，生徒の学校での様子を報告することが重要であり，その報告は保護者に対し"教員はお子さんの状況をしっかり把握している"といったメッセージが伝わり，保護者の安心感につながったのではないだろうか。本事例のように，教員と生徒との関係のみならず，教員やSC，そして保護者が連携し，生徒への対応を行ったことが，いじめの早期解決に有効であったと思われる。

■事例2

いじめの問題にクラス全員で取り組む（担任からの報告）ケース。

中学2年のクラスで頻繁にいじめの問題が起こった。女子生徒3名が中心となり，対象を替え，文房具を隠したり，無視をしたり，あからさまに悪口をいったり，からかったりするなどがあった。そのような行為の対象となった生徒は，登校を渋ったり，教室に行きたくないということを訴えたりした。クラスメイトは，次は自分がいじめの対象となる可能性を危惧してか，仲裁に入ることなく，それらの行為になるべく関わらないようにしているようだった。このような状況が続き，生徒指導を担当する教員が，その女子生徒らに対し，いじめをやめるよう厳しく指導を行った。すると，女子生徒3名は，「そんなことはしていません。なぜ私たちだけ注意されるんですか」と述べ，自分たちの行為に対する反省はなかった。この指導を機に，問題行動を行う女子生徒らは，机の移動を行なう時に間違えたふりをして相手にぶつける，数人を集めクラスメイトの一人をみて笑う，休み時間に意図的に誰かを一人にするような行為をするなど，周囲からみて"あからさま"な行動ではなく，対象となった生徒にしか分からないような行動によりいじめを行った。

そこでクラス担任は，ある学校行事の際に，一人ひとりが自分のやりたいこと，考えていることを発表するという提案を生徒達に対して行った。加えて，クラスのルール作りとして，クラス内の改善案の意見をクラスメイトに求めた。はじめに男子生徒が，掃除をさぼり他の人にやらせている人がいることを指摘すると，数人がその後に続き，いくつかの意見を述べた。担任は一人ひとりが意見を言うことの重要性を生徒達に明確に伝えた。その後，問題行動を行う3人組の一人がそのグループから抜けたことも重なり，徐々にいじめの問題は減っていった。最終的に大きないじめの問題を訴える生徒はいなくなり，以前よりも活気のあるクラスとなった。

解説：なぜ解決したのか？

本事例は，いじめの問題を加害者と被害者という関係性のみ，さらにいじめの内容のみに焦点化するのではなく，担任のしっかりとしたマネジメントのもと，クラス単位の問題として生徒たちの自己主張を促すことで対応した事例であった。本事例では，生徒

指導の教員が加害者である女子生徒らに対し，いじめをやめるよう行った行動は，より周囲から"見えにくい"嫌がらせという方向に変えた。ここで重要なことは，教員がいじめの存在を認め，毅然とした態度で生徒に指導をすることがいじめをエスカレートさせたのではなく，そのような教員の指導が有効ではない場合があるということである。つまり，教員からの指導が，加害者にとって，誰かが"告げ口した"という意味と受け取り，指導そのものがいじめという現象を助長する相互作用となりうる嫌いも有しているということである。

　一方，担任がとった行動は，いじめの問題を解決するというためではなく，クラスの運営に関する問題として取り上げ，クラスメイト各自の自己主張を促した。いじめの問題に関する話題は，加害者や被害者のみならず，それを黙認する生徒にとっても，なかなか言及できることではない。むしろ，生徒がいじめの問題に言及することで，次は自分がターゲットとなってしまう不安も推察される。本事例のように，クラス運営に関する問題として，担任が生徒に意見を促すことにより，いじめを認識しつつもそれに関わらないようにする生徒，いわば傍観者が意見を言いやすくなったものと考えられる。その際，担任がクラス運営の先頭に立ち，うまくマネジメントしていくことが重要である。本事例は，加害者や被害者，そして傍観者のいずれかにいじめ問題の原因を求め，反省，もしくは謝罪させるという方向ではなく，いじめの問題をクラス運営の問題として取り上げ，生徒一人ひとりが問題意識もち，自分自身がクラスを改善していくという行動を促したことが重要であったと考えられる。

参考・引用文献

Durkheim, E. (1897). *Le Suicide.* Les Presses Universitaires de France.（宮島喬（訳）(1985). 自殺論　中公文庫）

藤田英典 (1997). 教育改革─共生時代の学校づくり　岩波書店

井樋三枝子 (2007). アメリカ合衆国におけるいじめ防止対応─連邦によるアプローチと州の反いじめ法制定の動き　外国の立法, 233, 4-15.

文部科学省 (2008). ネット上のいじめに関する対応マニュアル・事例集　http://www.mext.go.jp/b_menu/houdou/20/11/08111701/001.pdf（2024年4月19日閲覧）

文部科学省 (2023). 令和4年度児童生徒の問題行動・不登校等生徒指導上の諸課題に関する調査結果　https://www.mext.go.jp/a_menu/shotou/seitoshidou/1302902.htm（2024年4月19日閲覧）

QRコード→

文部科学省 (2013). いじめ防止対策推進法の公布について（通知）　http://www.mext.go.jp/a_menu/shotou/seitoshidou/1337219.htm（2024年4月19日閲覧）

森口朗 (2007). いじめの構造　新潮新書

森田洋司・清永賢二 (1986). いじめ─教室の病い　金子書房

森田洋司（総監修）(1998). 世界のいじめ─各国の現状と取り組み　金子書房

内藤朝雄 (1984). いじめの構造─なぜ人が怪物になるのか　講談社現代新書

大久保輝夫 (2013). スマホ時代のネットいじめ　教育デザイン研究, 4, 12-19.

若島孔文 (2007). いじめに対する介入を考える　児童心理, 853, 12-16.

コラム ❖ column

困難な状況ごとの取り組み
——ニート，ひきこもり

古澤雄太

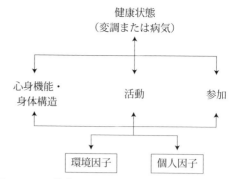

図1　ICFの構成要素間の相互作用

　いわゆるニートやひきこもりの状況については，多数の要因が複雑に絡み合った状態と捉えることによって，さまざまな角度からの支援が可能になる。その捉え方の一つとして，世界保健機構（WHO）が定めた国際生活機能分類（ICF：International Classification of Functioning, Disability and Health）の考え方を紹介する。

　ICFでは，特定の状況に関連する構成要素を次のように定義している。

　　心身機能：身体系の生理的機能（心理的機能を含む）。
　　身体構造：器官・肢体とその構成部分などの，身体の解剖学的部分。
　　機能障害：著しい変異や喪失などの，心身機能または身体構造上の問題。
　　活動（活動制限）：課題や行為の個人による遂行（とその困難）。
　　参加（参加制約）：生活・人生場面への関わり（とその困難）。
　　環境因子：物的・社会的環境，社会的な態度による環境。

　これらの構成要素の間には，図1のような双方向的でダイナミックな相互関係が存在するため，ある要素に介入するとその他の要素を変化させる可能性がある。

　例えば，ある大学生がひきこもりの状況にあるとする。単純に家から出ないことが問題であれば，力ずくにでも外に出せば解決となるわけだが，その学生が，遠く親元を離れて一人暮らしを始めたばかりで（環境因子），学業とアルバイトで多忙な生活から体調を崩し（心身機能），授業を欠席して単位を落とし（活動制限），元々内気な性格ではあったが（個人因子），サークルにも参加できず友達作りに出遅れて孤立している（参加制約）という状態にあったとすれば，その問題の捉え方は全く違ってくる。各構成要素を見渡して，足りないところを補い，隠れた資源を生かしていくと，その相互作用の経過の中でひきこもりの状態（健康状態）が変化していくことになる。

　このように，問題にどのように取り組んだらよいか迷った時には，視野を広げてみることで，行き詰った状況にも活路が見出せるかもしれない。

参考・引用文献
厚生労働省社会・援護局障害保健福祉部企画課 (2002).「国際生活機能分類－国際障害分類改訂版」（日本語版）の厚生労働省ホームページ掲載について　http://www.mhlw.go.jp/houdou/2002/08/h0805-1.html (2013年11月5日閲覧)

コラム ❖ column
SNS上のいじめへの対応
小岩広平

近年，学校現場ではインターネットを介したいじめが問題となっている。文部科学省の「児童生徒の問題行動・不登校等生活指導上の諸課題に関する調査」によると，平成29年度のネットいじめの認知件数は，6,411件である。平成25年度の同調査の認知件数が3,700件であることと比較すると，明らかな増加がみられる。この変化が，SNS（ソーシャル・ネットワーキング・サービス）の普及に伴うネットいじめの増加によるものか，もしくは学校の検出力の上昇によるものかには，検討の余地がある。一方で，教師やカウンセラーがネットいじめに対して，適切な対応を求められる機会が増加していることは確かだろう。

平成20年に文部科学省は，ネットいじめへの対応マニュアルを出しており，被害児童生徒，加害児童生徒，全校児童生徒への対応例をそれぞれ示している。これによると，被害者に対しては，スクールカウンセラーにつなげること，毎日の面談の実施や，緊急連絡先の伝達を行うなど，被害児童生徒の立場に寄り添った支援が必要である。また，加害者への対応としては，粘り強い指導とケアの両立が必要であるとしている。さらに，全校生徒に対しては，情報モラル教育の必要性について述べられている。一方で，現代において，SNSは青少年の生活から切り離せないものとなっている。そのため，SNSの危険性を強調した情報モラル教育は，伝え方によっては生徒たちの心理的抵抗を招いてしまうことも考えられる。そのため，どのようにSNSの危険性を発信するかという伝え方の工夫が必要となる。

まず，情報モラル教育の工夫として，教育者がSNSに対する理解と枠を示すことがある。具体的には，情報の発信者（教師やスクールカウンセラー）が，SNSの有効性や楽しさを十分に理解していることを示す。そのうえで，どのようなやりとりであれば安全とみなされるか，どのような書き込みからが危険なのかということを，事例を踏まえながら伝える。このように，十分な理解を示したうえで，枠を提示することにより，生徒たちのリアクタンスを防ぐことが可能である。

もう一つは，「空気」を作ることである。菅野・桂川（2012）によると，ネットいじめ対策の情報モラル教育のポイントとして，生徒を「大人」として扱うことが重要である。具体的には，不快な書き込みを行うものは「子ども」であり，誰も賛同しないという雰囲気をクラス内に作ることである。ネットいじめが起きた時に，それに乗っかる生徒を批判することばかりが情報モラル教育ではない。それよりも，書き込みをしない人を肯定していくことにより，SNSいじめへの批判的な態度を育んでいくことが重要なのではないだろうか。

引用・参考文献

菅野純・桂川泰典 (2012). いじめ―予防と対応Q&A73 明治図書出版
文部科学省 (2009). 『ネット上のいじめ』に関する対応マニュアル・事例集（学校・教員向け）
文部科学省 (2013). 平成24年児童生徒の問題行動・不登校等生活指導上の諸課題に関する調査
文部科学省 (2018). 平成29年児童生徒の問題行動・不登校等生活指導上の諸課題に関する調査

第6章

思春期・青年期の非行の問題

久保順也・三澤文紀

Ⅰ．非行とは

　そもそも「非行」とは何だろうか。多くの人がイメージする「非行」とは，子どもが行う「よくないこと」であり，具体的には飲酒や喫煙，万引きやバイクの暴走行為などが含まれていくだろう。しかしここで考えてみたいのは，何が「よいこと（許されること）」で，何が「よくないこと（許されないこと）」なのか，というボーダーラインはどこにあるのか，ということである。例えば，ある大人が「子どもがお酒を飲むことは絶対にいけないことだ」と言う一方で，また別の大人は「高校生ぐらいになったらお酒を飲むこともたまには許してもいいだろう」と言うかもしれない。人によって，子どもの行為の許容範囲が異なる場合がある。そうした大人たちに囲まれた子どもは，自らの行為についてどんな判断をするようになるだろうか。どんなボーダーラインを引くようになるだろうか。

　このボーダーラインを，「良識」や「倫理観」と呼び換えてもよいだろう。現代の日本は価値観が多様化し，唯一絶対の基準というのはもはや存在しないのかもしれない。場合によっては，画一的な価値判断が悪影響を及ぼすこともある。しかしながら，子どもたちはこのような価値観や善悪判断の基準があいまいな世の中だからこそ，自分の周りの大人がもつ基準を参照し，自身のうちに内在化して生きていくのである。このときに，善悪の基準が人によって異なっていたり，あいまいだったりすることは，子どもたちが拠って立つ心理的足場が定まらず，不安定な内的世界の構築につながってしまうことになる。

　生徒指導の意義が「自己指導能力の育成」にあるとするならば，子どもたちが自らの行為について「よい・わるい」を判断し，自分の行動を抑制したり促進したりする調整ができるようになることが生徒指導の目標の一つである。その際，「よい・わるい」の判断基準をどのように子どもと構築するのか，そのために周囲の大人が何をすべきなのかは，教員であるならば全員が考えておかなければならない問題である。

　本章では，「非行」の問題を通して，子どもを理解し，関わるとはどういうことなのかを考え，上記の「判断基準」を自覚する機会としたい。

Ⅱ．非行少年の類型（少年法）

　非行問題について考える際に，一つの「判断基準」となるのはやはり法律である。非行に関連する法律である「少年法」の中では，非行少年を以下の3つに分類している（少年法第3条）。

1）罪を犯した少年（犯罪少年）。
2）14歳に満たないで刑罰法令に触れる行為をした少年（触法少年）。
3）次に掲げる事由があつて，その性格又は環境に照して，将来，罪を犯し，又は刑罰法令に触れる行為をする虞（おそれ）のある少年（虞犯少年）。

少年法：同法における「少年」とは20歳に満たない者を指している。また，この法律の目的は「少年の健全な育成を期し，非行のある少年に対して性格の矯正及び環境の調整に関する保護処分を行うとともに，少年の刑事事件について特別の措置を講ずること」（第1条）とされる。なお，日常的な意味での「少年」は男子を指すことが多いが，少年法では男女含めた未成年全てを「少年」と呼ぶ。

イ　保護者の正当な監督に服しない性癖のあること。
ロ　正当な理由がなく家庭に寄り附かないこと。
ハ　犯罪性のある人もしくは不道徳な人と交際し，又はいかがわしい場所に出入すること。
ニ　自己又は他人の徳性を害する性癖のあること。

　上記の「犯罪少年」と「触法少年」の違いは，14歳以上かそうでないかという年齢による違いである。現行の少年法では，14歳未満の少年は刑事責任能力がないものとして扱われ，法に触れる行為をした「触法少年」として処遇される。そのため，例えば同じ事件に関与して同じ行為をした子どもたちであっても，その事件当時14歳以上であれば「犯罪少年」となり，逆に14歳未満であれば「触法少年」として処遇される。極端な例でいえば，殺人という凶悪な行為をした場合でも，その当時14歳未満であれば「触法少年」である。こうした点に疑問を感じる人も少なくなく，14歳という現在の少年法の年齢基準を引き下げることや，少年犯罪への厳罰化を求める声もある。議論のあるところであるが，そもそも少年法の理念は非行少年に矯正教育の機会を提供するという教育的思想であり，禁固や懲役といった処罰が目的ではないことを理解する必要がある。

　「虞犯少年」は，いまのところ犯罪も触法行為もしていないが，このまま放置すると将来に犯罪少年や触法少年となってしまうおそれのある少年のことである。非行の深化を防止するために，こうした少年に警察等の司法機関が予防的に介入することが認められているのも，少年法の教育的思想の特徴である。

　なお，同法における「少年」とは20歳に満たない者を指している。また，この法律の目的は「少年の健全な育成を期し，非行のある少年に対して性格の矯正及び環境の調整に関する保護処分を行うとともに，少年の刑事事件について特別の措置を講ずること」（第1条）とされる。また，2021（令和3）年の少年法改正により，18歳・19歳の少年を「特定少年」とし，17歳以下の者とは異なる取り扱いがされるようになった。

Ⅲ．少年犯罪の推移と現状

　戦後から現在までの日本における少年犯罪の推移を示したのが図1である。これを見ると，大きく4つの山を見て取ることができる。これらは順に「少年非行第一の波」から「第四の波」に該当する。こうした変動には，背景に当時の日本の社会状況が大きく反映しているとされる。まず「第一の波」（昭和26年前後）の頃の非行は「貧困型非行」と呼ばれ，戦後まもなくの混乱の中，経済的な困窮から窃盗に走るといった非行が増加した時期とされる。続いての「第二の波」（昭和39年前後）は，ちょうど東京オリンピックが開催され，急速な経済発展の最中にある時期である。産業の発展に伴って，都市部に人口が集中する一方で地方の過疎化が進行した。こうした社会背景の中，少年たちがバイクで暴走を行う「**カミナリ族**」が各地で問題となり，シンナーの乱用など，少年たちが享楽的に，あるいはスリルを求めて犯罪に走る点が注目され，「遊び型非行」あるいは「反抗型非行」と呼ばれた。続く「第三の波」（昭和58年前後）は，高度経済成長を果たして豊かになった日本社会の中で，子どもたちによる校内暴力や家庭内暴力，また不登校（当時は登校拒否と呼ばれた），そしていじめが教育問題として注目されるようになる時期である。少年犯罪が低年齢化し，また学校現場で校内暴力として発生してきたことから「学校型非行」と呼ばれた。そして「第四の波」（平成11年前後）は，バブル経済が崩壊して日本の経済発展が停滞し，また阪神淡路大震災や地下鉄サリン事件などの大きな事件や災害が起こる中，当時14歳の少年が起こした**神戸連続児童殺傷事件**（平成9年）や，当時17歳の少年が起こした**西鉄バスジャック事件**（平成12年）

カミナリ族：昭和30年代から40年代にかけて流行した，改造バイクで公道レースを行ったりする若者集団。後に，不良グループ化した粗暴な少年たちは「暴走族」と呼ばれるようになる。

神戸連続児童殺傷事件：平成9年に神戸市で，当時14歳の少年が，小学生女児らや男児を襲い傷害を負わせたり殺害した事件。

西鉄バスジャック事件：平成12年に佐賀市から福岡市に向かう予定だった西日本鉄道の高速バスが，当時17歳の少年によりバスジャックされ，乗客が負傷および殺害された事件。

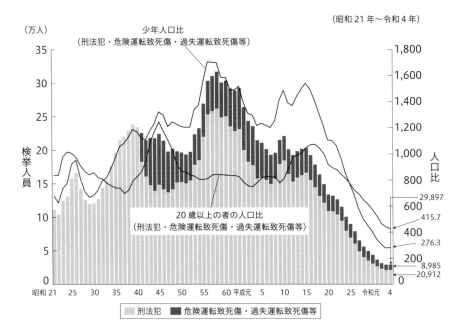

図1　少年の検挙人員・人口比の推移（刑法犯・危険運転致死傷・過失運転致死傷等）（法務省，2023）
注1）警察庁の統計，警察庁交通局の資料及び総務省統計局の人口資料による。／2）犯行時の年齢による。ただし，検挙時に20歳以上であった者は，成人として計上している。／3）触法少年の補導人員を含む。／4）「少年人口比」は，10歳以上の少年10万人当たりの，「成人人口比」は，成人10万人当たりの，それぞれの検挙人員である。／5）昭和40年以前は，道路上の交通事故に係らない業務上（重）過失致死傷はもとより，道路上の交通事故に係る業務上（重）過失致死傷についても，「刑法犯」に含めて計上している。／6）昭和45年以降は，過失運転致死傷等による触法少年を除く。

が発生する。一見，何の問題もないように見える普通の少年（実際には，それぞれ事件以前の状況を省察すると問題がなかったわけではない）が，突然凶悪な犯罪を起こすことから「いきなり型非行」と呼ばれる非行が注目されるようになった。また，子どもたちが徒党を組んで「オヤジ狩り」と称して通行人に対する暴行や強盗を働いたり路上生活者を殺害したりする凶悪事件が発生し，「現代型非行」とも呼ばれた。

　こうした世間の耳目を集める事件に注目すると，少年による犯罪が増加していたり凶悪化していたりするような印象を受けることがある。しかし統計資料を見ると，例えば令和4年現在の少年の検挙人員（刑法犯・危険運転致死傷・過失運転致死傷等）および少年人口比（10歳以上の少年10万人あたりの刑法犯検挙人員）は過去最低水準となっている。また，犯罪種別を見ると，刑法犯少年の約5割を占めるのは窃盗犯であり，その中でも「万引き」が半数近くに上る（図2）。また，「その他の刑法犯」の中にある「占有離脱物横領」（7.7％）とは，所有者不明の自転車を勝手に乗り回していたりする行為が含まれるものであり，所有者が明確な物品を盗む「窃盗」とは区別されるものの，きわめて似通った犯罪形態といえる。一方で，「殺人」「強盗」「放火」「強制性交等」といった「凶悪犯罪」は，全体から見ると3.3％程度である。こうしたことから考えると，刑法犯少年の犯罪は多くが「盗み」に関連した犯罪であると捉えられ，いわゆる「凶悪犯罪」は割合からするとごく少数であるといえる。実は，刑法に触れる行為をした触法少年の「触法行為」の構成比を見ても，ほぼ同じことがいえる。しかしながら殺人事件や強盗事件は重大な少年犯罪であるため，発生段階・調査段階・審判段階でニュース等の報道が繰り返されると，我々は「少年による凶悪犯罪がたびたび起こっている」と勘違いしがちである。

　むしろ，騒音などで周辺に迷惑をかける**軽犯罪法**違反者が大多数を占める特別法犯少

軽犯罪法：比較的軽微な犯罪を規定した法律。公共の場での迷惑行為や，騒音，火気の使用等の行為を秩序違反行為として拘留または科料の罰を設けている。

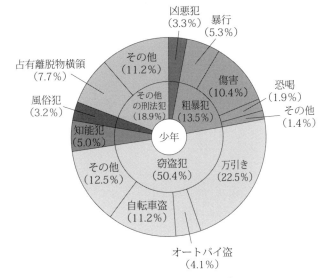

図2　刑法犯少年の罪種別（手口別）構成比（令和4年）（警察庁，2023）

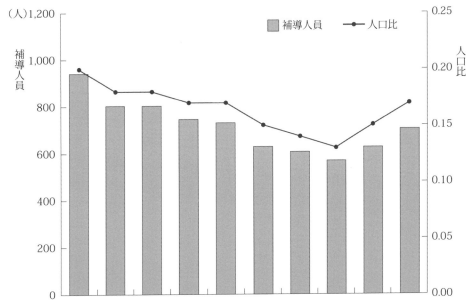

区分 \ 年	H25	26	27	28	29	30	R1	2	3	4
総　数（人）	941	801	800	743	730	633	607	569	628	704
男　子	809	732	668	657	649	564	539	501	564	638
女　子	132	69	132	86	81	69	68	68	64	66
人　口　比	0.20	0.18	0.18	0.17	0.17	0.15	0.14	0.13	0.15	0.17

注）ここでいう人口比は，10〜13歳の少年人口1,000人当たりの補導人員をいう。

図3-1　触法少年（特別法）の補導人員及び人口比の推移（警察庁，2023）

年・触法少年の検挙・補導人数は近年横ばい傾向にある（図3-1）。また，喫煙や飲酒などの非行行為を行っている「**不良行為少年**」の補導人数を見ると，ここ数年は減少傾向であるものの，令和4年においては29万人超が補導されている（図3-2）。つまり，少年犯罪自体は減っているものの，迷惑行為や不良行為は減少しているとはいえず，依然として多数の少年が補導対象となっており，非行は「浅く広く」浸透している。こうした「非行の一般化」の方が，より身近で深刻な問題であるともいえる。

> 不良行為少年：少年法でいう「非行少年」には該当しないが，飲酒，喫煙，けんか，その他自己または他人の徳性を害する行為をしている少年のこと。

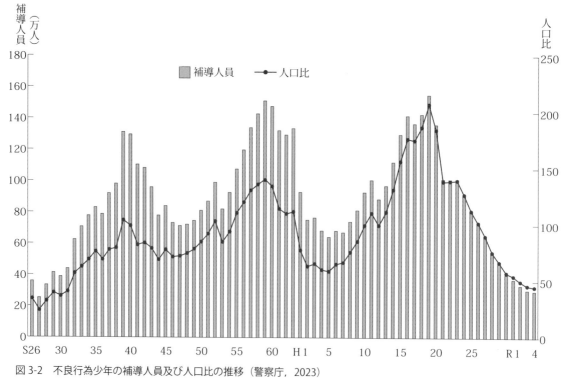

図 3-2 不良行為少年の補導人員及び人口比の推移（警察庁, 2023）
注）補導人員については補導した総数, 人口比については 14 歳〜19 歳の人口で算出したものとした。

Ⅳ. 非行少年の処遇の流れ

　非行少年に対する処遇の流れをあらわしたものが図4である。犯罪少年は, 警察に逮捕された後, 家庭裁判所で少年審判を受けることになる。事件の背景や少年本人についての調査を行うために少年鑑別所に収容されることもある。少年が収容されている間に, 家庭裁判所調査官は少年に対して面接や心理検査を実施して少年自身の性格行動特性を調査したり, 家族や学校等についても調査して少年の生育環境と事件との関連について調べたりする。こうして作成された審判資料等をもとに, 家庭裁判所裁判官は「審判不開始」「不処分」「保護処分」などの措置・処分を決定する。ただし, 殺人等の重大事件の場合, 成人と同様の刑事手続きを実施するために検察官に送致（逆送と呼ぶ）されることがある。この場合は少年であっても, 一般市民が裁判員を務める裁判員裁判を受けることになる。判決によっては, 少年が刑に服するための施設である「少年刑務所」に入所することがある。一方で「保護処分」によって少年が送致されることがある「少年院」は, 刑に服したり罰を受けたりするための施設ではなく, あくまで矯正教育を受けるための施設である。少年院は, 入所期間は大きく分けて2種（短期：6カ月以内。長期：おおむね1年。場合によりそれ以上）がある。また, 収容される少年の年齢や犯罪傾向に応じて, 第一種少年院（おおむね 12 歳以上 23 歳未満）と, 第二種少年院（犯罪傾向が進んだおおむね 16 歳以上 23 歳未満）, および心身に著しい障害があるおおむね 12 歳以上 26 歳未満のものが収容される第三種少年院が設けられている。さらに, 刑の執行を受ける者を収容する第四種少年院と, 特定少年で2年間の保護観察の保護処分を受けた者のうち, 保護観察中に重大な遵守事項違反があった者を収容する第5種少年院も設けられている。
　触法少年および虞犯少年は, 警察等に補導された後, 一般的には児童相談所に通告さ

審判不開始：事件が軽微で, 調査官が訓戒などを行うことによって再非行の抑止が可能な場合に, 少年審判の手続きそのものを行わないこと。

不処分：審判の結果, 保護処分に付する必要がない場合, 不処分となる。

保護処分：保護観察所が関わって立ち直りを支援する「保護観察」, 児童福祉施設に入所させ指導を行う「児童自立支援施設等送致」, 少年院にて矯正教育を行う「少年院送致」がある。

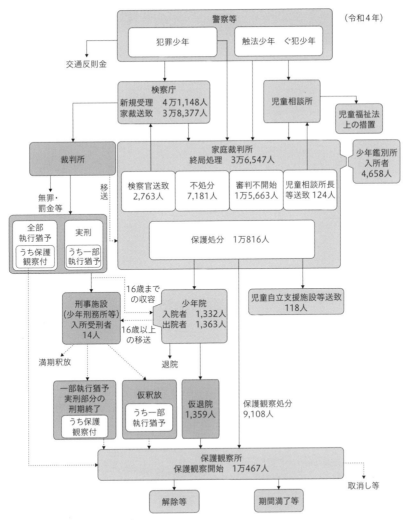

図4　非行少年処遇の概要（法務省，2023）
　注1）検察統計年報，司法統計年報，矯正統計年報及び保護統計年報による。注2）「検察庁」の人員は，事件単位の延べ人員である。例えば，1人が2回送致された場合には，2人として計上している。注3）「児童相談所長等送致」は，知事・児童相談所長送致である。注4）「児童自立支援施設等送致」は，児童自立支援施設・児童養護施設送致である。注5）「出院者」の人員は，出院事由が退院又は仮退院の者に限る。注6）「保護観察開始」の人員は，保護観察処分少年及び少年院仮退院者に限る。

れて児童福祉法上の措置がとられる。多くの場合，児童相談所では児童福祉司と児童心理司が少年の担当として指導・援助を行うが，家庭や社会環境が劣悪であるため在宅のまま指導していても効果があがらなかったり，場合によっては親からの虐待がある場合には少年の身柄を一時保護したり，児童養護施設や児童自立支援施設に入所させる措置をとることもある。

V．少年による暴力

1．校内暴力

　警察庁の定義によれば，「校内暴力事件」とは，学校内における教師に対する暴力事件・生徒間の暴力事件・学校施設，備品等に対する損壊事件をいう（ただし，犯行の原因，動機が学校教育と密接な関係を有する学校外における事件を含む）。警察庁ではこの定義に基づいて校内暴力事件の統計を作成している（表1）。これを見ると，ここ10年で校内暴力事件数は減少傾向にあり，その半数近くは中学生による事件といえる。

表1　校内暴力事件の推移（警察庁，2023）

区分	年	H25	26	27	28	29	30	R1	2	3	4
総数	事件数（件）	1,523	1,320	967	832	717	668	618	507	587	593
	検挙・補導人員（人）	1,771	1,545	1,131	926	786	724	690	549	625	636
	被害者数（人）	1,713	1,420	1,044	918	797	706	653	525	628	628
小学生	事件数（件）	56	57	63	81	103	118	134	106	159	190
	検挙・補導人員（人）	70	77	68	88	117	150	160	118	170	203
	被害者数（人）	64	60	68	88	133	124	141	109	164	202
中学生	事件数（件）	1,355	1,175	832	673	547	450	396	307	342	337
	検挙・補導人員（人）	1,569	1,338	967	751	600	464	427	334	353	352
	被害者数（人）	1,525	1,271	901	749	595	479	423	322	376	358
高校生	事件数（件）	112	88	72	78	67	100	88	94	86	66
	検挙・補導人員（人）	132	130	96	87	69	110	103	97	102	81
	被害者数（人）	124	89	75	81	69	103	89	94	88	68

注）各欄の被害者数については，小学生，中学生，高校生が加害者となった事件の被害者をいい，被害者の学識は問わない。教師も含む。

　一方で文部科学省は，学校内で起こった「暴力行為」に関する統計調査を実施している（図5）。ここでいう「暴力行為」とは，「自校の児童生徒が起こした暴力行為」を指すものとし，以下の4形態に分類される。

- 対教師暴力（例：教師の胸ぐらをつかんだ・教師めがけて椅子を投げつけた）
- 生徒間暴力（何らかの人間関係がある児童生徒同士の暴力行為に限る。例：中学3年の生徒と，同じ中学校の1年の生徒が些細なことでけんかとなり，一方が怪我をした）
- 上記以外の対人暴力（例：偶然通りかかった他校の見知らぬ生徒と口論になり，殴打の末怪我を負わせた）
- 学校の施設・設備等の器物損壊（例：トイレのドアを故意に損傷させた，補修を要する落書きをした，学校で飼育している動物を故意に傷つけた）

　図5によれば，従来は中学校において暴力行為が最も多かったが，近年は小学校における件数が急増し，平成30年度には小学校が中学校の件数を抜いている。小学校の中でも特に低学年の暴力行為が増加していることから，従来は「子どものやることだから」と，あえて暴力行為としてカウントされてこなかった軽微な暴力行為が，2013（平成25）年に施行された「いじめ防止対策推進法」でいじめの定義が広がり，些細な事案も見逃さずにいじめとして認知することを求める風潮を受けて，小学校低学年の暴力行為もまた改めて認知されるようになってきたためと思われる。ちなみに先の警察庁の調査結果では，令和4年の校内暴力事件数は593件であり，文科省調査の同年度の暴力行為95,426件（小・中・高等学校）と大きく乖離している。このことから分かるのは，学校現場において，事件化されない校内暴力が多数発生していることである。こうした学校において加害生徒の指導にあたる教員は，場合によっては対教師暴力の被害者となることもあり，心労から体調を崩すことも多い。一部の教員だけに負担がかかるような体制ではなく，学校組織や地域全体で毅然とした対応をしていくことが求められる。

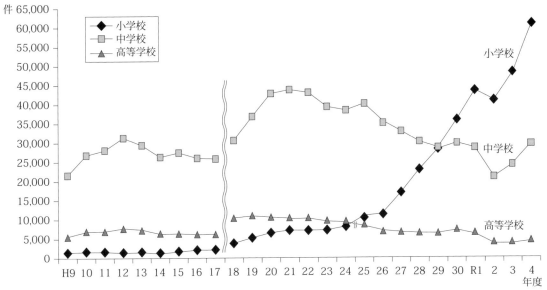

	H9年度	10年度	11年度	12年度	13年度	14年度	15年度	16年度	17年度	18年度	19年度
小学校	1,432	1,706	1,668	1,483	1,630	1,393	1,777	2,100	2,176	3,803	5,214
中学校	21,585	26,783	28,077	31,285	29,388	26,295	27,414	25,984	25,796	30,564	36,803
高等学校	5,509	6,743	6,833	7,606	7,213	6,077	6,201	5,938	6,046	10,254	10,739
合計	28,526	35,232	36,578	40,374	38,231	33,765	35,392	34,022	34,018	44,621	52,756
	20年度	21年度	22年度	23年度	24年度	25年度	26年度	27年度	28年度	29年度	30年度
小学校	6,484	7,115	7,092	7,175	8,296	10,896	11,472	17,078	22,841	28,315	36,536
中学校	42,754	43,715	42,987	39,282	38,281	40,246	35,683	33,073	30,148	28,702	29,320
高等学校	10,380	10,085	10,226	9,442	9,323	8,203	7,091	6,655	6,455	6,308	7,084
合計	59,618	60,915	60,305	55,899	55,837	59,345	54,246	56,806	59,444	63,325	72,940
	R1年度	2年度	3年度	4年度							
小学校	43,614	41,056	48,138	61,455							
中学校	28,518	21,293	24,450	29,699							
高等学校	6,655	3,852	3,853	4,272							
合計	78,787	66,201	76,441	95,426							

注1）平成9年度からは公立小・中・高等学校を対象として，学校外の暴力行為についても調査。注2）平成18年度からは国私立学校も調査。注3）平成25年度からは高等学校に通信制課程を含める。注4）小学校には義務教育学校前期課程，中学校には義務教育学校後期課程及び中等教育学校前期課程，高等学校には中等教育学校後期課程を含める。

図5　学校の管理下・管理下以外における暴力行為発生件数の推移（文科省, 2023）

2．家庭内暴力

次に，家庭内における少年の暴力について見てみよう。図6は，家庭内暴力事案件数の推移である。これによると，家庭内暴力の発生件数はじわじわと増加していることが分かる。また，その被害に遭っているのは主に母親である。家庭内暴力の形態は，言葉による攻撃や身体的暴力，土下座を強要したり，金品を要求したりする等の行為が含まれる。特に身体的暴力の被害は深刻であり，被害者が骨折等の重傷を負うこともある。

こうした家庭内暴力のケースでは，加害者である子どもが不登校であったり，ひきこもり状態であったりすることも多い。子ども自身が，学校や社会に参加できないことに焦燥感や不安を募らせ，「自分がこうなったのは親のせいだ」として父親や母親を責めることがある。これに対して父母自身も，自分たちの子育てについて後悔したり責任の一端を認めたりするような言動があると，さらに子どもからの攻撃行動がエスカレートすることもある。

家庭内暴力のケースへの対応にあたっては，まず暴力による危機の度合いをアセスメントする必要がある。ときに，親自身も責任を感じ，また子どもを受け止めるのは親の

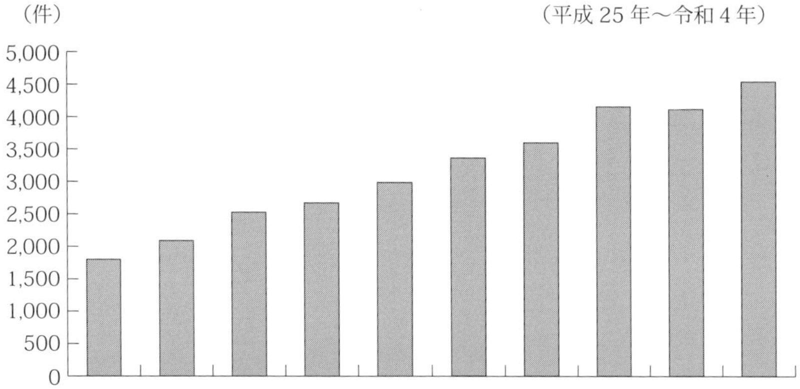

	H25年	26年	27年	28年	29年	30年	R1年	2年	3年	4年
総数（人）	1,806	2,091	2,531	2,676	2,996	3,365	3,596	4,177	4,140	4,551
小学生	122	168	269	285	367	438	631	840	762	881
中学生	805	947	1,132	1,277	1,385	1,545	1,525	1,768	1,745	2,037
高校生	579	648	758	766	893	1,023	1,082	1,134	1,209	1,243
その他の学生	41	55	80	70	82	72	100	119	152	131
有職少年	83	102	99	114	103	109	108	131	118	104
無職少年	176	171	193	164	166	178	150	185	154	155

	H25年	26年	27年	28年	29年	30年	R1年	2年	3年	4年
総数（人）	1,806	2,091	2,531	2,676	2,996	3,365	3,596	4,177	4,140	4,551
母親	1,066	1,291	1,484	1,658	1,861	2,042	2,187	2,430	2,352	2,594
父親	154	172	263	253	329	341	403	532	533	598
兄弟姉妹	154	155	223	218	239	300	329	417	453	456
同居の親族	128	188	170	175	147	155	192	173	161	174
物（家財道具等）	296	281	375	362	390	512	465	612	615	699
その他	8	4	16	10	30	15	20	13	26	30

図6　家庭内暴力事案の件数の推移　学職別（表上）及び対象別（表下）（警察庁，2023）

役目とばかりに黙って暴力に耐えていることがあるが，重大な怪我に至ってしまうこともあり，親が傷ついてしまうばかりか，子どもを事件の加害者にしてしまう恐れもある。子どもを守るためには，こうした状況に耐えて受け入れるのではなく，むしろ学校や専門機関，および警察等の第三者の介入を求め，場合によっては家から出て避難する等の危機対応が求められる。そのうえで，暴力によらない家族間のコミュニケーション方法を探っていく。その際に家族療法等の援助方法が奏功することも多い。

VI. 非行問題への対応

非行問題に対して，学校および教員にはどのような対応が求められるだろうか。

まずは早期発見と早期介入，そして予防である。初めから凶悪犯である子どもはいない。非行は，まず「初発型非行」から進行する。初発型非行は，単純に「欲しかったから万引きした」といった動機や，すぐにばれるような手口で行われることが多い。こうした際に，「まだ子どもだから大目に見よう」「初回だから許そう」といった「寛容な」対応をしていると，子どもは「このくらいなら許されるのだ」という誤った価値・判断基準を内在化してしまう恐れがある。あるいは「大人をだますのは簡単」という認識が生まれるかもしれない。こうした事態に陥らないために，周囲の大人は「不寛容な」態度で子どもの非行に接していかなければならない。ここで言う「不寛容」とは，単に厳しく叱責することを指すのではない。どんな小さなことでも例外とせず徹底して取り組み，時間をかけ，子どものしたことや今後のあり方について一緒に考えるような指導態

家族療法：詳細は本書第11章を参照。また，家族療法および短期療法の理論的背景にある「システム論」およびそれに基づく非行への対応については本書姉妹編『小学校編』を参照。

初発型非行：万引き，自転車盗，オートバイ盗，占有離脱物横領の4罪種のこと。

度のことである。これと関連して，アメリカの教育現場では「ゼロ・トレランス」という教育方針が知られているが，しばしばこれが単なる厳罰主義に陥ってしまうことには注意する必要がある。少年法の理念（第1条）にもあるように，教育の目的は子どもの健全な育成であり，決して「排除」ではない，と筆者は考える。どんな小さなことでも早期に介入することで，子どものこころには倫理観が内在化される。そしてこうした倫理観は，子どもが幼ければ幼いほど内在化されやすい。長い目で見ると，早い段階で介入することは将来にわたって子どもが自分自身を守ることにつながるのである。

そもそも，このゼロ・トレランスの教育方針の理論的根拠となっているのが，犯罪学の「**割れ窓理論（broken window theory）**」である。この理論を学校環境にも適用すると，落書きや器物損壊を放置することは学校全体の荒れにつながると考えられるため，掃除や校内美化を徹底し，学校全体の倫理観を高めることで非行化を予防することができると考えられる。また，例えば生徒会による「あいさつ運動」は，校内で教員や児童生徒同士が，お互いに見る・見られる関係であることを自覚させる機会として有効である。教員から子どもに「おはよう」と声をかけることは，同時に「私はあなたを見ていますよ」と言外に伝えていることになり，非行に限らずあらゆる問題の予防につながることが期待される。

また，非行に対する指導の際には，「表に出てきた」問題行動を手がかりとして，児童・生徒の内面を理解するように努める必要がある。非行行為そのものに目を奪われていると，その背景にある児童・生徒の葛藤や悩みに気がつかない。特に，非行少年たちのいじめや児童虐待の被害体験に着目する必要がある。子どもが過去にいじめや児童虐待など，何らかの被害を体験していることが，後の問題行動発現と関係していることが指摘されている（例えば，藤岡，2001；橋本，2004）。非行少年の，こうした被害者としての側面に対する配慮がなければ問題行動への指導も十分に有効なものとはならないと思われる。ただし，非行行為そのものは社会的に容認されるものではなく，ルール違反であることを明確に伝える必要がある。その一方で，なぜそのような行為をせざるを得ない心理状態に追いつめられたのか，あるいはそのような行為をすることで得たい／回避したいものは何なのかを児童・生徒と一緒に考えていく姿勢が必要である。例えば，よく見られるタイプの万引きに，付和雷同型万引きというものがある。これは，グループの仲間に万引きを誘われて，嫌々ながらも断れずに万引きに参加してしまうタイプの犯行である。この場合，欲しいから盗ったというよりは，自分だけ参加しないとグループから排斥されてしまうため，仕方なく犯行に及んだ，というのが実情である。つまり背景には仲間とのつきあい上の悩みがあるため，どうしたら仲間の誘いをうまく断れるか等のソーシャルスキルを身に付けられるように指導していくことが必要である。

また，非行の予防や再発防止にあたり，犯罪学者ハーシ Hirschi による「**社会的コントロール理論（社会的絆理論）**」が参考となる。この理論では，子どもが非行に走らないために重要な4つの要素との絆（bond）を指摘している。4つの要素とは，愛着（attachment；人との絆，結びつき），投資（commitment；これまでの実績や将来の目標が反社会的行動によって失われることへの損得勘定），巻き込み（involvement；社会的に認められた活動への没頭），規範観念（belief；社会的ルールの遵守）のことであり，「学校が愛着という情緒的なつながり（attachment），日常のさまざまな活動への巻き込み（involvement），目標や価値への思い入れ（commitment）をあたえてくれるのであれば，少年は，非行を犯すことなく，児童から成人へと成長する」とされる（Hirschi, 1969）。また，日本の学校教育においては，道徳教育や生活指導などを通じて，社会のルール（規範観念；belief）の育成が図られている。こうしたことから，学校教育が4

ゼロ・トレランス：逸脱行為に対する罰則を決めておき，違反した際には例外なくこれらの罰則を適用することで，子どもの問題行動の発生を抑制しようとする指導方針。

割れ窓理論：一見無害な秩序違反行為（割れた窓）が野放しにされると，それ自体が「誰も秩序維持に関心を払っていない」というサインとなり，犯罪を起こしやすい環境を作り出すので，軽微な犯罪も徹底的に取り締まることで犯罪を抑止できるとする考え方。第5章参照。

社会的コントロール理論（社会的絆理論）：本理論を学校現場で展開するための具体的対応については本書姉妹編『小学校編』6章を参照。なお，ハーシ（Hirschi, 1969）は自身の理論を「社会的コントロール理論」と呼んでいるが，我が国では「社会的絆理論」と呼ばれることも多い。そのため，本書では両者を併記する。

つの要素と深く関連していることは明らかである。教員は，これら4つの要素と子どもが強い絆で結ばれるように働きかけることを行いやすい立場におり，非行の予防，あるいはすでに非行行動をしてしまった子どもの再発予防を進めるうえで絶好の位置にいると考えられる。こうした，学校の「有利な立場」を自覚し，活用していくことが教育現場では求められよう。

　一方で，学校でできる指導の限界も自覚しておくことが必要であろう。先に述べた家庭内暴力などは，家庭という密室の中で起こる出来事であり，親も学校や近隣にはその事実を秘密にしていることも多い。学校側も，家庭内の問題だとなかなか手出ししにくい。こうした場合に，児童相談所や警察などの専門機関が介入することが必要となる。学校という場で教員が果たせる指導・支援には限界があるため，こうした専門機関との連携が必須である。そもそも「教育」という営みは，学校だけがその任を負っているわけではない。広く社会全体で，子どもを教育していくという視点に立てば，こうした専門機関が持っている教育力を信頼し，協働することこそが求められよう。そのうえで，子どもがもともと持っている「資源」を活かせるような配慮をすることによって，非行行為を減少させたり，予防したりすることができる。また，上記の問題が「空間上の限界」だとすれば，「時間上の限界」もまた存在する。つまり教員が子どもと密に関わることができる時間は限られているのである。この限られた時間（例えば中学校であれば3年間）の中で，子どもが抱える全ての問題を解決することは容易ではないし，現実的でない。最初に述べたように，非行問題への対応においては，目先の問題の解決だけではなく，将来にわたってその子が「自己指導能力」を発揮していけるような長期的視野に立った支援が必要となろう。

✍ ワーク（考えてみよう）

1．子どもから「どうして未成年はタバコを吸ってはいけないの？／お酒を飲んではいけないの？　誰にも迷惑をかけていないのに」と言われた。あなたが教員なら，どう答えるだろうか？　考えてみよう。

　　┌─────────────────────────────────────┐
　　│　　　　　　　　　　　　　　　　　　　　　│
　　│　　　　　　　　　　　　　　　　　　　　　│
　　└─────────────────────────────────────┘

2．問題行動がある子どもの「良いところ」を見つけるためには，どんなところに注目したらよいだろうか？　グループで考えてみよう。

　　┌─────────────────────────────────────┐
　　│　　　　　　　　　　　　　　　　　　　　　│
　　│　　　　　　　　　　　　　　　　　　　　　│
　　└─────────────────────────────────────┘

3．割れ窓理論に基づき，校内の規範意識を高めるためにはどんな取り組みが可能だろうか？　具体的な活動を考えてみよう。

　　┌─────────────────────────────────────┐
　　│　　　　　　　　　　　　　　　　　　　　　│
　　│　　　　　　　　　　　　　　　　　　　　　│
　　└─────────────────────────────────────┘

✌ ワーク（事例）

■事例１

　Ａくんは大柄で，腕っぷしの強い中学３年生の男子生徒。同じ学校の仲間たちと一緒に，万引きをしたりバイク窃盗をしたりする日々を送っていた。学校に登校するときは変形ズボン。注意する教員にも食ってかかり，周りの生徒たちも彼らのグループを怖がっていた。

　万引きで警察に補導されたＡくんは，当時13歳だったため触法少年として児童相談所に通告された。本人は問題意識がなく，なかば無理矢理児童相談所に連れてこられたＡくんの「相談」が開始された。

　最初のうちは反抗的な態度で，面接でもほとんど何も話してくれなかった。時には面接をすっぽかして家で寝ていることもあった。Ａくんの家は母子家庭で，母親が仕事をしながらＡくんを育てている。しかし母親が不在のことも多く，その時にグループの仲間がＡくんの家に集まって喫煙したり飲酒したりしていて，深夜徘徊の末に学校は不登校状態となり，母親も困っていた。

　そこで，児童相談所の職員は母親と相談して，家に集まるグループメンバーの名前を把握することから始めた。母親は忙しいながらも，Ａくんの仲間たち一人ひとりに関わり，名前を呼び，声がけするようになった。家から出て行くように言ったり，排除したりすることはなかった。そうすると，だんだんと母親は仲間たちから慕われるようになり，母親もその子たちの母親のように接するようになった。次第に，Ａくんたちグループの飲酒などの問題行動は減っていった。一方，学校では，Ａくんたちグループメンバーを排除するのではなく，居場所を設けて，手の空いた教員が個別に学習指導するなどして指導にあたった。

　Ａくんの不登校は次第に改善していったが，次に母親が心配したのはＡくんの進路だった。中学３年生のＡくんは，夏休み頃には進路について何も考えていなかったが，相談を通して「美容師になりたい」という夢を語るようになった。学校の先生とも連携して，美容師になるための専門学校に入るためにはまず高校に行かなければならないことを知ったＡくんは，それまでやってこなかった受験勉強を少しずつするようになった。

　最終的にＡくんはなんとか高校に入学することができた。グループの仲間とつるんで悪さをすることもなくなり，夢の実現に向けて毎日高校に通っている。

解説：なぜ解決したのか？

　Ａくんの事例では，万引きによって補導されたため触法少年としての処遇が開始され，児童相談所での相談が開始された。

　Ａくん自身は，「へまをして」警察につかまったこと自体は後悔していたが，自分の非行行為自体を改めようとは考えていなかった。もちろん，児童相談所で「相談」したいという意欲もなかった。そんなＡくんに対して「ちゃんと反省しろ」と叱責しても意味はない。そうしたことはこれまで親や学校の先生や警察が何度も何度も言ってきたのに，効果がなかったからこそ触法少年にまで至ったのである。

　そこで児童相談所では，Ａくんとの関係づくりから始めた。Ａくんが好きなバイクや音楽の話をふると，それまで口を開かなかったＡくんが，バイクのことは饒舌に話すよ

うになった。次第に，先輩や仲間との関係なども話すようになっていく。特に先輩は，尊敬しながらも怖い存在で，先輩から何か命令されると断れない，という悩みもあることが分かった。児童相談所は，子どもを守るための一時保護所という場所があることをAくんに説明し，もし自分の身に危険が迫ったら遠慮なく相談してほしい，と伝えると，Aくんも少し安心したようだった。

　Aくんの母親との面接も並行して行われた。母親は仕事も忙しく，また自宅がAくんたちの仲間の溜まり場になっていることにも嫌悪感を持っていた。児童相談所の職員は，そんな母親の苦労をねぎらいながら，一方で母親がどうやったらAくんや仲間たちとうまく関われるかを一緒に検討した。そこで始めたのが，まずは家に集まるメンバーの顔と名前を覚えること，であった。それまでAくんやその仲間たちと距離をとっていた母親が，積極的に子どもたちに関わるようになると，最初は子どもたちの方も驚き，煙たがったようだが，元来大人たちに十分構ってもらう経験を持っていない子どもたちが，しっかりと名前を呼んでもらい関わってくれる大人ができることで，むしろ大人の言うことに耳を傾けるようになっていった（親との「愛着」の形成）。非行を抑える方向へと作用したものと考えられる。母親の方も，子どもたちに慕われることで親としての自信を取り戻す経験になったようである。

親との／学校における愛着 (attachment)：先の「社会的コントロール理論」を参照。

　また，学校と児童相談所とで相談し，Aくんたちが登校した際に過ごす場を設けることで，彼らの逸脱行動をコントロールし，かつ教員が密に関わるようにした。もともと他者との「絆」が育っていなかったAくんたちには，教員が親身に関わってくれる体験は非常にうれしかったようである（学校における「愛着」の形成）。

　また中学3年は進路指導が本格化する時期であり，進路に向けた取り組みが求められる。非行問題について取り組む際に重要なのは，「非行がなくなること」を目指すのではなく，「（非行がなくなるかわりに）○○するようになること」を目指すことである（「投資」の形成）。Aくんの場合，美容師になりたいという夢があったため，それを実現する方法を担任も交えて考えていった。受験対策は教員の得意分野である。Aくんも，「非行をやめろ」と言われるよりも，「高校に入学するために○○をしろ」と言われた方が，何をしたらよいかが明確であり動機づけも高まる。

投資 (involvement)：先の「社会的コントロール理論」を参照。

　全過程を通して，Aくんの問題意識に沿った現実的な対応を行いつつ，同時に母親のエンパワメントを行うことで家庭の力を支持したことが奏功したと思われる。

■事例2

　家庭内暴力の高校1年男子Bくんの事例。

　高校1年生のBくんは1学期中頃から学校を休みがちになり，夏休み明けからは不登校状態となった。学級担任が電話をかけたりして本人に働きかけてみるものの，なかなか再登校にはつながらなかった。

　家にいる時のBくんはゲームをしたり雑誌を見たりして過ごしている。やがて昼夜逆転の生活となり，仕事に出かける父親とはほとんど顔を合わせない生活となった。Bくんは次第に感情が不安定になることが増えてきて，イライラして壁を殴って穴を開けたり，母親に対して食器を投げたり，雑誌を買ってくるよう命令するようになった。母親が嫌がると肩を殴り，「誰のせいでこうなったと思ってるんだ！」と凄むようになった。恐怖を感じた母親は，当初はBくんのいいなりになっていたが，ある時思い切って夫（Bくんの父親）に相談した。父親は事実を知って激高し，Bくんに詰め寄ったところ揉み合いとなり，転んだはずみで父親は腕を骨折してしまう。その後，Bくんの要求はさらにエスカレートし，父親に対しても「土下座して謝れ！」と命令して，一晩中両親を正

座させたうえ，これまで自分が両親から受けてきた「仕打ち」に関して説教するようになった。

　初めは家庭内暴力のことを秘密にしていた両親だったが，連日のBくんからの要求に耐えられなくなり，まずは学校の担任に相談，その後児童相談所に相談することになった。児童相談所からは職員が家庭訪問をして，あくまで「Bくんの不登校」に関する相談という名目でBくんと会い続けた。訪問して一緒にゲームをしたり話をしたりすることを続けるうちにBくんは，本当は学校に行きたいという希望や，父親に怪我をさせてしまったことへの後悔を自ら語るようになった。職員は，Bくん自身が今の状況をなんとか変えたいと思っていることを知り，その意欲を認め，支持した。また，本当は暴力を働きたくないというBくん自身の困り感を両親も含めて皆で共有し，どうやったらBくんが暴力衝動に支配されずにコントロールできるか，家族はBくんをどうサポートできるかを話し合った。Bくんには，父親と一緒に始めた筋トレが役立ったようであった。

　児童相談所職員は学校とも連携し，本人が登校しやすくなるよう配慮を求めた。学級担任は，Bくんの座席を廊下側一番後ろに置くことや，可能な限り補習などを実施して期末試験を受験できるように調整してくれた。若い男性担任は家庭訪問や電話連絡などをフットワーク軽くこなしてくれて，Bくんともゲームの話で盛り上がったようだった。その後，Bくんは学校に登校するようになり，出席日数はなんとかギリギリ足りて進級することができた。登校し始めた頃から暴力は目立たなくなり，父親と一緒に釣りに行く等の交流も見られるようになった。

解説：なぜ解決したのか？

　Bくんの事例では，家庭内暴力の悪化に耐えられなくなった両親からの相談で，児童相談所の関わりが始まった。

　一般に，家庭内暴力の事例において暴力被害を受けることが多いのは母親であるが，止めに入った父親等がはずみで大けがをしてしまうことも多い。Bくんのケースも同様であった。子どもの暴力を大人の側も暴力で封じ込めようとすることは，子どもが幼くて力が弱かった頃ならば可能だったかもしれないが，成長して大きくなった青年の方が親の力を上回っているためにうまくいかないばかりか，上記のような危険をはらむため避けるべきである。「どっちが強いか」という力比べは際限がなくエスカレートしていく「相称的関係」に陥りやすく，悪循環となる。Bくんの事例では，この力比べに負けた父親は，保護者としての役割をとれずにBくんにコントロールされる立場となってしまった。子どもからの要求や暴力がエスカレートしてきて家族の心身に危険が及ぶ場合には，危険回避のために子どもを残して親戚宅やホテルに一時避難することを勧める場合がある。幸いBくんの事例ではそこまでの危機状態には至らなかったが，こうしたケースでは常にその可能性をアセスメントしておく必要があるし，両親とも緊急時の対応方法を話し合っておく必要がある。上記の事例文中では記さなかったが，Bくんへの個別面接以外に，児童相談所では両親との面接も並行して行っており，こうした問題について話し合っていた。

　Bくんとの個別面接では，児童相談所職員はあくまで「不登校相談」として家庭訪問し，Bくんと交流していた。先のAくん同様，問題行動をとがめて止めさせるようなアプローチでは問題が解決に至らない。むしろBくん自身が困っていることや将来の希望は何かについて目を向けて，その実現を応援することのほうが得策である。暴力についていえば，Bくん自身は暴力をしたくてしているわけではないのである。自分でもコントロールできない衝動にかられて（あるいは父親からの暴力への応酬として）暴力に及

相称的関係：家族療法に思想的影響を与えたベイトソン Bateson, G.（1972）が提唱した概念。二者関係において，一方の反応に対して他方も同様の反応を返してエスカレートしていく関係のこと。最終的には関係が破綻してしまう，とされる。

んでいるのであり，こうした見方をするとBくんは「暴力衝動によって操られている被害者」であるともいえる。これは「暴力衝動」をBくんの外部の存在として捉え直す「外在化」と呼ばれる技法であり，**ナラティヴ・アプローチ**というカウンセリングにおいて用いられる。

　また，本当は学校に行きたいというBくんの意欲に注目し，それを実現するために学校側と連携して環境調整を行った。高校の不登校は，出席日数が足りなかったり，期末試験が受験できなかったりすると原級留置（留年）となって，本人はますます学校に行きたくなくなって最終的に中途退学に至るケースが少なくない。学校側としても，本人が登校しない限りはなんとも支援しようがないために対応が難しいケースも多い。幸いBくんは担任教員と馬が合ってスムーズに学校復帰することができた。支援者側には，こうした現実的制約を早くから意識し，本人や家族とも問題意識を共有し，学校と関係機関が連携して対応していくことが求められよう。

> ナラティヴ・アプローチと外在化：家族療法から発展したナラティヴ・アプローチはM・ホワイトによって創始された。外在化技法は，問題の所在を個人の外部に置くことによって，その個人が問題人物として受け取られることを避け，かつ当人や家族が協力しつつ問題と距離をおいて向き合えるようなナラティヴ（物語）を構成するために用いられる。

　参考・引用文献
Bateson, G. (1972). *Steps to an ecology of mind.* Chandler Publishing Company.（佐藤良明（訳）(2000). 精神の生態学（改訂第2版）　新思索社）
藤岡淳子 (2001). 非行少年の加害と被害―非行心理臨床の現場から　誠信書房
橋本和明 (2004). 虐待と非行臨床　創元社
Hirschi, T. (1969). *Causes of delinquency.* University of California Press.（森田洋司・清水新二（監訳）(1995). 非行の原因―家庭・学校・社会へのつながりを求めて　文化書房博文社）
法務省 (2023). 令和5年版犯罪白書
警察庁 (2023). 令和4年中における少年の補導および保護の概況
久保順也 (2002). 非行問題　長谷川啓三・若島孔文（編）事例で学ぶ家族療法・短期療法・物語療法　金子書房　pp.142-157.
文部科学省 (2023). 令和4年度　児童生徒の問題行動・不登校等生徒指導上の諸課題に関する調査　http://www.mext.go.jp/b_menu/houdou/30/10/1410392.htm（2023年10月30日閲覧）
White, M. & Epston, D. (1990). *Narrative means to therapeutic ends.* W.W. Norton.（小森康永（訳）(1992). 物語としての家族　金剛出版）

コラム ❖ column

外国人中学生・高校生への支援
——日本語支援から心のケアまで
兪 幛蘭・張 新荷

　ある日，筆者らはある日系定住韓国人夫婦の子育てについて相談された。子育てといっても，中学生の男子だった。彼は長年日本で住んでおり，日本語でのコミュニケーションには支障がなく，外国人特有のアクセント以外には，むしろ完璧な日本語が話せる。しかし，彼は授業中，中学生とは考えられない幼いいたずらをしたり，自分が困ったときや担任の先生に叱られるときは韓国語で悪口を発したりし，クラスでは「問題児扱い」をされていた。彼との面談の中で，彼は自分の日本語に混じっている韓国語のアクセントを気にし，悩んでいることが分かった。

　似たようなケースはまだある。小4のとき，親の仕事のため来日した。小学校で日本語の指導を受け，日本語は徐々に話せるようになったものの，国語や数学などの主要科目は苦手なまま中学校に進学した。中学校に入り，友だちはできたが，授業の内容が理解できず，周囲から馬鹿にされることが多かった。

　内閣府の『平成25年度版子ども・若者白書』によると，政府の「日系定住外国人施策に関する行動計画」に基づき，外国人の子どもの公立学校への受入れに当たって，日本語指導を行う教員を配置するための加配定数措置や，日本語指導者に対する実践的な研修などを行っている。さらに，「日系定住外国人施策に関する行動計画」では，「我が国に居住する外国人にとって，日本語能力等が十分でないこと等から，…（中略）…外国人が円滑に日本社会の一員として生活を送ることができるよう，…（中略）…『「生活者としての外国人」のための日本語教育事業』を実施する」と定められている。

　「外国人の日本社会への統合」とは「日本で生活できるかどうか」であり，その尺度は「外国人の日本語能力」であるとされる。現地に適応するためには，まず現地の言語を習得しなければならないのは当然である。しかし，前述の例より，人によっては日本語の流暢さだけが日本社会への適応の全てではないこともあり，細密な心のケアが必要であると考えられる。そのためには，多文化への理解の進んだスクールカウンセラーを配置すると同時に，アメリカのように，外国人青少年に対する理論的かつ臨床的研究基盤を構築することが必要である。

　マスコミでもみられるように，日本育ちの外国人は大概日本に定住しながら活躍することが多い。このような現象を踏まえ，多文化社会に移行しつつある日本にとって外国人が社会の人的資産になるよう，時間をかけて，日本語習得に偏っている現状の外国人向けの政策を再考していかなければならない。

参考・引用文献
内閣府 (2012). 日系定住外国人施策に関する行動計画 http://warp.da.ndl.go.jp/info:ndljp/pid/11125722/www8.cao.go.jp/teiju/guideline/pdf/fulltext-koudo.pdf （2019年9月30日閲覧）
内閣府 (2013). 25年度版 子ども・若者白書

第7章

思春期・青年期における発達障害の理解と対応

宮﨑　昭

I. これまでの定型発達の教育と特別支援教育

　2007（平成19）年に学校教育法の一部改正が行われ，特別支援教育が義務化されて，学習上または生活上の困難がある児童生徒を支援する義務が生まれた。それまでの教育は，障害がない普通の発達をしている「定型発達」を標準として，各学年の発達段階に応じた教科書を学習する教育課程が組まれてきた。そこでは，学年相当の学力からの遅れや逸脱は「異常」や「問題」と考えられてきた。しかし，中学校や高等学校の全教科で優秀な成績を取る生徒や，全ての教科で平均点をとる生徒は実際には少ない。多くの生徒は，得意科目や苦手科目がある。不得意な教科は克服すべきこととされてきたが，中学校や高等学校の教師に質問すると「不得意科目を克服できた」と答える教師はほとんどいない。すなわち，誰にも，得意な部分と苦手な部分があるのが普通であり，苦手な部分については，克服するというよりも，学習上（高等学校では単位取得上）または生活上で困らないようにすることが大切だと考えられる。

　また，行動面や人間関係のトラブルに関しても，問題を起こすことは良くないことと考えられ，トラブルを起こさないことがよいと考えられてきた。そのため，感じ方や考え方を統一することでルールを守る指導がなされることも少なくなかった。しかし，一人ひとり生徒の行動や人間関係において，トラブルが起こるのは必然のことと考える方が現実的である。「個性的発達」をしている生徒がさまざまなトラブルが起こしても，特別支援教育の支援を受けながら，自ら問題解決をしていける力を養うことが大切なのである。

II. 発達障害者の定義とアセスメント

　発達障害者の定義は2016（平成28）年の発達障害者支援法改正により，「発達障害がある者であって発達障害及び社会的障壁により日常生活又は社会生活に制限を受けるもの」とされた。発達障害には，学習障害，注意欠陥・多動性障害，自閉症等の他に，吃音を含む言葉面での困難，不器用を含む協調運動の困難，抑うつや不安や愛着の問題を含む情緒面での困難，チックやおもらしを含む行動面での困難など幅広い困難が含まれる。また，日常生活や社会生活の制限は「社会的障壁」によってももたらされることが明記された。これは，WHOのICF国際生活機能分類における「活動と参加」ならびに「環境因子」の重要性を一層認識したものと理解できる。表1は，ICF国際生活機能分類の視点に「特別な支援が必要な児童生徒の気づきのためのチェックリスト（文部科学省調査準拠）」を加えたアセスメント表である。

1. ICF国際生活機能分類（表1の最初の欄）によるアセスメント

　「健康状態」には，疾患，怪我，体質，第二次性徴などの特徴を記載する。「心身機能・構造」には，感覚機能，知能能力，情動機能などの身体的，生理的，心理的な機能と

学校教育法の一部改正（平成19年）：「幼稚園，小学校，中学校，高等学校及び中等教育学校においては，（中略）障害による学習上又は生活上の困難を克服するための教育を行うものとする」と規定された。これによって，全ての教員が，発達障害のある児童生徒の特別支援教育に携わることが義務づけられた。

トラブル：制服，頭髪，インターネットや携帯電話の利用，自転車利用や夜間外出制限などの規則は，トラブル防止のための生徒指導として機能してきた。しかし，実際問題としても生徒一人ひとりの私生活での服装や髪型，携帯電話の利用，外出を制限することは困難で，私生活ではトラブルが起こる状況は常に存在するのである。

ICF国際生活機能分類：WHOが，国や機関によるデータの比較ができるように，また異なる職種間の共通言語を確立する目的で作成した障害に関する用語の分類。「心身機能・身体構造」と「活動」と「参加」の要素を，「健康」や「環境因子」「個人因子」と相互に関連づけた生物・心理・社会モデルで，システマティックなコード体系となっている。

表1　特別な支援が必要な児童生徒の気づきのためのチェックリスト（文部科学省調査準拠）（宮﨑作成）

学習上・生活上の困難が心配される児童生徒について次の場合に担当者が評定する。 ・全般的な知的発達の遅れがないこと（個別知能検査等で確認すること） ・他の障害や環境的な要因が直接の原因ではないこと（ICF：国際生活機能分類による生活機能と障害の多面的アセスメントが必要である）	評定年月日	
	児童・生徒名	
	学年・組	
	評定者	

・健康状態：疾患，怪我，体質，第二次性徴など

・心身機能・構造：知能能力，情動機能，感覚機能など

・活動と参加：学習，日課の遂行，対人関係，地域での活動など

・環境因子：学校環境，家庭環境，地域の人々の態度など

・個人因子：生育歴，教育歴，告知と自己理解，進路希望など

学習面のチェックリスト			ない	まれにある	ときどきある	よくある
		各領域12点以上の時は要検討	0	1	2	3
聞く	1	聞き間違いがある（「知った」を「行った」と聞き間違える）				
	2	聞きもらしがある				
	3	個別に言われると聞き取れるが，集団場面では難しい				
	4	指示の理解が難しい				
	5	話し合いが難しい（話し合いの流れが理解できず，ついていけない）				
		小計				
話す	1	適切な速さで話すことが難しい（たどたどしく話す。とても早口である）				
	2	ことばにつまったりする				
	3	単語を羅列したり，短い文で内容的に乏しい話をする				
	4	思いつくままに話すなど，筋道の通った話をするのが難しい				
	5	内容をわかりやすく伝えることが難しい				
		小計				
読む	1	初めて出てきた語や，普段あまり使わない語などを読み間違える				
	2	文中の語句や行を抜かしたり，または繰り返し読んだりする				
	3	音読が遅い				
	4	勝手読みがある（「いきました」を「いました」と読む）				
	5	文章の要点を正しく読みとることが難しい				
		小計				
書く	1	読みにくい字を書く（字の形や大きさが整っていない。まっすぐに書けない）				
	2	独特の筆順で書く				
	3	漢字の細かい部分を書き間違える				
	4	句読点が抜けたり，正しく打つことができない				
	5	限られた量の作文や，決まったパターンの文章しか書かない				
		小計				

学習面のチェックリスト			ない	まれにある	ときどきある	よくある
		各領域12点以上の時は要検討	0	1	2	3
計算する	1	学年相応の数の意味や表し方についての理解が難しい（三千四十七を300047や347と書く。分母の大きい方が分数の値として大きいと思っている）				
	2	簡単な計算が暗算でできない				
	3	計算をするのにとても時間がかかる				
	4	答えを得るのにいくつかの手続きを要する問題を解くのが難しい（四則混合の計算。2つの立式を必要とする計算）				
	5	学年相応の文章題を解くのが難しい				
		小計				
推論する	1	学年相応の量を比較することや，量を表す単位を理解することが難しい（長さやかさの比較。「15 cm は 150 mm」ということ）				
	2	学年相応の図形を描くことが難しい（丸やひし形などの図形の模写。見取り図や展開図）				
	3	事物の因果関係を理解することが難しい				
	4	目的に沿って行動を計画し，必要に応じてそれを修正することが難しい				
	5	早合点や，飛躍した考えをする				
		小計				

不注意・多動・衝動性のチェックリスト		ない，ほとんどない	ときどきある	しばしばある	非常にしばしばある
	領域別に6項目以上の時は要検討	0	0	1	1
1	学校での勉強で，細かいところまで注意を払わなかったり，不注意な間違いをしたりする				
2	手足をそわそわ動かしたり，着席していても，もじもじしたりする				
3	課題や遊びの活動で注意を集中し続けることが難しい				
4	授業中や座っているべき時に席を離れてしまう				
5	面と向かって話しかけられているのに，聞いていないようにみえる				
6	きちんとしていなければならない時に，過度に走り回ったりよじ登ったりする				
7	指示に従えず，また仕事を最後までやり遂げない				
8	遊びや余暇活動に大人しく参加することが難しい				
9	学習課題や活動を順序立てて行うことが難しい				
10	じっとしていない。または何かに駆り立てられるように活動する				
11	集中して努力を続けなければならない課題（学校の勉強や宿題など）を避ける				
12	過度にしゃべる				
13	学習課題や活動に必要な物をなくしてしまう				
14	質問が終わらない内に出し抜けに答えてしまう				
15	気が散りやすい				
16	順番を待つのが難しい				
17	日々の活動で忘れっぽい				
18	他の人がしていることをさえぎったり，じゃましたりする				
	1点を取った不注意項目（奇数項目）の数小計				
	1点を取った多動・衝動性項目（偶数項目）の数小計				

対人関係やこだわり等の問題のチェックリスト		いいえ	多少	はい
	合計22点以上の時は要検討	0	1	2
1	大人びている。ませている			
2	みんなから，「○○博士」「○○教授」と思われている（例：カレンダー博士）			
3	他の子どもは興味を持たないようなことに興味があり，「自分だけの知識世界」を持っている			
4	特定の分野の知識を蓄えているが，丸暗記であり，意味をきちんとは理解していない			
5	含みのある言葉や嫌みを言われても分からず，言葉通りに受けとめてしまうことがある			
6	会話の仕方が形式的であり，抑揚なく話したり，間合いが取れなかったりすることがある			
7	言葉を組み合わせて，自分だけにしか分からないような造語を作る			
8	独特な声で話すことがある			
9	誰かに何かを伝える目的がなくても，場面に関係なく声を出す（例：唇を鳴らす，咳払い，喉を鳴らす，叫ぶ）			
10	とても得意なことがある一方で，極端に不得手なものがある			
11	いろいろな事を話すが，その時の場面や相手の感情や立場を理解しない			
12	共感性が乏しい			
13	周りの人が困惑するようなことも，配慮しないで言ってしまう			
14	独特な目つきをすることがある			
15	友達と仲良くしたいという気持ちはあるけれど，友達関係をうまく築けない			
16	友達のそばにはいるが，一人で遊んでいる			
17	仲の良い友人がいない			
18	常識が乏しい			
19	球技やゲームをする時，仲間と協力することに考えが及ばない			
20	動作やジェスチャーが不器用で，ぎこちないことがある			
21	意図的でなく，顔や体を動かすことがある			
22	ある行動や考えに強くこだわることによって，簡単な日常の活動ができなくなることがある			
23	自分なりの独特な日課や手順があり，変更や変化を嫌がる			
24	特定の物に執着がある			
25	他の子どもたちから，いじめられることがある			
26	独特な表情をしていることがある			
27	独特な姿勢をしていることがある			
	対人関係やこだわり等小計			

構造の特徴をICFの分類用語で記載する。「活動と参加」には，日課の遂行，対人関係，地域での活動など，どのような活動制限や参加制約があるのかをICFの分類用語で記載する。「環境因子」には，学校環境，家庭環境，地域の人々の態度などで障壁となっているものと支援となっているもの両方をICFの分類用語で記載する。「個人因子」には，生育歴，教育歴，告知と自己理解，進路希望などの個人的な情報で重要と思われるものを記載する。こうして，生理的な側面，心理学的な側面，社会的な側面から総合的なアセスメントをする。

2．学習面で著しい困難がある子どものアセスメント

学習面で，学習上の困難が認められる場合に，「学習障害のチェックリスト」で下記の6つの領域のいずれかに特異的な困難がないかスクリーニングする。各領域で12点以上の場合には，さらに詳細な検討が必要である。なお，知的障害などの障害や虐待や不登校などの環境的な要因が原因である場合は，そちらに対処することが優先される。特に，知的障害との鑑別は，通常の高等学校への進路に向けた教育課程を実施するのか，**特別支援学校**への進路に向けた教育課程を実施するのかを判断する点で重要である。文部科学省初等中等教育局特別支援教育課（2022）の調査では，小学校中学校の児童生徒の6.5％，高等学校生徒の1.3％に学習面で著しい困難が認められた。

1）聞く：人の話を聞いて理解することが苦手。
2）話す：自分から人に話をすることが苦手。
3）読む：文章を読むことが苦手。
4）書く：文字や文章を書くことが苦手。
5）計算する：計算することが苦手。
6）推論する：量や図形，因果関係の理解が苦手。

3．不注意ないし多動性・衝動性の問題がある子どものアセスメント

不注意による困難と多動性・衝動性による困難のスクリーニングは，「不注意・多動・衝動性のチェックリスト」で行う。不注意9項目，多動・衝動性9項目について，6項目以上で「しばしばある」以上の困難があるとさらに詳細な検討が必要である。文部科学省の調査（2022）では小学校中学校の児童生徒の4.0％，高等学校生徒の1.0％に，不注意ないし多動性・衝動性の困難が認められた。

医学的には，「注意欠如・多動症（DSM-5）」と診断される児童の特徴がこれにあたる。中学生になると，多動性・衝動性は落ち着いてくる生徒も多いが，不注意の困難は続いている場合が多い。特徴として「すぐに誉めてもらいたい」という傾向があることに注意が必要である。すなわち，不注意や衝動性のために学習の困難や人とのトラブルが起こった時に「注意される」と，過敏に反応する傾向が見られる。小学校の時に，生徒が罰による指導を繰り返し受けてきた場合には，学校生活に失敗感・挫折感を感じていたり，再びチャレンジする場面があっても「きっと失敗して叱られるだろう」という予期不安を感じたり，さらに自分は何をやってもだめだと自己否定の態度を身に付けている場合もある。時には教師に対して反抗的に攻撃的になる場合もあり，通常の指導ではなかなか学習や生活態度が改善できない場合も見られる。こうした状態は，二次的な障害の状態とも考えられ，個別の**自立活動**の時間の指導が必要となる。

4．対人関係やこだわりの問題がある子ども

医学的に「自閉スペクトラム症（DSM-5）」と診断される児童の特徴がこれにあたる。

特別支援学校：これまでは，盲学校，ろう学校と養護学校（知的障害，肢体不自由，虚弱）という障害種別に養護学校が整備されてきた。現在は次第に総合養護学校化が進んでおり，小学部，中学部，高等部が整備をされている。中学校の知的障害の特別支援学級では，知的障害の特別支援学校の高等部につながる教育課程が組まれていることが多い。その教育課程では高等学校への受験に関する学習は十分に組まれていない点に注意が必要である。一方，中学校の自閉症／情緒障害の特別支援学級では，高等学校への受験につながる教育課程が組まれていることが多い。同じ特別支援学級といっても，教育課程と進路が違ってくる点に注意が必要である。

自立活動：特別支援学校の学習指導要領に記載されている。障害による学習上または生活上の困難を改善するために，治療教育的な指導を個別的に計画実施するのである。内容として「健康の保持」「心理的な安定」「人間関係の形成」「環境の把握」「身体の動き」「コミュニケーション」の6つの区分が示されている。

医学的な診断基準（DSM-5）には，次の2つの特徴が挙げられている。

①社会的コミュニケーションと多様な文脈での対人相互交渉の持続的な欠損

　興味や情動を共有することが少なく，社会的な交渉を始めたり応じたりすることができないなどの社会的－情動的な対人的相互関係に欠損がある。目が合わない，身振りの理解と使い方ができない，表情での表現がないなどの社会的な相互交渉における非言語的コミュニケーションに欠損がみられる。社会的な文脈に合わせた行動がとれない，ごっこ遊びができない，仲間への関心がなく友達がつくれないなどの人間関係の開始・維持・理解に欠損がある。

②行動，興味，および活動の限定された反復的な様式

　常同的で限定された型の動作や物の扱い方，話し方をする。同一性へのこだわりや型にはまった行動をかたくなに守ることや，儀式的な言動がある。興味が極度に限定的で固定されている。感覚刺激に過敏だったり鈍感だったり通常と違う関心を示す。

　教育上で問題となるのは，次のような特徴である。

　自閉スペクトラム症の児童では，通常と異なる特異な心身機能を持っている場合がある。音に過敏に反応したり，味覚が鋭かったり，触れられることを極端にいやがったり，眠気や疲れに鈍感だったりすることがある。また，つま先で歩いたりくるくる回りながら歩いたりするなど，独特のボディイメージを持っている場合もある。情動面でも，感情や欲求や意図や動作の体験を他人と共有することが困難だったり，身体をそわそわさせて落ち着きがなかったりする。さらに，認知・社会性の面でも，一つのことに集中すると周りが見えなくなったり，そのために社会的な状況や他人の思惑を推測するような常識の理解が困難だったり，会話と気持ちの表現が困難だったりすることがある。音声よりも見て理解する視覚機能が優位な場合も少なくない。文部科学省の調査（2022）では「対人関係やこだわり等の問題のチェックリスト」で行われ，合計22点以上の評価をされた小学校中学校の児童生徒は1.7％，高等学校の生徒は0.5％であった。

Ⅲ．思春期・青年期の危機と自己理解

1．発達障害生徒の第二次性徴の特徴

　思春期は，急激な身体発育とともに性器とその機能も発育し，自律神経系も完成に向かう発達段階で，精神的にも動揺期である。発達障害の生徒は「思春期危機」として，障害の再発やてんかん，自律神経の症状，情緒不安定などの症状がより大きく現れやすい。具体的には，こだわりなどの強迫的な行動，興奮したり落ち込んだりする気分不安定さ，パニック，自傷行為あるいは他者への攻撃的行動などが現れる場合もある。この時期をどのように乗り越えるかが大きな課題となる。

2．発達障害生徒の性教育

　思春期の発達障害の生徒にとって性教育は重要である。

　性に関心をもつこと自体は，大人に向かう成長過程の一つであり，いけないことではない。学習に困難がある生徒であっても，生活の自立や対人関係に困難がある生徒であっても，人を好きになってパートナーと愛情をかわす権利はある。大切なことは，相手のことを大切に考え，どのように行動したら周囲にも嫌な印象を与えないパートナーとの安全で豊かな社会的な関わり方を身に付けることができることである。

　思春期の発達障害生徒にとって大切なことは，変化しつつある自分の身体について理解を深め，自分の身体の成長に親しみを持つことである。自分の身体に親しみを持った

自閉症の用語：「広汎性発達障害」は，アメリカの古い『精神疾患の診断・統計マニュアル』（DSM-Ⅳ）の診断名で，自閉性障害，レット障害，小児期崩壊性障害，アスペルガー障害を含む全般的な呼び名である。

　「高機能自閉症」は，自閉性障害の特徴があるが，知的な機能がおよそIQ 70（65～85）以上である者をいう。

　「アスペルガー障害」は，自閉性障害の特徴があるが，言語・認知面の機能に遅れがみられない者をいう。

　「自閉スペクトラム症」は，自閉症のさまざまな型を一つの連続体と捉えた概念で，改訂されたDSM-5ではこれまでの自閉症関連の用語がこの表現に統一された。また，診断基準も本文にあるように主要な症状が2つに整理された。

てんかん：太田（1992）は，自閉症では「てんかんは思春期になってもなお初発することがあり，おおよそ20％程度の合併率となる」と指摘している。

性教育：日本性教育協会がさまざまな教材を発行している。

り大切にしたりできない生徒が，パートナーの身体やこころを大切にできるとは考えられない。なお，女子の場合には生理が始まることで周囲の大人にも二次性徴が分かる。そこで，大人と一緒に，身体の成長を喜び祝い，生理の時の身体とこころの変化を理解し，どのように対処したらよいかを学ぶ。一方，男子の場合には，いつ精通というような二次性徴が始まったのか周りの大人にも分からない場合が多い。また，生徒がこうした第二次性徴を汚いものと認識すると，思春期の自分の身体の変化に親しみを持つことができなくなる。女子の場合のように，大人が一緒に身体の変化を喜び祝うこともなく，どのように対処したらよいかを学んだりするチャンスも作りにくいと考えられる。教師や保護者自身がセクシャリティの理解を深め，どうしたら発達障害の生徒たちに恋愛や結婚という豊かな人生を保証する性教育の機会を作ることができるか考えていくことが必要である。

3．興奮を伴う問題行動への対応

興奮やパニック，自傷行為，他者への攻撃的行動などは，わざとそうした行動をとっているというよりも，環境にあるストレスに対して，被害的な受け止め方をしたり，感情に振り回されて後で後悔するような行動をとってしまったり，適切な行動を取ることに失敗したりしている場合が多い。したがって，叱責や罰を与えるという指導では，改善しないばかりかますます情緒的な混乱をきたす危険性がある。

緊急対処としては，ストレス状況から離れて，安全な場所で落ち着くことが必要である。そのためには，指導者は興奮している生徒のそばに静かに寄り，相手の身になって，身体と情動の状態（感情や意図）を推測し，言葉や態度で共感的に表現して確かめるなどの関わりが必要となる。そして，可能ならば身体に優しく触れるなどして安心できる落ち着ける場所に誘導する。なお，緊急対処は一時しのぎであり，再び不快な状況になれば興奮が復活する。

予防的対処として，不快な状況でも落ち着くことができる力を身に付けることが必要である。そのためには，興奮やパニックなどの問題行動がない時に，次のような**ストレスマネジメント**の予防学習を継続的に行うことが必要である。

1）ストレスが起きる仕組みを知る。
2）自分のストレス反応の特性を知る。
3）ストレスがあっても混乱しないスキルを身に付ける。
4）身に付けたスキルを普段の生活でも使う。

発達障害の生徒の場合，自分の身体への気づきが鈍かったり，思春期の変化にとまどったりして，自分の身体を大切にしてくつろがせる方法を身に付けていない場合がある。また，気持ちを表現することが苦手で「イライラしていません」と自分の気持ちを否定する場合もある。さらには，「帰ります」と言って，不快な状況が起こることを予測してそれを避ける行動をとることもある。そこで，指導者は，発達障害の生徒が感じている身体感覚や情動に気づいて表現し，その身体感覚や情動を分かち合って，ストレス状況とその時の自分のストレス反応を一緒に受けとめ，身体をくつろがせるスキルをつかって落ち着くことができるように支援することが必要である。

4．告知と自己理解

「告知」は，医学的には診断名を本人あるいは保護者に伝えることである。一方，教育的な意義からみれば，自分の特徴を知り，支援を受け入れながら生活を豊かにしてい

障害児のセクシャリティ：障害児のセクシャリティは一般に歓迎されない状況があり，障害児の性の問題に親や教師もとまどうことがある。それは，性欲は悪いもので，障害児は自分でコントロールすることができないのではないかと心配するからである。また，男子は加害者にならないように，女子は被害者にならないようにという面だけが強調されることも多い。さらに，「自分の身の回りのこともできないのに，異性を好きになるなんてとんでもない」という考え方も見られる。これらは，障害児の性に対する理解の不足と大人たちが性教育を受けてこなかったという社会的背景によるものである。性教育については「寝た子を起こすな」という主張も見られるが，思春期は大人が性的な話題を持ち出さなくても，生徒の身体の成長が性的な目覚めを促している時期であり，これを止めることはできない。

ストレスマネジメント教育：ストレスマネジメントについては，第11章参照。この教育は，1回実施しただけでは効果は不十分である。年間10〜20時間程度カリキュラムを組み，日常生活の中でも使っていって1年〜2年経つと効果が見られるようになる。

こうとする自己理解の促進が重要である。宮﨑・佐藤・小澤（2010）は，診断名告知を自己理解プロセスの一部と考え，**自己理解を深める心理教育的支援**について次のような段階別の支援を示している。

①学習上または生活上の困難への気づきから本人が相談ニーズを感じる段階

学習や生活上の困難があってもそれに気づかないか，あるいは「困っていません」と認めない段階がある。困難が分からない以上，改善しようという意欲や行動にはつながらない。大切なことは自分の学習上・生活上の困難に気づくことである。

そのためには，まず教師が学力の良し悪しや行動上の問題の有無によって，生徒を評価しない態度が求められる。数学の学力が低い生徒はいる。だからといって「頭の悪い生徒」という訳ではない。数学が苦手なだけである。空気が読めず自分の話ばかりを続ける生徒はいる。だからと言って「自分勝手な生徒」という訳ではない。周囲の状況に気づきにくいだけである。学習上または生活上の困難と生徒の人格とを分けて考えることが必要である。数学が苦手な生徒も周囲の状況に気づきにくい生徒も，共に社会の一員として活躍できるように大切に教育してもらう権利がある。

生徒自身には，「落ちつく」「自分と他人の違いに気づく」「自分の困難や特徴を認める」などの**社会性と情動の学習（SEL; Social-Emotional Learning）**が大切になる。そして，自分が，いつどのような場面で困難や問題を感じているか，誰かと相談して確かめることが必要である。その際に，相談相手として自分にとって信頼できる大人が誰か分かること，相談できる場所と人と時間を確保することが重要となる。学校としても相談担当者と教育相談の場所と時間を確保することが必須である。

②告知前の相談

学習上または生活上の困難を感じている生徒が相談に来た場合に，本人や保護者とどのような困難があるのか，スクリーニング検査を行って一緒に確かめることが大切である。知能や学力だけでなく学習環境や生活環境についても広く実態を把握し，生徒自身が学習や生活をより豊かにしていくためのニーズを理解することが重要である。

発達障害の疑いがある場合には，そのことを伝え，スクリーニング検査等のアセスメントを行う。

「発達障害」の疑いがある場合には，専門機関を複数挙げて紹介することが必要である。精神科の医療機関や児童相談所に対する偏見があったり，教育相談関係機関と個人的な関係があったり，それぞれの親子には個々にさまざまな事情がある。学校が特定の専門機関と癒着しているように誤解されるのも避けたい。保護者と子どもに選択権がある形で，専門機関を紹介することが必要である。これには，特定の専門機関を「合わない」と感じた場合に，別の選択肢を事前に用意するという意味もある。紹介に際しては，学校長名で専門機関向けに「紹介状」を発行することが望ましい。学校と保護者や本人とで話し合った検査結果や内容を，保護者や本人が正確に専門機関に報告できるとは限らないからである。

なお，専門機関に行くことがすぐには困難な場合には，診断等は保留にしておいて，学習上または生活上の困難への対策に進むことが必要となる。

告知後に，地域の専門機関や施設，発達障害生徒の親の会，当事者の会等とどのような関わり方をもち，どのような支援を求めるか相談することも重要である。特に，親の会や当事者同士の集まりは，仲間同士の支え合いであり指導者による支援とは異なる意義を持つ場合も多い。

一方で，現代は「発達障害」に関する情報が，さまざまな書籍やネット上に氾濫している。それらの安全な利用の仕方を知らせることも大切である。

自己理解：発達障害生徒も中学生の頃になると，他の生徒の気持ちや行動を次第に理解できるようになって，自分が他の生徒と違う特徴を持っていることに疑問や劣等感を持ち始める場合がある。そのような時には，障害の告知により自分の特徴と対処方法を自己理解していくことが必要となる。高校生になれば，本人が自分の特徴を理解して教師に申し出ることができる方が，自立に向けて望ましい。

社会性と情動の学習（SEL; Social-Emotional Learning）：情動の認知と扱い方ならびに他人との共感的な思いやりのある対人関係を学習することである。SELは，子どもたちが，社会性を学ぶとともに学習面で成果を上げるうえでも重要であることが明らかになっている。

告知の注意：発達障害のスクリーニング検査にあたって，「疑い」や「検査」自体がなかば告知を意味する点に配慮が必要である。もしも「発達障害」と言われたくなくてスクリーニング検査をしない場合にどのようなデメリットが予想されるのか，検査結果が「発達障害」の可能性が高いと出た場合にどのような対策がとれてどのようなメリットがあるのか，十分に説明し，保護者ならびに本人が納得同意したうえで検査を実施することが必要である。スクリーニングの検査結果が「発達障害の疑いあり」となってから，「対策は分かりません」というのは無責任であり，検査倫理違反とされる。

③専門機関の受診と告知（医療機関等で実施）

　診断名告知と服薬などの医療的ケアのガイダンスは，医療機関等で医師が行う。そこでは，保護者や本人が，医学的な知識の説明と今後の対処法を教えてもらうことが大切である。告知は，母親や父親がひとりで受けるのではなく，本人と両親や祖父母を交えるなど，複数で受けることが望ましい。告知を受けた母親が家庭に帰って，医師の説明を他の家族にひとりで説明するのは困難だからである。また，学校や地域で関わる人々の理解と配慮を深めるためには，診断書や心理検査結果あるいは意見書などの文書をもらうことも意義がある。こうして，保護者や本人を通じて専門機関と家庭と地域と学校で情報の共有を図っていくことが，総合的な支援には欠かせない。

④告知後カウンセリングと個別支援計画による支援

　「発達障害」等と診断された場合，それを受け止めるまでの本人や家族のショック，動揺，自分自身が持っていた偏見や周りから受けるかもしれない偏見への危惧などに対して，個別の相談時間を設けるなどの対策が必要である。一方，「育て方が原因ではない」と分かると，親は救われたように感じる場合も少なくない。

　本人に対しては，医学的な診断名と特徴をどの程度理解できたか，発達障害の平易な解説書などを使うなどして確かめることが必要である。診断名と特徴を知るメリットは，学習や生活上の困難は「努力不足が原因」ではなく「苦手な特徴が原因」と知ることである。また，他にも同じ診断名を持つ仲間がいて「自分ひとりだけではない」と知ることである。

　本人との告知後の学習で必要なことは，現在の学習や生活上でどのような活動に困難や長所があるのか，自分の特徴を正しく理解することである。個別の学習時間を設けて，**広汎性発達障害日本自閉症協会評定尺度（PARS）**などのチェックリストを使い，どのような場面でどのような困難があり，これまでどのように対処してきたのか振り返って，自己理解を深めることが大切である。そのうえで，社会性と情動の学習を進めて，学習や生活を豊かにするための対処方法を一緒に考え，それを実現するための個別支援計画を作成することが必要である。

　「発達障害」等と診断された場合に，その事実を祖父母やきょうだいなど，家族にどのように説明するのか，あるいはしないのかについても話し合うことが必要である。きょうだいにあっては，星（2004）では発達障害生徒の姉に過重な負担がかかって心理的な不適応を起こす場合も見られている。

⑤フォローアップ

　告知前カウンセリングと告知後カウンセリングは，多くは数回で終わる。

　一方，学習上または生活上の困難を改善するための個別支援計画は継続的な支援である。そこで，学校の学期ごとなどの区切りで，学習上や生活上の困難が続いているか，将来の展望について希望が持てるか，困難やニーズに応じた支援が得られているかなどをチェックして，相談を再開する必要性があるかどうか検討するフォローアップをすることが困難の再発予防に大切になる。

IV．進路を開く

　学習や生活面での困難がある生徒が，高等学校や大学あるいは就労などに進路を切り開いていく際にも，さまざまな配慮が必要となる。

1．進路のゴール

　進学・就職は，必ずしも進路の究極的なゴールではない。一般に，自分で稼いで自分

> 広汎性発達障害日本自閉症協会評定尺度：2006年に日本自閉症協会から出版された。2008年短縮版（PARS-TR）が開発され，版元をスペクトラム出版社に変更した。

の生活を自立できる「社会的・職業的自立」がゴールと考えられている。一方で，障害者の「自立」においては，職業リハビリテーション中心の社会的自立から，障害があっても将来の自分の人生をどう設計するか自己決定できることが大切であり，生活の質（QOL）が重要とされる。こうした視点は，中央教育審議会（2011）のキャリア教育に関する答申における「社会の中で自分の役割を果たしながら，自分らしい生き方を実現していく過程を『キャリア発達』という」といった表現にも現れている。

発達障害の生徒が，学習や生活上の困難に感情的に振り回されるのではなく，学習・仕事と生活・余暇の調和（ワークライフバランス）のとれた人生を作っていくためには，次のような心構えを養うことが大切になる。

- 「成功した人生」の流行に惑わされない。
- 自分独自の無理のない人生を作っていくこと。
- 自分の人生の生き方を「持続可能な形」に調整する。
- 自分の人生の作り方に応じて，仕事，家庭，健康，学習のバランスをとる。

2．高等学校進学について

発達障害生徒に対する高等学校の教育では，教育基本法に「障害による学習上又は生活上の困難を克服するための教育を行うものとする」と規定され，「特別支援学級を置くことができる」とされた（学校教育法の一部改正2006）。しかし，山形県発達障がい者支援センターと山形AD/HD児・者親の会「トットチャン」が協力して行った2008年の高等学校を対象とした調査からは，次のような現状が認められた。

1）人権教育はしているが，発達障害や特別支援教育の認識と対応は不十分。
2）発達障害生徒の在籍の認識があっても，個別の指導計画などは未整備。
3）校内委員会等を整備しつつあるが，専門性のある教員や専門家が不足。
4）発達障害の生徒への対策は個別的で，校内の共通理解にまで至っていない。

入試に関しては，発達障害を理由に受け入れない高校はなかった。さらに，発達障害との申し出があれば入試で個別の配慮をする高校が44％あった。学習面では，高等学校の各科目の単位取得において，別室学習を出席として扱う高校が50％あり，進級に関して単位取得が困難な科目について翌年の補習が可能とした高校も50％あった。さらに，いくつかの科目で単位を取得できなくても，必修科目を含め卒業認定単位74単位を満たしていれば卒業できる高校も50％あった。

2018年告示の高等学校学習指導要領では，特別な配慮を必要とする生徒への指導では「特別の教育課程を編成」して，障害に応じた特別の指導として「通級による指導」を行うことができると示された。しかし，文部科学省の調査（2022）では，高等学校において「学習面又は行動面で著しい困難を示す」と判断された生徒への支援の状況は「校内委員会において，現在，特別な教育的支援が必要と判断されているか」の質問に対して「必要と判断されていない」生徒が79.0％，「現在，通級による支援を受けているか」の質問に対して「受けていない」生徒が91.8％であった。

高等学校の選択に当たって，学年制の進級制度と単位制の違いを理解しておくことが重要である。多くの全日制高等学校がとっている学年制の進級では，原則としてその学年で学習する科目全ての単位を取らないと進級できない。そして，落第した場合にはもう一度，その学年の科目全てを再び学習しなければならない。一方，単位制高等学校は，いくつかの科目の単位を取れなくても，すでに単位を取得した科目は再び学習する必要はない。そして，定められた単位を修得すれば卒業できる。発達障害生徒には，自分の

自立：自立生活（IL；Independent Living）運動の父と呼ばれるエドワード・ロバーツ Roberts, E.V. は，重い障害があっても管理され保護されるだけでなく，将来の自分の人生をどう設計するか自己決定する権利があると主張した。そして，世界で初めての障害者自立生活センターを創設した。

キャリア教育：第12章参照。

教育基本法（平成18年12月22日法律第120号）：1947年発布・施行の教育基本法（昭和22年法律第25号）（旧法）が2006年に改正されたもの。「教育基本法の目的及び理念」「教育の実施に関する基本」「教育行政」「法令の制定」の4章，18の条項から構成されている。

興味，関心等に応じて科目を選択し自分のペースで学習に取り組むことができる単位制高等学校が合っている場合も見られる。

また，全日制高等学校の中には原則アルバイトを禁止しているところも多い。発達障害の生徒にとって，アルバイトというお金を得る就労体験が，キャリア発達にとって重要な意義をもつ場合がある。定時制高校や通信制高校のように仕事をしながら学習することを前提としている高等学校の方が将来の就労につながる体験機会を得やすいとも考えられる。

すなわち，高等学校での特別支援教育の制度は整備されてきたが，実際の支援の状況は限られている現状がある。発達障害の生徒が受験する高等学校を選択する際には，進学先の高等学校に通級指導などの支援があるのか，また，進級や卒業のために柔軟な学習支援が実施されているのか，将来の進路に向けたどのようなキャリア発達の支援があるのかなどの情報を得ることが重要である。

3．大学や専門学校への進学あるいは就労に向けて

①大学や専門学校進学

進学にあたっては，どのような専門分野を学ぶのかという選択とともに，自宅から通学するか，家から離れて寮やアパートでの一人暮らしをするか，保護者からの金銭支援と奨学金とアルバイトなどによる金銭管理をどうするかなどの選択が求められる。これらのことを考えることは，家庭の保護者や学校の教師によるきめ細かな支援の下で送る生活から，大学や専門学校でどのように生活を送るか自己決定し，将来の自分の人生をどう設計するか自己決定していく重要なプロセスである。特に，自由度が高まる金銭管理のスキルは，高等学校卒業までには身に付けておきたい。なお，大学においても発達障害者の学習ならびに生活上の困難に対する支援が，学生相談室などの部署において行われている。

入学試験にあたっては，発達障害者に対する配慮事項があるところが多くなっている。大学入試センター試験では，発達障害者は，原則として事前に申請をして認められれば，受験に関するさまざまな配慮事項を受けることができる。配慮事項の内容については，大学入試センターホームページ内にある「受験上の配慮案内」で見ることができる。

②就労と社会生活

高等学校や専門学校あるいは大学卒業後に就労して，社会の中で満足できる生活を自己決定して創りだすためには，次の3点が重要である。

1) 身体的ならびに精神的健康：自分の身体の特徴や精神的特徴を理解して，普段から健康管理に気を配る習慣を養い，生活を整えて，不調の時に病院や相談ができる支援機関を持っていること。
2) 就労能力と移動能力：就労に際しては，仕事を遂行する力量，通勤と仕事を継続できる体力があること，あるいは継続できるための支援があること。
3) 社会的な知恵：生活の自立のためには，自分の情動や意図を振り返り，将来の希望を明確にして，社会の中でそれを実現していく知恵，具体的には結婚などを含む対人関係の知恵と社会制度を利用する知恵を身に付けること。

公共職業安定所「ハローワーク」では，発達障害者等のための相談窓口を設けて，障害の状態に応じた職業相談を受けることができる。また，就職の準備段階から高等学校や特別支援学校等と連携して支援を行い，就職後の職場定着までジョブコーチをつけて支援するなど，さまざまな支援が行われている。就労が難しい障害者には，障害者試行雇用（トライアル雇用）事業という，障害者に実務をしながら就労能力を身に付け，一

般雇用へとつなげるための短期間の試験的な就労の機会もある。また，就労以前の基本的な対人関係や生活習慣あるいはビジネスマナーなどを身に付ける「地域若者サポートステーション」が全国各地にある。

✍ ワーク（考えてみよう）

1．思春期の性に関する教育を実施するにあたっては，教師自身のセクシャリティに関する偏見や意識が問われる。そこで，次のワークをして，自分のセクシャリティに対する考え方をチェックしてみよう。
 ①セックスの目的を10個書きだす。自分が望ましいと思うものだけでなく，世間に実際にありそうな目的も書きだしてみる。
 ②3人～5人程度で小グループを作り，お互いが書きだした内容を紹介し合う。
 ③自分が考えていた目的と違うものに出会った時の気持ちを表現する。
 ④世の中にあるさまざまなセックスの目的の中で，自分が良いと感じたり，嫌だと感じたりする内容をお互いに話し合う。

2．次の事例にどのように対応したらよいか考えてみよう。
　高機能自閉症の中学1年の女子生徒Bさんが，9月以降不登校の状態になっている。保護者は，「クラスと部活でいじめがあったために登校できないので，学校できちんと調べて解決してほしい」と要求している。学校では，担任がクラスの生徒全員と個別に話を聞き，部活の教員も部員に個別に話を聞いたが，Bさんに暴力や暴言を働いたという報告も，他の生徒がそういう言動をしていたのを見たという報告も得られなかった。むしろ，近寄るときつい目つきでにらまれたりするので怖がっている生徒もいる。もしかしたら，その態度を「いじめ」と勘違いされたかもしれないと言う。担任から保護者にそのことを報告したが，「担任は何も分かってない。学校はいじめをきちんと調べて対処してくれない」と反発されてしまった。

3．次の用語について，調べてみよう。
 ・通級学級と特別支援学級
 ・自立活動
 ・中学校と高等学校における性教育の学習内容
 ・広汎性発達障害日本自閉症協会評定尺度（PARS）
 ・社会性と情動の学習（SEL; Social-Emotional Learning）
 ・自立生活運動（ILM; Independent Living Movement）
 ・生活の質（QOL; Quality of Life）
 ・ジョブコーチ
 ・地域若者サポートステーション

✌ ワーク（事例）

■事例1

　この事例は，中学校2年生（14歳）のアスペルガー障害の男子で，小学校5年から小グループによる心理教育プログラムに参加している。中2になって，本人は，勉強がうまくいかないことや，人に迷惑をかけないと約束してもうまくいかないことがあり，「自分はなんでできないんだろう」と他の子どもとの違いを感じている。また，友達が少なく一緒に遊べないことに寂しさを感じている様子も見られ，父親と母親が心配になり告知を希望した。そこで，告知前カウンセリングとして，人はみんな一人ひとり違った特徴があること，病院や相談室に通ってきた理由について，人と違った特徴のあるタイプであることを肯定的に説明した。そして，これからの相談の計画として次の4点を示した。

1）自分のタイプについて，その名前を知る。
2）同じ名前のタイプの人が，みんなはどういう特徴を持っているか知る。
3）自分が，その中のどういう特徴を強く持っているか知る。
4）自分も周りの人も気持ち良く生活するために，どう工夫したらよいか相談する。

　相談2回目で，医師による診断名を本人に伝えると，本人は「よく分かんない」と答え，ショックな様子は見られなかった。そして，今困っていることを尋ねると，「友達がいない」「嫌がられる」「友達をつくりたい」と話した。そこで，自分の特徴を知り，困っていることにどうやって対処していくか，これから一緒に話していこうと提案すると，「はい，よろしくお願いします」と了承した。
　相談3回目から，PARSのチェックリストを一緒に確認して，自分の困難な点をチェックした。また，関連して実際の学校生活で起こった問題について問題解決のプロセスが図式化された問題解決シートを使って，解決策を検討した。
　相談4回目と5回目では，PARSの項目の「周囲に配慮せず自分中心に行動する」にチェックし，「これが一番気になる」とのことだった。また，「これにどれくらいあてはまったらアスペルガーなのかな」「普段これにあてはまらないように気をつけるようになった」と話した。相談6回目では，全ての項目をチェックし終わり，得点を出して「自分がどれくらいか分かってよかった」「もっと奥まで掘り下げたらたくさんでてきそう」と話して，終結となった。

解説：なぜ解決したのか？

　この事例の場合，小学校5年生から小グループによる心理教育プログラムに参加しており，告知の前提となる吉田（2004）が挙げている次の条件が満たされていたと考えられる。

1）子どもの状況：一応の安定した適応状況，理解力，自己への気づき，秘密を保持する能力。
2）親の状況：子どもに伝えたいことを親が実感できていること，親の自閉症支援技術力と家庭での具体的支援の実践，告知に対する両親の方針の一致，親へのサポートシステム（専門家と相談場所）。
3）子どもを取り巻く環境・社会の状況：学校環境，専門機関の利用の有無，子どもが診断名を知ることの社会的メリット，社会（所属地域）の啓発の度合い。

また，本人のスキルとして次の5点が培われていた点も告知を容易にしている。

1）落ちつくスキル。
2）自分と他人の違いに気づくスキル。
3）自分の得意と苦手の特徴を認めるスキル。
4）問題解決の方法を使うスキル。
5）信頼できる人が誰か分かり相談できるスキル。

こうした条件がなければ，両親が告知を希望しても，本人はそれを嫌がって，自分の苦手な側面を見つめようとしなかったかもしれない。告知前カウンセリングで，本人の「自分はなんで（みんなと同じに）できないんだろう」という疑問に，肯定的な側面も不便な側面も含めて一人ひとり違った特徴があることを理解してもらったことも大きな要因の一つである。

告知後カウンセリングでは，次の点が重要である。

1）本人や家族のショック，動揺，偏見を受けとめること。
2）診断名と自分の特徴の理解：診断名の一般的な特徴の理解，人との違い，自分の特徴と困難を理解すること。
3）「活動と参加」を豊かにする目標と対策：安心・安全を基盤として，困難を緩和して，「こうしたい」というニーズを実現する工夫をしていくこと。
4）その他：カミングアウトや家族関係の調整，学校や病院との連携，当事者の会の紹介，書籍やネット情報の利用方法。

本事例では，告知後のショックはなく，むしろ理解の困難さが認められた。そこで自閉症のスクリーニング検査として57項目の特徴が書かれた広汎性発達障害日本自閉症協会評定尺度PARSの項目を一緒に確認したところ，「周囲に配慮せず自分中心に行動する」項目が「一番気になる」と問題が明確になった。そのうえで，宮﨑（2008）の次の解決手順の問題解決シートを使って改善策を一緒に検討して実行した。

1）どんな問題があったのか，誰かのせいにしないで中立的に記述する。
2）その時，どんな気持ちになって，どうしたかったのか振り返る。
3）解決するために何ができるか，たくさん考える（善悪を問わない）。
4）解決策を，安全，どう感じるか，フェアか，希望がかなうかチェックする。
5）解決策を一つ選んで，どんな風に実行するか考え，やってみる。
6）やってみた結果を振り返り，うまくいかなかったら別の方法に変える。

こうして，自分の特徴を理解し，社会生活の中でその特徴のために困ることがないように対処できるようになっていったのである。

■事例2

事例は，高等学校の新1年生のアスペルガー障害の男子である。小学校の時から，小グループによる心理教育プログラムに参加し，中学生からは発達障害の思春期合宿の学習会に参加している。対人関係が苦手で，大学の女子スタッフに体をくっつけてきたり，中学の女子生徒にやたらに近づいて自分の話ばかりをして嫌がられたりするなど，人との距離感がとれず，相手の感情を読みながら会話を続けることが難しかった。思春期合宿では，思春期の自己理解と異性との関係を含む親密な対人関係を学習して，中学校でも他の友達と一緒に遊べるようになり，女の子への関心についての心配も特に問題がなくなった。そうして，無事に公立の高等学校に合格した。はたして，地域から離れた高

等学校で，初対面の人の中で過ごす新しい高校生活でトラブルが起こらないかという心配が出てきた。

そこで，相談室から「相談経過とご配慮のお願い」という意見書に，生育歴やこれまでの相談の経過と現在の状態を記載し，次のような「高等学校における指導についてのご配慮のお願い」を記載して，保護者を通じて高校に提出した。

> 対人関係の問題は改善されてきているが，相手の気持ちに注意を払って配慮することや，集団の場の雰囲気を理解することはいまだに苦手であり，高等学校という新しい環境ではトラブルが起こることも予測される。また，知的な面では通常より低い側面もあり，学習の面で配慮が必要と考えられる。アスペルガー障害の生徒のこうした問題は，本人の努力だけでは解決が難しく，周りの支援が必要であり，以下のようなご配慮をお願いした。
>
> 1）指導者は，アスペルガー障害の特徴について理解して指導してください。
> 2）行動面の問題に対して「注意する」という通常の指導方法では改善は難しい。「人の感情への気づきを促すこと」や「集団場面での相手との距離感や常識的な考え方を書いて示す」などの予防策を「個別の指導計画」として作成し，教員が共通理解して指導してください。
> 3）学習面では，知的なアンバランスに応じた学習方法を工夫して基礎的な学力を培いながら，特定の分野への興味関心を卒業後につなげて，進路を開いていただきたくお願いします。

また，保護者からも「高校進学にあたって」という，これまでの配慮のポイントを記した文書を高等学校に提出して連携をはかった。その後，高等学校の生活でもトラブルは起こったが大きな問題になることなく解決することができた。そして，高等学校卒業後は大学に進学した。

解説：なぜ解決したのか？

思春期の発達障害の生徒にとって，異性との関係や親友などの親密な対人関係をどのように学ぶのかは，大きな課題である。この事例の場合の異性との対人関係については，一泊二日の思春期合宿の中で，次のようなセッションを行った。

「子ども」から「大人」になる＆身体を大切にする
1）「子ども」から「大人」へと成長すると，身体がどのように変わりますか？
　男女同じ変化：身長と体重が大きくなるなど
　男女で違う変化：男性はひげが生えるなど，女性は胸が膨らんでくるなど

2）自分の身体の大切な身体の部分はどこですか？　それは，なぜですか？
　男性のプライベイトゾーン
　女性のプライベイトゾーン
　水着でかくす所がプライベイトゾーンです。感じ方は，人によって違います。

3）身体の大切な部分に触わろうとする人，じろじろ見る人がいたら？
　「いやな気持ち」を何と言って伝えますか？
　ロールプレイで，拒否の強い気持ちを表現してみましょう
　「いやだから，やめて」と断っても，やめなかったらどうしますか？
　ロールプレイで，安全な助けの求め方をやってみましょう

4）「安全」で「気持ちよい」身体を大切にする触れ方はどんな触れ方ですか？
　相手が「安全」で「ほっとする」と感じる触れ方はどうしたらよいですか？
　ロールプレイで，相手に許可をもらって，やってみましょう

中学校1年～3年まで3回参加した思春期合宿等での上記のような学習が，中学校で

の女子との対人関係のトラブルを減らすことにつながったと考えられる。

　中学校から高等学校への進学，高等学校から大学への進学あるいは就職等の新しい環境に移行する場面では発達障害の生徒は混乱しやすい。中学校での支援の工夫を高等学校につなげていくことが重要であるが，内申書等にはそうした細かい支援の工夫を記載する欄はない。また，生徒本人や保護者は「障害に関する記述は入試に際して不利になるのではないか」と危惧をして，記載を希望しない場合もある。

　しかしながら，発達障害の生徒本人や保護者が，これまでの医療機関での診断書や治療経過，福祉・相談機関での障害認定や相談の記録，学校の特別支援教育における個別の指導計画などの情報をファイルし，新しい環境に移った時にその情報を提供して，それまでと変わらない支援を受けられるようにすることが重要である。こうした情報ファイルは「サポートファイル」や「相談支援ファイル」などと呼ばれ，当事者自身が管理者となって，人生を通して一貫して使うことが期待されており，厚生労働省も積極的に勧めている。本事例においては，中学校から高等学校に内申書等の申し送りがあったものと思われるが，あわせて相談機関からの文書による意見書，保護者からトラブルを避けるための配慮のポイントを記した文書が出されている。受け取る高等学校においては，文書による情報はコピーして配布が可能であり，関わる全ての教員が共通理解のもとで支援する基盤を培ったものと考えることができる。

　「サポートファイル」や「相談支援ファイル」の書式は，全国の自治体等でさまざまな書式が開発されており，次のWebから入手することができる。
　http://support-book.net/（2023年9月16日閲覧）

参考・引用文献
American Psychiatric Association (2013). *Diagnostic and statistical manual of mental disorders (5th ed.).* APA.
中央教育審議会 (2011). 今後の学校におけるキャリア教育・職業教育の在り方について（答申）
星裕子 (2004). 障害児のきょうだい関係及び親子関係に関する一考察　山形大学卒業論文
厚生労働省 (2010). 平成22年度障害者総合福祉推進事業　指定課題25　障害児支援の強化に向けた福祉と特別支援教育における連携に関する調査報告書　https://www.mhlw.go.jp/bunya/shougaihoken/cyousajigyou/dl/seikabutsu25-1.pdf（2024年6月7日閲覧）
栗田広・杉山登志郎・市川宏伸・内山登紀夫・神尾陽子・安達潤・井上雅彦・辻井正次・行廣隆次 (2006). 広汎性発達障害日本自閉症協会評定尺度（Parvasive Developmental Disorders Autism Society Japan Rating Scale; PARS）　スペクトラム出版社
宮﨑昭 (2008). 問題解決シート　山形大学地域教育文化学部附属心理教育相談室
宮﨑昭・佐藤仁美・小澤真由美 (2010). 発達障害児に対する告知と自己理解―困難に気づき，誰かに相談し，自分の特徴を受けとめ，生活を豊かにする工夫ができるプロセスモデル　日本心理臨床学会第29回大会発表論文集，49.
文部科学省初等中等教育局特別支援教育課 (2022). 通常の学級に在籍する発達障害の可能性のある特別な教育的支援を必要とする児童生徒に関する調査結果について　https://www.mext.go.jp/content/20230524-mext-tokubetu01-000026255_01.pdf（2023年9月20日閲覧）

QRコード→

日本性教育協会 (2007). 教育技術MOOK：すぐ授業に使える性教育実践資料集（中学校版）　小学館
太田昌孝 (1992). 自閉症の概念と本態　太田昌孝・永井洋子（編）(1992). 自閉症治療の到達点　日本文化科学社，p.33.
山形県発達障がい者支援センター・山形AD/HD児・者親の会「トットチャン」・宮﨑昭 (2008). 高等学校における特別支援教育に関するアンケート調査結果　山形県発達障がい者支援センター
World Health Organization (2001). International classification of functioning, disability and health: ICF. WHO.（障害者福祉研究会訳 (2002). ICF国際生活機能分類―国際障害分類改訂版　中央法規出版）
World Health Organization (2018). The ICD-11 International Classification of Diseases 11th Revision

The global standard for diagnostic health information. WHO. https://icd.who.int/en（2023/9/20 閲覧）

QR コード→

吉田友子 (2004). 高機能自閉症スペクトラムを持つ子どもへの医学心理学教育：診断名告知の位置づけとその実際　発達障害研究，26 (3), 174-184.

コラム ❖ column

デス・エデュケーション
三上貴宏

　我が国では，平成10年に自殺者数が3万人を超えて以来，自殺防止対策が喫緊の課題となり，平成18年に「自殺対策基本法」が成立し，その翌年には「自殺総合対策大綱」が策定され，平成24年8月には全体的な見直しが行われた。警察庁の統計によれば，平成24年度の自殺者数は3万人を下回っており，これは平成9年度以来のことである。自殺防止対策が奏功している結果であるといえよう。

　しかし，未成年の自殺者数は，少子化が進んでいるにも関わらず，近年増加，高止まり傾向がみられ，看過できない状況となっている（警察庁，2024を参照のこと）。最近では，学校現場におけるいじめ自殺がマスコミを通してセンセーショナルに報じられるなど，児童生徒に対しての自殺対策は未だ重大な課題であるといえる。このことは，自殺対策大綱の中で，重点施策として児童生徒の自殺予防に資する教育の実施が掲げられていることからもうかがえる。

　「生きる」を考えるということは「死」を考えるということである。哲学者ハイデガーHeideggerは「死」という可能性を存在のうちに抱えんでいるであろうということを直視することによって，自己のあり方を自覚できるとし，死を正面から見つめることによって「生」を自覚することができることを示した。また，アメリカにおける「death awareness（死を気づく）」や，フランスの「mement mori（死を想う）」の背景には死を考えるということは，自分たちの生き方を見直すことにほかならない，まさに人生そのものを考えることであるという考えが存在するとも言われている（若林，1986）。

　しかしながら，現代の死を取り巻く状況はテレビや映画，アニメを含む情報媒体を通した死が氾濫している一方で，死が見えにくい時代であるといわれ（立川，1988），お互いの死を見つめあい，死に立ち会うという関係が失われているといえる。このような，現実的な死を直視する機会を失いつつある状況の中で，ともすればマス・メディアを通した死が仮想的な，非現実的な死として捉えられやすいであろう。いわゆる「死のポルノグラフィー化」である（Gorer，1986）。社会文化的な死をめぐる変遷をみると，20世紀以降タブー化されていた死はタブーではなくなり（丸山，2004），現代は死のタブー化から脱タブー化への過渡期を迎えているといえるが，先に述べたことを踏まえれば，脱タブー化された死は，それのもつリアリズムが覆い隠された，いわば異様にスペシャライズされた死であるといえよう。

　では，現実的な死の直視は，死別体験によってのみなされうるのだろうか。筆者が行った大学生を対象にした研究（三上・佐藤，2009）では，「死」についての思索の頻度が多いことや「死」の不可避性，普遍性についての思索が，「生きること」や「死のもつ意味」を考えることに影響を与えるという結果が示されている。死への能動的な接近によって，従来焦点が当てられてきた死への恐怖や不安などの否定的な感情的反応のみが喚起されるのではなく，死の積極的な意味を生との関わりの中で見出していくといえるのではないかと思われる。

　近年はデス・エデュケーション（生と死の教育）の重要性が唱えられており，「何のために生きて，どう生きるのか」という発達課題を抱える思春期・青年期にあっては「死」を通して「生」を考えるという死生観が人間的成長に寄与するとともに若者の自殺予防の一助となりうるのではないだろうか。

参考・引用文献

Gorer, G. (1965). *Death, Grief and Mourning in Contemporary Britain*.（宇都宮輝雄訳 (1986). 死と悲しみの社会学　ヨルダン社）

丸山久美子 (2004).　死生観の心理学的考察　聖学院論叢，16, 189-218.

三上貴宏・佐藤宏平 (2009).　死に対する態度と死に関する思索との関連　山形大学心理教育相談室紀要，7, 15-21.

立川昭二 (1988).　見える死，見えない死　筑摩書房

若林一美 (1986).　アメリカにおけるデス・エデュケーション　デーケン，A.（編）〈叢書〉死への準備教育　第1巻　死を教える　メディカルフレンド社　pp.310-327.

警察庁（2024）令和5年中における自殺の状況　https://www.npa.go.jp/safetylife/seianki/jisatsu/R06/R5jisatsunojoukyou.pdf

第8章

思春期・青年期における精神医学的問題

田上恭子・山中　亮

I．思春期・青年期の発達と心の問題の理解

1．思春期・青年期の発達と心の問題

　第二次性徴を迎える思春期は，急激な身体的変化や認知機能の変化が生じる時期であり，混乱や不安定さが生じやすい。また青年期はアイデンティティを模索し確立していくために自分自身を見つめることが多くなり，大きな心理社会的危機に直面する時期ともいえる。大人に比べて環境要因の影響も大きいこの時期は，社会の変化や文化，時代の影響も受けやすい。このように，思春期・青年期の子どもは心身とも発達途上にあり，発達という変化が加わるぶん，健康と病気の境目が大人より曖昧であるといわれている。

　表1は，鍋田（2007a）によってまとめられた12歳前後から始まる思春期特有の発達上の変容と，その変化に伴う混乱である。このような変化と混乱は，ある程度全ての子どもが経験するものであるが，この時期の病理にも影響していると考えられている。例えば「自己の変化」における自己コントロール欲求の増大からは，強迫症状が発展することが想定される。また，「認知の変化」における自己意識の高まり，特に公的自己意識の増大から，人目が気になり，人前での自分の態度・振る舞いに過剰に意識を向けるようになり，対人恐怖や**身体醜形症**，摂食症などにつながることもあるという。したがって，前述のように誰もが経験するような自然な悩み・混乱と病的な問題，すなわち病気との境界はより曖昧となり，理解と援助や治療が難しいといえる。

2．思春期・青年期の発達と精神医学的問題

　思春期・青年期の心の問題は，誰もが経験するような悩みや混乱も多く，全てが病気というわけではない。では心の病気とはどういうものだろうか。医学的には，脳の何らかの病気に伴い，心の状態が変化し，普通の日常の生活を送ることができない状態と捉えられている。ただし，心の病気は脳からだけでは説明できないことがほとんどでもあり，親子関係・家族・地域・学校・職場などのさまざまな要因の影響も同時に考慮することが必要であると考えられている。

　心の病気について国際的に共通する診断基準として，ICDとDSMの2つがある。ICDとは，世界保健機関（World Health Organization; WHO）による，『疾病及び関連保健問題の国際統計分類』（International Statistical Classification of Diseases and Related Health Problems; ICD）であり，現在日本では第10版（ICD-10）（2013年版）が使用されている。この中でFコードが精神科疾患に該当している。日本の公的な統計は全てICD-10に準拠している。なお2018年に第11版（ICD-11）が公表され，2019年5月にWHO世界保健総会にて採択された。ICD-11は2022年1月に発効し，日本での適用に向けて現在検討が進められているところである。DSMは，米国精神医学会（American Psychiatric Association; APA）による『精神疾患の診断・統計マニュアル』（Diagnostic and Statistical Manual of Mental Disorders; DSM）であり，2023年に第5版本文改訂

身体醜形症：想像上のまたは誇張された身体的外見へのとらわれを持つ精神疾患。重症患者は，自分が醜いと感じ，美容整形を繰り返したり，外出困難になったりする。

表1　思春期における身体・認知などの変化と，それに伴う混乱（鍋田，2007a, p.15より）

身体の変化	
衝動性の高まり	「衝動のコントロールの失敗」　さまざまな行動化。
自律神経系・内分泌系の再調整	「身体の不調」　多彩な不定愁訴，身体への違和感。
感情調整システムの再調整	「感情の不安定性」　感情が揺れ動きやすい。
自己身体の変貌	「自己身体への没頭」　自己身体への拒否感・違和感。
自己の変化（身体以外）	
自己コントロール欲求の増大	「強迫傾向」　自分の思い通りにしたいがうまくいかない。
心理的自己の模索	「自己の障害」　自分感覚の希薄さ。自分がない。
主体性が求められる	「自分で決められない」　自分から動けない。
幼児的自己愛の修正	「傷つきやすい」　こんなはずはない。
認知の変化	
現実検討力の増大	「自他の気に入らないところが見えてくる」
自己意識の高まり	「対人過敏性」　人目が気になる。人目に映る自分への没頭。
想像力の高まり・思い込みが強くなる	「個人の世界が世界観に広がる」どうせ世の中こんなもの。「想像と現実との混乱」
イメージの結晶化・表象が機能し出す	「自他の表象に振り回される」　厳しい超自我，理想の自己，理想の対象像，最悪の自他の表象などに苦しむ。
対象関係の変化	
親や年上の存在への両価性	「迷う・不安定な対象関係」
同年輩者との関係の重要性の増大	「孤独」　どのように近づけばよいかわからない。
親密さと性的な願望との混乱	「どちらを求めているか自分でもわからない」

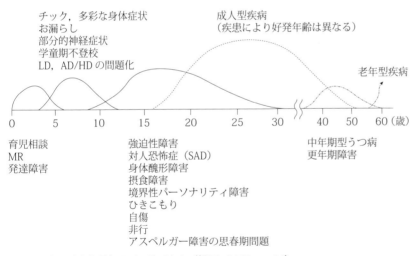

図1　心の病から見たライフサイクル（鍋田，2007a, p.14）

版（DSM-5-TR）の日本語版が刊行されている。

　心の病気には発症しやすい時期がある。図1は鍋田（2007a）によってまとめられた心の病から見たライフサイクルを示している。曲線の推移はその年代に好発する病態の全般的有病率の高さ（他の年齢との相対的な相違）を示している。この図に示されているように，思春期に発症しやすい病理は，11～12歳から始まり，ほとんどが16～18歳前後をピークとし，20代に徐々に減じていき，30歳を過ぎるころには減退する。そして，16～18歳ごろから少しずつ成人型の疾患が始まる。したがって，どのよう

な時期にどのような疾患を生じやすいのか，また疾患の一般的な特徴や治療について知っておくことが必要であるといえる。

II．思春期・青年期における代表的な精神医学的問題

ここでは，思春期・青年期にみられる代表的な精神医学的な問題として，強迫症，摂食症，対人恐怖・社交不安症，統合失調症，そして自傷について取り上げる。

1．強迫症

①強迫症とは

強迫症（obsessive-compulsive disorder; OCD）は，強迫観念（obsession）と強迫行為（compulsion）の存在で特徴づけられる疾患である。DSM-5-TRの診断基準を要約すると，強迫観念とは，不安や苦痛を引き起こすような繰り返される持続的な思考，衝動，イメージなどである。強迫行為とは，強迫観念によって生じる不安や苦痛を避けたり，緩和したり，中和したりすることを目的とした繰り返しの行動（手を洗う，順番に並べる，確認するなど），または心の中の行為（祈る，数える，声を出さずに言葉を繰り返すなど）である。

発症年齢は10歳前後と21歳前後に2つのピークをもち，過半数が18歳以下で発症する。男女比は研究によって違いがみられるが，おおむね半々であり，男性のほうが女性より発症が早いといわれている。子どものOCDは成人発症のものと比べ，より強く家族性が認められており，子どものOCDの独自性と重要性が示唆されている。

表2は大井（2002）によって紹介された，ラパポート Rapoport, J. L. が児童期から青年期にかけて発症した70症例の症状をまとめたものである。強迫観念では，身体からの排泄物，汚れ，環境にある有害物などについての心配あるいは嫌悪が最も多い。青年期になるとより観念的なものに対象が広がり，女性のヌード写真が性的なものへの嫌悪感を伴って不潔の対象となることもあるという。強迫行為では汚染を取り除くための洗浄を目的とした，過剰なあるいは儀式化された手洗い，シャワー，入浴，歯磨き，ブラシかけが最も多くなっている。これは最も多い**不潔恐怖**に対応した強迫行為であるといえる。次いで多いのがドアを何度も出たり入ったりする，階段の登り降りを何度もするなど，繰り返される儀式とドア，鍵，ストーブなどの確認である。

以上が，児童期から青年期にみられる強迫観念と強迫行為であるが，発症年齢によって特徴が異なるという報告もある。例えば，低年齢では強迫観念よりも強迫行為が症状の中心となることが指摘されている。

思春期と青年期のそれぞれのOCDの特徴は以下の通りである。

1) **思春期のOCDの特徴**：この時期に発症するOCDの子どもの多くは経過の中で「洗浄」と「確認」を認めており，最終的に思春期の終わりにほとんど全ての強迫症状を経験するといわれている。発達的な背景として，自己の内的衝動への強い**否認**と，**退行**的で自己愛的な肥大した自己像へのしがみつきが優勢であると考えられている。
2) **青年期のOCDの特徴**：13歳以前の発症契機は対人関係のつまずきが多く，「退却－孤立」という心理社会的文脈が想定されている。13歳以降では，受験失敗や学業成績の競争など「挑戦－挫折」という体験が契機となっていると報告されている。全般的には何らかの生活上の変化に対して，適応努力や自己防衛のための強迫性が高まるという準備状態のあとに発症することが多い。

②対応

治療としては，生物・心理・社会的にアセスメントを行い，本人へのアプローチと家族や学校の環境調整を併行する。本人へのアプローチでは**曝露反応妨害法**を取り入れた

不潔恐怖：目に見えない病原体を恐れること。

否認：防衛機制の一つで，不安を引き起こすような外的な現実を認めないようにする働き。

退行：防衛機制の一つで，以前の状態あるいはより未発達な段階へ逆戻りすること。

曝露反応妨害法：不安や恐怖などの不快感情を起こす刺激・状況に直面させ，それを中和するための強迫行為などの反応を妨害する方法。

表2 児童期から青年期にかけて70症例において報告された強迫観念と強迫行為（大井，2002, p.268より）
注）症状は重複して数えられるので合計は70を越えている。

主要な症状	初回面接時に報告された症状数	（%）
強迫観念		
身体からの排泄物（尿，便，唾液），汚れ，環境にある毒素などについての心配あるいは嫌悪	30	(43)
何か恐いことが起こるのではという恐れ（火事，愛する者，自分，その他の死あるいは病気）	18	(24)
対称性，秩序，正確さに対する心配あるいは欲求	12	(17)
几帳面（患者の生活環境からかけ離れた過剰な祈り，宗教的配慮）	9	(13)
幸運を招く数字または不幸を呼ぶ数字	6	(8)
禁じられたあるいは倒錯した性的思考，想像，衝動	3	(4)
侵入的な無意味な音，言葉，音楽	1	(1)
強迫行為		
過剰なあるいは儀式化された手洗い，シャワー，入浴，歯磨き，ブラシかけ	60	(85)
繰り返される儀式（ドアを出たり入ったりする，階段を登り降りするなど）	36	(51)
ドア，鍵，ストーブ，電気装置，自動車のブレーキの確認	32	(46)
汚染を取り除くための洗浄やその他の儀式	16	(23)
接触	14	(20)
整理と整頓	12	(17)
自己や他者への害を避ける手段（例：間違いのないように衣類をかける）	11	(16)
数かぞえ	13	(18)
買いだめと収集	8	(11)
その他の儀式（舌なめずり，唾をはく，特殊な着衣様式）	18	(26)

認知行動療法と**薬物療法**が推奨され，有効性が確認されている。また子どもの強迫症状の特徴の一つとして，親をはじめとする他者を症状に巻き込む傾向があることが指摘されており，家族支援や家族に対する**心理教育**も重要である。

2．摂食症

①摂食症とは

摂食症は，思春期・青年期の女性を中心として多発する精神疾患であり，食行動の著しい異常が持続し，その結果として多彩な身体異常状態やそこから派生する精神症状も呈しているもので，体型や体重に対する不適切で誤った認知も特徴である。摂食症にはさまざまな病名が存在するが，**神経性やせ症**（anorexia nervosa; AN）と神経性過食症（bulimia nervosa; BN）が中核的摂食症とされている。ANとBNの精神病理の中核は共に体重や体型が自己評価に過剰に影響を及ぼすという点であり，低い体重という特徴があるかないかで区別される。

ANは，著しい拒食がみられ，体重が減少する疾患であり，著しい体重減少のために，低血糖や脱水などによる**意識障害**や，不整脈による突然死も起こりうる。発達途上の思春期の子どもへの心身への影響は大きく，成長障害をきたしたり，発育が遅れる。また低体重が長引くと骨粗しょう症，不妊のリスクが増えるなど将来にわたって残る影響もみられる。BNでは，自分でもコントロールがきかなくなったと感じるようなむちゃ食いがみられ，体重増加を防ぐために，自己誘発性嘔吐や下剤・利尿薬の乱用をすること

薬物療法：薬物投与による治療法。精神医学領域においては，心理療法に対するニュアンスがある。

心理教育：正しい知識や情報の提供など，心理的配慮を加えた教育的援助。

神経性やせ症患者数の近年の変化（国立研究開発法人国立成育医療研究センター）：

意識障害：知覚，認知，思考，判断などの精神機能が全般的にうまく働かない障害。

もある。

　ANは近年増加傾向にあり，2020年ではCOVID-19パンデミック前の2019年と比べ1.6倍に増え，翌年も高止まりであることが報告されている（国立成育医療研究センター，2022）。発症のピークは思春期にあり，男女比は1:10とされる。摂食症は未受診者や受診中断者が多く，日本の中学生・高校生を対象とした疫学調査（Hotta et al., 2015）では，ANが強く疑われる生徒の1/3～1/2が未受診であったことが報告されている。BNは20世紀末から急激に増加し，男女比は1:10，より年長時にみられ，ANからBNへの移行もみられることがある。

　②心理面での特徴と背景

　中核的な摂食症の症状は，大きく身体症状と精神症状に分けられる。身体症状は，極端な体重減少や，下剤・利尿薬乱用，嘔吐などに伴う症状である。精神症状については，DSM-5-TRに示されている，体重増加や肥満への恐怖，認知のゆがみなどのほかに，1）やせ願望，2）自発的な摂食制限，3）過活動，4）不安や抑うつ，5）自傷行為・社会的逸脱行為などさまざまな症状が現れるといわれている（田中，2011）。

1) **やせ願望**："やせていくこと"に満足する。一日に何度も体重計に乗り，100グラム単位の体重増加を嫌悪し，さらに摂食制限や排出行動を行う。ひどく痩せているにもかかわらず，さらなるやせを目指す。
2) **自発的な摂食制限**：自ら摂食制限し，特に炭水化物や脂肪摂取を避けるための過剰な努力をする。男性では筋肉質になることにこだわり，プロテインを過剰に摂取するなどの行動もみられる。食欲がないわけではなく，むしろ食に対する関心は異常に高い。純粋な節食がみられるのは初期のみで，経過していくと，かくれ食，盗み食，過食，嘔吐などがみられる。
3) **過活動**：絶えず何かしていたり，過度の運動により体重増加を防いだりする。体重が減少するにつれ，集中力が増したようにも感じる。また初期は勉学に熱心になり一時的に成績が上昇することがあり，本人にとっては，やせによる成功体験としてポジティブに記憶される。
4) **不安や抑うつ, 気分の変わりやすさ**：不安や抑うつは，体重が減少している際にはみられないが，うまくいかなくなった際にみられる。また，学問や習い事などある領域で一定のよい評価を与えられていた子どもが，何らかによって優越感が得られなくなった際に摂食症になることがある。この時点ですでに根底に抑うつがあり，やせることで自己評価を保ち，そうした気持ちを覆い隠しているが，摂食のコントロールに失敗すると，抑うつが前面に出てくるようになる。
5) **自傷行為・社会的逸脱行為**：リストカットやたばこでの火傷，過量服薬や，アルコール乱用，性的乱脈，衝動買い，万引きなどの社会的逸脱行為を呈することがある。

　以上のほか，食へのこだわりから，食べ物を切り刻む，家族や友人へ食べるように執拗に勧めるなどの行動がみられることもある。

　発症の背景となる要因については，多くの精神医学的問題と同様，生物・心理・社会的なさまざまな要因が影響していると考えられている。そしてより大きな背景として，痩せを礼賛するメディアや社会の風潮が若い女性の痩身願望を助長するという現代社会に特有の社会文化的要因の関与があり，ダイエットをきっかけに摂食症が発症することも多い。

　③対応

　本人は，やせていることを「病気」と捉えない傾向があり，「病院へ行くと太らされる」という恐怖を感じているため，受診自体が難しい。受診したとしても，しぶしぶであることが多く，まずは本人の治療に対する動機づけを高めることが重要である。治療では多面的なアプローチが求められるが，少なくとも身体治療と心理療法を並行して行う必要がある。特に低体重をきたしている患者においては，身体治療は必須である。

　心理的な援助の方法は非常に多様であり，議論も分かれているが，本人やその家族への心理教育の重要性については広く指摘されている。低体重であるうちは認知のゆがみ

や強迫症状などが強く出るといわれており，認知行動療法が有効であると考えられている。また，家族，特に母親に食事を強制するなど，家族を巻き込むことも多く，家族療法を含む家族への働きかけも重要である。

田中・渡辺（2010）は，特にANは思春期女子での発生頻度も高く，死亡率も高い疾患であることから，予防と早期発見・早期治療の重要性を指摘している。彼らは学校健診（身体計測）の値から成長曲線を作成し，養護教諭と連携した早期発見・早期対応を行っているが，このような保健室での対応や学校と医療機関との連携も重要であるといえよう。

3．対人恐怖・社交不安症

①対人恐怖・社交不安症とは

思春期・青年期には，「人の目が気になる」「他者が恐い」という訴えを耳にすることも多い。前述のように，一般的傾向として発達的に高まった公的自己意識による反応であることも多いが，日常生活に支障をきたすような問題に発展する場合もある。

日本では対人恐怖症という概念が古くからある。思春期・青年期にみられやすく，対人恐怖症には対人緊張感あるいは家庭外の世界で感じる圧迫感・不安・緊張，赤面恐怖，視線恐怖などさまざまな症状が含まれる。なお，類似した概念としてDSMにおける社交不安症（social anxiety disorder）がある。対人恐怖症と社交不安症とは違いも多く指摘されているが，ここでは合わせて取り上げる。

対人恐怖・社交不安症においては，例えば，人前で話す，会話を交わす，文字を書く，食事を摂る，公衆便所で排泄を行うなどの恐怖状況下で，自分が恥をかいたり，困惑したりするように振る舞ったりするかもしれないという恐怖感が，緊張する，赤面する，あがる，言葉がつまる，手が震える，食事が摂れない，排尿できないなどの不安を引き起こすと考えられている。また，直接的に他人の評価にさらされる状況だけではなく，間接的に他人の評価を受ける状況でも恐怖感が出現するため，対人関係が大きく拡がり，受験など他者の評価にさらされる機会を多くもち，アイデンティティの確立が課題となる思春期・青年期での時期での発症が多いという。抑うつや焦燥感を合併することも多く，パニック症の合併や，ひきこもりなどにおいて背景に対人恐怖がある場合も多いと考えられている。

対人恐怖・社交不安症では多様な症状がみられ，一個の独立した疾患というようには考えにくいといわれているが，ここでは，"悩みの構造"として鍋田（2007b）が整理したものを紹介する（表3）。

②対応

薬物療法と心理療法的なアプローチに大別される。薬物療法においてはSSRIが導入されてから大きく状況が変化し，このアプローチが試みられるようになった。心理療法では，特に認知行動療法の有効性が実証され，薬物療法と認知行動療法との併用が最も有効であると指摘されている。また鍋田（2007b）によれば，近年，人との付き合い方・コミュニケーションそのものに対する心理機能が育っていない問題を抱えていたり，自分そのものが育っていないようなケースが増えてきているため，社会場面の中での総合的な働きかけや，教育的・訓練的な働きかけが必要になってきているという。そのため，個人療法とともにグループワークを併用したり，「不登校・ひきこもり」へのアプローチに準じた働きかけを行ったりするなど，その個人の生き方全体を再教育するようなアプローチが求められている。

赤面恐怖：対人場面で自分の顔が赤くなっているのではないかと過度に意識し，他者から軽蔑されるのではないか，他者に不快感を与えているのではないかという恐れを抱くこと。

視線恐怖：他人と視線が合うことに恐怖心を抱くこと。人の視線を受けることを脅威に感じるタイプと，自分の視線が相手に与える影響を過大に意識するタイプがある。

パニック症：パニック発作が中心症状の不安症。

ひきこもり：長期間にわたりほとんど外出をしないまま，自宅・自室に閉じこもったままの状態。

SSRI：選択的セロトニン再取り込み阻害剤。抗うつ剤の一種。

表3　対人恐怖症の苦悩の構造（鍋田，2007b, p.142 より）

限定された状況・固有の体験（行動療法に向いているテーマ）
人前で吐く，倒れる，恥をかくなど，この体験がなければ，この症状に結実しなかったかもしれない体験。そういう体験がなくとも，より限定されている恐怖症的症状については訓練的な治療が効果を発揮する。 EX：聴衆恐怖，演説恐怖，朗読恐怖，場面恐怖，会食恐怖など
対人恐怖症にしばしば見出されるライフスタイル（力動性）・物語性（精神療法に向いているテーマ）
人に愛されたい・受け入れられたい・評価されたい・注目されたい，でもできない。人に嫌な思いをさせてはならない，人によい印象を与えなくてはならない。気に入ってもらわなければ自分はそこにいられない，でもそのような存在であれない。 恥をかきたくない。変な存在・忌避される存在になりたくない。でもなっているような気がする。 上記のような対人的な欲求・不安が生きるテーマとなっているパーソナリティ。 EX：全般性の社交不安，回避傾向，漠然たる対人緊張，自己愛傾向，対人過敏
生物学的要因（薬物療法に向いている要因）

身体過敏性	思考の硬さ・思いこみやすい傾向
不安を抱きやすい体質。 緊張が体に出やすい体質。 EX：手の震え，発汗，動悸，筋肉のこわばりなど	強迫的，固定観念的，妄想的な考えに陥りやすい傾向。 EX：強迫傾向，妄想様のさまざまな思い込み

4．統合失調症

①統合失調症とは

　統合失調症（schizophrenia）は，1）実際にはないものが聞こえたり見えたりする幻覚，2）監視カメラでいつも監視されている等を訴えるなどの妄想，3）自分の身体の動きが何者かに支配されているなどのさせられ体験，4）喜びや悲しみといった感情が失われてしまう感情の平板化，5）思考自体も貧困化し，意欲も低下して風呂に入らず着替えもしないなど，多彩な症状を示すものである。思春期・青年期に発症することが多く，発症年齢のピークは，男性で 15 〜 24 歳，女性で 25 〜 34 歳であるが，成人の統合失調症と症候学的な差異は認められないとされ，区別して論じられることは少ない。とはいえ，発達上大きな変化が生じる思春期・青年期の疾患の理解と治療については，思春期的な視点からの配慮に基づく対応が必要であると考えられてもいる。

②対応

　統合失調症の治療では**抗精神病薬**の使用が不可欠であり，それとならんで，心理社会的支援も欠かせない。心理的支援として，心理教育，認知行動療法，社会生活スキルトレーニング（SST）など，また社会的支援として精神科リハビリテーションとしての作業療法や**デイケア**，職業リハビリテーションなどがある。本人を中心にして，家族，支援者，医療者をはじめとした多職種が協力して，生物・心理・社会的に支援していく包括的なアプローチが有用であり不可欠である。思春期・青年期の場合も同様であるが，特にこの時期の対応に求められる点を紹介したい。

　一つは，発達的特徴を考慮した思春期発達的環境の保障である。この時期は同年代との仲間との交流が重要であるといわれているが，そういった環境を整え，提供することが治療的に意味を持つと考えられている。また，他者と共有できない，つらい状態・孤独感を理解し共感することが大切である。悪口や非難がいつ聞こえてくるか分からない状況，そして他人が自分を攻撃しようとしていると確信をもって感じられる状態は，想像できないほどつらいものである。症状が誰にも理解されないことが孤立感を高めることにもなり，理解しようとすることが関わりの基本であると考えられる。最後に，社会資源を利用し，人とのつながりを維持・拡大させながら社会参加を試みることも重要であり，院内学級やデイケアを効果的に活用しながら，教育の問題も含め段階的で有機的

抗精神病薬：神経遮断薬またはメジャートランキライザーともよばれる。幻聴や妄想などを軽快させ，精神運動興奮を鎮静させる。

デイケア：通院形式の治療プログラムで，医学的・心理社会的治療を包括的に提供する。

表4 自傷行為の理解（松本，2007，2011，2012に基づき作成）

①自殺とは違う 怒り，恥辱感，孤立感，不安・緊張，気分の落ち込みといったつらい感情を緩和するために行われるものであり，自殺以外の目的から，非致死性の予測のもとにみずからの身体を傷つける行為である。
②アピール的なものは言われているほど多くない 典型的な自傷行為は一人きりの状況で行われ，周囲のだれにも告白されない傾向があり，援助者が考えているほどアピール的・操作的・演技的行動は多くはない。本来は，誰かに助けを求めたり相談したりすべきところを自分ひとりで苦痛を解決しようとする行動であり，その根底には人間不信があると考えてよい。
③自殺の危険因子である 自殺とは違うものの，10代のときに1回でも自傷行為を行ったことがある人は，10年以内に自殺既遂で死亡するリスクが数百倍に高くなるというデータもあり，中長期的には重要な自殺の危険因子である。
④鎮痛作用や依存性がある 身体に痛みを加えることでこころの痛みを鎮め，封印してしまう，簡便さと即効性の優れた方法でもある。自傷を繰り返す者の場合，自傷直後には血液中の脳内麻薬様物質（β－エンドルフィン等）の濃度が上昇していることを明らかにした研究もある。繰り返される中で次第に手放せないものとなり，それなしでは生きるのが難しくなることもありうる。
⑤エスカレートしながら死をたぐり寄せる 繰り返すうちに鎮痛効果は減弱していき，エスカレートしていく。この段階に特徴的なのは，1）自分の自傷創を写真にとってインターネット上に公表したり，出た血液で絵を描いたりする，2）洋服などで隠れない場所に重篤な傷を負わせる，3）「消えたい」「死にたい」という考えを抱くに至り，別の方法で自殺企図に及ぶことがある，という現象である。

な結びつきをもった組織での対応が求められる。

5．自傷行為

①自傷行為とは

　自傷行為とは，リストカットだけではなく，身体表層に対して，意図的かつ直接的に，非致死的な損傷を加える行為をいう。『日本財団第4回自殺意識調査』報告書（日本財団子どもの生きていく力　サポートプロジェクト，2021）では，15-19歳の男子15.5%，女子24.9%が自ら自分の身体を傷つけたことがあることが示されている。また，中学・高校の養護教諭の98～99%が自傷をする生徒に対応した経験があることが明らかになっている（松本，2011）。自傷行為は，従来からボーダーラインパーソナリティ症，摂食症，解離症，心的外傷後ストレス症などと関係する行動として認識されているものであるが，こういった疾患に限定されるものではなく，広くみられる現象であるといえる。では自傷行為はどのように理解したらいいのだろうか。ここでは松本（2007，2011，2012）に基づき，表4にまとめた。

　心理的な特徴や背景としては，1）自分を否定され，安心して自分の気持ちを表現できない環境と暴力場面への曝露体験，2）低い自己評価と不信感，自分と他人との「境界」の消失，3）自己コントロールへの執着と勝負にこだわり競り勝とうとする競争への熱中，の3つを松本（2007）は挙げている。

②対応

　治療としては，精神分析療法や最近では弁証法的行動療法をはじめとする認知行動療法などさまざまな心理療法が適用されている。薬物療法については，本人が自傷行為を治療すべき課題と認識しないうちは行うべきではないとされているが，主訴としてもっとも多い抑うつ気分や意欲低下については薬物療法の適応がある。

　援助・対応における主なポイントについては以下の通りである（松本，2011，2012）。

1）援助希求行動を評価する：「よく来たね」などの言葉かけが求められる。

> ボーダーラインパーソナリティ症：パーソナリティ症群の一つ。不安定な対人関係・自己像・感情，著しい衝動性などを特徴とする。
>
> 解離症：意識や人格の統合的な機能が一時的に障害されたり交代したりする現象を示す精神障害の総称。
>
> 心的外傷後ストレス症：心的外傷的出来事を経験した後に特徴的な症状（フラッシュバック，否定的な認知や陰性感情，過覚醒など）が発現する。PTSD。

2）「自傷は駄目」は駄目：頭ごなしに禁止したり，切らない約束をしたりしない。
3）肯定的側面を認める：「心の痛みに耐えようした」などの側面を取り上げる。
4）小さな変化を見逃さない：見逃すことなく支持・強化する。
5）共感しながら懸念を示す：共感を示したうえで，自殺念慮の懸念を伝える。
6）問題を同定し，環境を調整する：介入や調整できそうなものを探す。
7）置換スキルを提案する：やめさせるのではなく他の対処法を提案する。
8）独りで抱え込まない：チームを組み，親にも内緒にしない。

Ⅲ．おわりに

　思春期・青年期の精神医学的問題については，学校生活の中で，遅刻・欠席・早退や学業上の取り組み，友人関係等々から教師がはじめに気づくことも多いと考えられる。学校現場では，身体的健康については健康診断が毎年行われているものの，精神保健活動の割合は大きくはない。養護教諭が対応している保健室での相談内容の中では，小中学校では精神症状に関するものは3％であるのに対し，高等学校では7.2％に増加しているという（森田，2009）。問題を教師が独りで抱えこむことなく，校内では担任，養護教諭，スクールカウンセラーなどが協働し，さらには地域の医療機関や福祉機関などと連携することが，生徒の自己実現によりつながるであろう。2022年度から高等学校の保健体育の授業に精神疾患に関する項目が盛り込まれたが，精神疾患に関する学習指導の充実に加え，精神的健康に関する心理教育や啓発，ストレスマネジメント教育などを活用し，予防や早期発見・早期対応に努めることが期待される。

✍ ワーク（考えてみよう）

1．思春期・青年期の発達的特徴と精神医学的問題との関連について，具体例を挙げて説明しなさい。

2．自傷行為とは何か。また，対応の際にどういった点に留意すればよいだろうか。

3．思春期・青年期の精神医学的問題への対応について，学校に求められる課題はなんだろうか。

✌ ワーク（事例）

■事例 1

　中学校 3 年生になって間もなく，A さんは保健室を訪れることが多くなった。胸がドキドキして苦しい，呼吸ができなくなる感じがする，めまいがする，という訴えであった。養護教諭が話を聴く中で，「人の目が気になる」「大勢の人の中に居るのがつらい」ということが語られた。特に全校集会や休み時間などに，周囲が気になってしまい，息が苦しくなったりするのだという。徐々に A さんが保健室に居る時間は長くなっていった。養護教諭は担任と情報の共有を行うこととした。

　A さんは大人しいほうではあるが，仲の良い友人もおり，優しく誠実な人柄でクラスでは人気があった。いじめの問題も無いことが確認され，成績も安定しており，学校生活や対人関係における問題は考えにくかった。しかし欠席が続くようになり，担任もどう対応したらよいのか悩んだ。そこで担任は養護教諭，学年主任らと話し合いを持ち，体調不良が続いていることが心配であるため，医療機関を受診してみてはどうかと本人と保護者に勧めることとした。保護者の話では，最近では学校のことを考えるだけで具合が悪くなったり，情緒不安定になったりすることが多く，心配だったという。本人も「とにかく苦しい。何とかしたい」と述べ，医療機関を受診することとなった。身体面での大きな問題は認められず，精神科の思春期専門外来で薬の処方とカウンセリングを行うこととなった。

　面接の中で A さんは，自分がどれだけ苦しいか，どのようにつらいのか，繰り返し症状を訴え続けた。今は苦しくてあまり考えることができないが，進路も含め今後のことも気がかりだという。カウンセラーはひたすら A さんの訴えに耳を傾け，A さんの苦しさ，つらさを受けとめた。

　すぐに A さんは，「ここに来るとホッとします」「随分体調が良くなりました」と改善を述べ始めた。カウンセラーからの問いかけにも一生懸命考える様子がみられ，協力的ではあったが，面接のたびに症状の訴えから始まり，問いかけには応じはするものの結局また症状の話に戻るということが続いた。カウンセラーは堂々巡りのように感じ，カウンセリングが停滞しているように思えた。

　そこでカウンセラーは，A さんのカウンセリングに対する思いを確認することとした。「何も不満なんてありません」とニコニコして A さんは話すが，丁寧に話をうかがうと，「ここでいろいろ尋ねられて，考えようとしても，漠然としていてうまく考えられなくて……。すみません」と言う。カウンセラーは関わり方を見直し，より具体的に考えることができるように，質問の仕方を変えたり，時にワークシートを用いたりすることにした。次第に A さんの悩みは具体的に言語化されるようになり，症状が緩和し，志望進路に進むため学校にも通うようになった。

解説：なぜ解決したのか？

　A さんの訴えから推察されるように，思春期外来で社交不安症の診断を受けた事例である。関わりの主なポイントとして以下の 4 点が考えられる。

　①養護教諭の対応

　頻回に訪れる A さんに対し，「また？」「もう教室に戻りなさい」などすぐ指導するのではなく，また身体症状への対処だけにとらわれるのではなく，丁寧に A さんの話を聴き，心に向き合おうとすることで，A さんの苦しさ・つらさが語られ，心の健康問題が

浮かび上がったと考えられる。このように，身体症状を訴える背景に悩みや精神医学的問題があることは多く，保健室での対応から初めて気づかれ，専門的な治療や援助につながることは多い。また必要に応じて担任やその他関係各所と情報を共有することが大切である。

　②担任の対応

　生徒自身や保護者から直接相談や訴えがあった場合はもちろんであるが，日々の生活の中で生徒の変化に気づいた場合や養護教諭や部活動の顧問，他生徒等から何らかの情報があった場合など，速やかに対応することが求められる。この事例のように学業面での取り組みや友人関係の状況，いじめの有無，部活動への参加状況などをまずは確認することが必要である。また独りで抱え込むのではなく，養護教諭や学年主任，スクールカウンセラー，管理職など関係者と話し合いの場を持ち，チームとして対応していくことが望ましい場合が多い。

　③カウンセリングにおける傾聴

　社交不安症に対する治療としては，認知行動療法の有効性が示されており，当初からそういった枠組みで介入することも一つにはあるだろう。ただこの事例のように，まずはじっくりAさんの苦しさやつらさに心をもって耳を傾け，受けとめようとする関わりにも意味はあると考えられる。このような関わりを行うことが，Aさんとの協働関係の構築につながり，動機づけを高めることにもつながり得る。思いを自由に表現することができ安心して居られる場を提供することはカウンセリングの基本であるといえる。

　④カウンセリングにおけるクライエントの思いの確認

　対人恐怖・社交不安症を抱えている人は，訴えの通り「人の目が気になる」ものであり他者の評価を恐れている。それはカウンセラーに対しても同じであり，カウンセラーにも「よく思ってもらいたい」「認めてもらいたい」という態度を無意識的に向けてくると鍋田（2007b）は述べている。この事例で，一見すぐに改善してみえたのは，Aさんがカウンセラーからよく思われたいという気持ちを秘めているためと考えられる。「良くなったのであればカウンセリングは終わりにしましょう」というのではなく，本人の本当の気持ちを確認する作業や不満を表明してもらうことが必要である。この事例におけるAさんの変化や症状の緩和には，その後のカウンセラーの関わりの修正が一つには影響していると考えられるが，思いを確認し表明してもらったこと自体が変化を生んだとも考えられるのではないだろうか。

■事例2

　高校2年生のBさんは，クラスで孤立気味で情緒不安定になることが多く，教室に居られず別室で過ごすことが多かった。科目によっては全く出席していないものもあり，進級のことが問題になっていた。あるとき，授業中にトイレでリストカットをしているのが目撃され，スクールカウンセラーに紹介された。

　スクールカウンセラーが「よく来てくれたね」と話すと，Bさんは堰を切ったように話し出した。むかつくことが多いこと，嫌いな先生やクラスメイトがいること，イライラしてばかりであること，突然泣きたくなることがあること，「実は切ってるんだ」と自傷をしていること。時折激しい口調がみられるものの，どこかBさんは淡々としてもいた。カウンセラーはBさんの怒りや苛立ち，悲しみを共感的に受けとめることに努めた。自傷について「話してくれてありがとう」と言うと，Bさんはどうしようもない気持ちになり気づいたら切っていることや，切ると少し落ち着けることなどを話した。

　徐々にBさんはいろいろなことを打ち明けるようになっていった。中でも恋人の話が

多く，恋人と過ごす時間が一番安心することや，恋人との将来のこと，恋人にはリストカットのことを怒られること，だから，つい切ってしまうが本当はやめたいことなどが語られた。カウンセリングの中で，リストカットをやめることについて共に考えることが増えていった。

　しかし別室で過ごす時間は依然長く，学校生活においてあまり変化はみられなかった。別室で過ごすことは甘えだという教師と今は別室で過ごすことが大切だと考える教師とがぶつかり，教師間がぎくしゃくするようになっていった。加えてBさんも，厳しい教師を毛嫌いし反抗的となり，優しく理解を示してくれる教師には素直で信頼を示すなど，態度を変えていたために，ますます進級や別室登校をめぐる教師間の対立が顕著になっていった。

　「本当に理解がない先生がいて困ります」と，Bさんが一番信頼を寄せている教師からカウンセラーに相談があったのを機に，教師間で対応について話し合う機会を持つことはできないかカウンセラーは提案してみた。また，その教師と度々話をする中で，教師にはそれぞれ教育観や信念があるものでそれを変えようとするのは難しいことや，考え方が違っていても目指している方向は同じであるかもしれないこと，相手を変えようとするのではなくそれぞれの立ち位置を活かした対応のあり方もあるかもしれないことなどを伝えた。

　関係者全員がそろっての話し合いは持てなかったが，目指すところや役割分担について教師の間である程度の共通理解が得られたようであった。安心して自分らしい関わりができるようになったという教師も出てき，学校の対応についてはひとまず安定を取り戻したようであった。教室への完全復帰や自傷行為の消失にまでは至らなかったが，Bさんが教室で過ごす時間は長くなり，次第に笑顔が増えていった。

解説：なぜ解決したのか？

　自傷行為がみられた事例である。ここではカウンセラーの関わりに焦点をあてて考察したい。

　先の事例と同様，1点目として，カウンセラーの基本的な関わり，すなわち傾聴や共感的理解がBさんには大きな意味をもったと考えられる。Bさんが来談してくれたことや自傷について話をしてくれたことを尊重し，自傷行為について評価することなく，背後にあるであろう怒りや苛立ち，悲しみや虚しさに耳を傾けたことは，Bさんにとっては自分の存在が認められた体験でもあり，ここでは安心して自分の気持ちを表現していいのだという感覚がBさんにもたらされたのではないかと考えられる。

　そのような守られた環境の中でさまざまな思いを語っていく中，「（自傷を）本当はやめたい」とBさん自身がことばにし，対処しようとする動機づけが高まったことも変化の大きなきっかけであったと考えられる。このことが生じた背景には，カウンセラーがBさんの語りとその背後にある心の動きに耳を研ぎ澄ませ，じっくり向き合おうとしていた姿勢があったと考えられる。このように，"傾聴"は単純で受動的に見えて，相談者自身の心の中や，相談者と援助者との間の中に変化を生み出す大きな力をもつ営みであるといえる。

　2点目としては，教師に対する対応や学校の対応体制の検討が変化に大きく寄与していることが考えられる。Bさんは自分自身の中にある受け入れがたい嫌な感情を厳しい教師に，また理想化した思いを優しい教師に，それぞれ向けることで，自身をなんとか保とうとしていたことがうかがえる。このような場合，それぞれの思いを向けられた教師やスタッフ間の関係が対立したり混乱したりすることはよく見られる現象である。

教師や関係スタッフ，援助者自身が落ち着いて対応することができる，それだけで生徒の問題に変化が生じることもある。対応に不安や疑問を抱いた教師に向き合うことや，学校の体制そのものに介入することも，学校現場における子どもの精神医学的問題への対応では必要である。

　なお本事例では，生徒本人に対してはカウンセラーのじっくりとした関わりが意味を持ったように考えられるが，もちろん自傷行為のアセスメントや緊急性のアセスメントは非常に大切で欠かせないものである。緊急性の高い場合や自傷行為がかなり進行しているような状態では，より能動的・積極的な対応，短期的介入，そして医療機関との連携が必要である。

参考・引用文献

American Psychiatric Association (2022). *Diagnostic and statistical manual of mental disorders, 5th edition, text revision*. APA.（日本精神神経学会（日本語版用監修）　髙橋三郎・大野裕（監訳）(2023). DSM-5-TR　精神疾患の診断・統計マニュアル　医学書院

Hotta, M. et al. (2015). Epidemiology of anorexia nervosa in Japanese adolescents. *BioPsychoSocial Medicine*, 9, 17. https://doi.org/10.1186/s13030-015-0044-2

市川宏伸・海老島宏（編）臨床家が知っておきたい「子どもの精神科」―こころの問題と精神症状の理解のために―第2版　医学書院

井上洋一 (2007). 思春期の統合失調症に対する最近の臨床　鍋田恭孝（編）思春期臨床の考え方・すすめ方―新たなる視点・新たなるアプローチ　金剛出版　pp.149-160.

国立成育医療研究センター (2022). 2021年度コロナ禍の子どもの心の実態調査　摂食障害の「神経性やせ症」がコロナ禍で増加したまま高止まり　国立成育医療研究センタープレスリリース2022 https://www.ncchd.go.jp/press/2022/1117.html（2023年9月28日閲覧）

松本俊彦 (2007). 自傷行為の理解と対応　鍋田恭孝（編）思春期臨床の考え方・すすめ方―新たなる視点・新たなるアプローチ　金剛出版　pp.229-246.

松本俊彦 (2011). リストカットが続いている［自傷］　山登敬之・斎藤環（編）こころの科学　増刊：入門　子どもの精神疾患―悩みと病気の境界線　日本評論社　pp.67-72.

松本俊彦 (2012). 自傷行為の理解と対応　青木省三・村上伸治（編）専門医から学ぶ　児童・青年期患者の診方と対応　医学書院　pp.170-179.

森田桂子 (2009). 精神疾患の早期発見のためにあるべき支援・システム・アンチスティグマ活動：教育分野・学校保健　水野雅文（編）統合失調症の早期診断と早期介入　中山書店　pp.186-194.

鍋田恭孝 (2007a). 序論―思春期という時代・思春期危機の意味　鍋田恭孝（編）思春期臨床の考え方・すすめ方―新たなる視点・新たなるアプローチ　金剛出版　pp.13-17.

鍋田恭孝 (2007b). 対人恐怖症の今日的問題　鍋田恭孝（編）思春期臨床の考え方・すすめ方―新たなる視点・新たなるアプローチ　金剛出版　pp.130-148.

日本神経精神薬理学会・日本臨床精神神経薬理学会（編）(2022). 統合失調症薬物治療ガイドライン2022　医学書院

日本財団子どもの生きていく力　サポートプロジェクト (2021). 日本財団第4回自殺意識調査報告書　日本財団　https://www.nippon-foundation.or.jp/app/uploads/2021/08/new_pr_20210831_05.pdf（2023年9月29日閲覧）

大井正己 (2002). 強迫性障害　山崎晃資（編）現代児童青年精神医学　永井書店　pp.263-274.

岡田あゆみ (2022). 不安症，強迫症　小児内科，54，753-757.

齋藤万比古 (2002). 対人恐怖症・視線恐怖　山崎晃資（編）現代児童青年精神医学　永井書店　pp.368-374.

齊藤万比古・金生由紀子（編）子どもの強迫性障害：診断・治療ガイドライン　星和書店

城月健太郎 (2020). 社交不安症の認知行動療法の展開　武蔵野大学認知行動療法研究誌，1，12-18.

菅原彩子他 (2023). 医療機関を受診していない摂食障害患者の支援ニーズに関する調査研究　心身医学，63 (3). 241-250.

髙倉修・小牧元 (2020). 摂食障害の精神病理―歴史と現在　永田利彦（編）摂食障害の生きづらさ　こころの科学，209. 18-24.

田中徹哉・渡辺久子 (2010). 神経性無食欲症　宮本信也・生田憲正（編）子どもの身体表現性障害と摂食障害　中山書店　pp.86-112.

田中容子 (2011). 食事をとらない［摂食障害］　山登敬之・斎藤環（編）こころの科学　増刊　入門

子どもの精神疾患―悩みと病気の境界線　日本評論社　pp.89-95.
宇佐美政英 (2022). 児童精神科医が伝えたい　子どものメンタルヘルス（第29回）　児童思春期の強迫性障害　手洗い，確認が止まらない子どもたち　薬事, 64 (8). 1672-1678.
山登敬之 (2011). どこまで健康？　どこから病気？　山登敬之・斎藤環（編）こころの科学　増刊　入門　子どもの精神疾患―悩みと病気の境界線　日本評論社　pp.2-7.
山家均 (2002). 特定の恐怖症1　社会恐怖　山崎晃資（編）現代児童青年精神医学　永井書店　pp.256-260.

コラム ❖ column

中学生・高校生の被害防止，保護
——「自分の身は自分で守る」意識を植えつけるには

松田喜弘

昨年（平成24年），20歳未満の子どもが犯罪に巻き込まれて被害にあった件数は，206,133件にものぼる。その内訳は，窃盗が177,512件（86.1％）で最も多く，次いで暴行の5,338件（2.6％），傷害5,337件（2.6％），強制わいせつ3,791件（1.8％），恐喝1,770件（0.9％）……と続いている。また，子どもが被害者となる割合の高い罪種は，略取誘拐（83.0％），強制わいせつ（52.2％），公然わいせつ（47.6％），強姦（45.6％），恐喝（43.1％）の順であり，いわゆる性犯罪が高い割合を示している。

中高生が被害に遭う窃盗でもっとも多いものが自転車の盗難である。この件については，それぞれの学校で二重ロックを呼びかけたり，駅前の駐輪場などで警察とともに呼びかけを行ったりと，啓発活動をしっかり行っている。盗難に対しては，中・高生の被害を防ぐ気持ちが育っていると思われる。それに対して，その他の犯罪（特に性犯罪）についてはどうだろうか。各機関が被害者支援の対策を施している実情を，中・高校生はどの程度認識しているのだろうか。

山形県では，平成24年8月に「犯罪被害者等支援の手引き」を発行した。この手引きには，犯罪被害者が抱えるさまざまな問題から支援に関わる際の留意事項，関係機関との連携，県が行っている事業等，被害者支援に必要な情報が多岐にわたって書かれている。具体的には，被害に遭ったときにどのような手続きを踏めばいいか，また，被害に遭われた方への言葉がけの仕方について等が書かれており，犯罪被害者支援に大変役立つものだと思う。中学生への被害者支援としては「生徒指導総合連携推進事業」，県立の高校生に対しては「スクールカウンセラー派遣事業」により，スクールカウンセラーのカウンセリングを受けることができる。

山形県以外の機関としては，「公益社団法人やまがた被害者支援センター（YVSC）」の活動が代表的である。YVSCでは，電話相談，面接相談などの相談活動だけでなく，街頭キャンペーンによる広報活動や「命の大切さを学ぶ教室」を通しての犯罪被害者の声を届ける活動も行っている。実際，私が居住している地区の中学校でもこの教室が開かれ，中学生だけでなく，その保護者も話を聞く機会に恵まれた。その他の機関としては，日本司法支援センター（法テラス）や山形県弁護士会，山形地方法務局，山形県教育センター等でも電話等での相談活動を展開している。

しかし，最も大切なのは被害を未然に防ぐことではないだろうか。実際に被害を防ぐために行われている活動としては，先述したYVSCによる広報活動や犯罪被害者の声を聞く活動などがある。しかし，学校教育の中で具体的に犯罪被害を防ぐ学習がどの程度行われているのだろうか。私の知る限りでは，私のまわりの学校や自分の子どもが通っている中・高等学校では，そのような被害の未然防止につながる具体的なプログラムに基づいた学習は行われていないと思われる。特に，性犯罪に関しては，「触れない方がいいのでは……」と思っている風潮があるのではないかと思う。

現在の子ども達は，情報ツールの発達により，さまざまな性に関する情報が簡単に手に入るようになっている。携帯電話やスマホを持たない割合が高い中学生でさえも，タブレット端末や音楽プレーヤーから無料通話アプリをダウンロードして友だちとの会話を楽しんでいる世の中である。そこから性に関する情報が昔よりも手軽に入るようになっているのである。子ども達の情報の伝達スピードは，大人達の想像を遙かに凌ぐ。このような時代だからこそ我々大人が，中・高生の子ども達に性犯罪の実態を話し，具体的な防止策を教える必要があるのではないだろうか。

参考・引用文献
警察庁 (2013). 平成24年の犯罪情勢
公益社団法人やまがた被害者支援センターHP　http://www.yvsc.jp/
山形県 (2012). 犯罪被害者等支援の手引き

コラム◈column
支援を要する生徒とその家庭への支援がうまく進まない時に振り返るポイント——5つの支援阻害要因
河合陽子・花田里欧子

　文部科学省は，地域人材と専門的人材が連携して，学校や公民館など身近な場所で，孤立しがちな保護者や仕事で忙しい保護者など地域とのコミュニケーションや学習機会をなかなか得ることのできない保護者や家庭を支援する「家庭教育支援チーム」の取り組みを推進している。しかし中には，支援をしようにも保護者や家庭と連携がとれず，支援が進まないといった事例もある。何が支援を妨げているのか，その原因を保護者や家庭側に見出して取り除くことは困難である。そこで，支援をする側の行動や考え方の中に支援を妨げていることはないか，振り返ってみてはどうだろうか。河合（2012）は中学校を対象に支援がうまく届いた／届かなかった事例の比較により明らかになった，「支援を阻害する要因」を5つ挙げている。

　1）情報収集に時間と労力を割いている：支援に必要か否かに関わらず何らかの情報を得ようとしていたり，問題の原因を追究するために過去の出来事を探っていたりしていないだろうか。原因追究は，必ずしも解決の糸口とはならないのである。

　2）支援者全員の方針を一致させ，連携することに力を注いでいる：家庭や他の支援者の方針を一致させ連携することに，必要以上の時間と労力を費やしていないだろうか。方針が一致せず連携できない時こそ，関係者間に共通する目標を再確認するチャンスである。例えば不登校の生徒に対し，保護者は「学校に行かなくても社会で生きていければよい」と考える一方，学校は「登校を促したい」と方針が異なるとする。しかし両者には「いつか，ひきこもりを解決したい」という共通目標があるはずである。また例えば，保護者と学校や支援者間の関係が良好でないこともあるだろう。とはいえ，関係が良いから問題が解決するとは限らない。そこで見方を変えて「関係が良好でなくとも，問題さえ解決すればよい」と考えてはどうだろうか。

　3）第三者の関与が少なく，積極的介入がしにくい：学級担任中心の支援はリスクがある。それは，生徒や保護者と1年間継続して関わる存在であるため，関係性が変わってしまうような積極的介入がしにくいことである。そこで，他の教員や外部専門機関，専門家も，直接的・間接的に関わることが必要である。

　4）支援者それぞれの役割が不明確：各支援者がいつどのタイミングで，どう動くかという段階的な支援計画は立てられているだろうか。支援者各自ができる範囲のことで動いていては思い切った行動に踏み込めず，支援は発展しない。そこで統括者を決め，複数対応を有効に行うための工夫が必要である。例えば，担任以外の教員が支援の突破口を開く，親担当・子担当を分けるなど，立場・性別・年齢・特性・考えが異なる人が違う動きをすることが大切である。

　5）支援目標が生徒や保護者の現状に合っていない：保護者や教員が生徒の問題解決を急ぐあまり，高い目標設定をしては，生徒の負担となり，抵抗を招く。また，過剰な期待により，小さな変化や成長を見逃してしまう恐れもある。

　以上から，①原因追究ではなく現在起こっていることに注目する，②連携できない状況でできる支援や，支援に対する考え・態度を一致できないことを前提とする，③複数の支援者が関わる，④さまざまな立場の人が異なる動きを意図的に行うことで，その差異を活用した支援を行う，⑤目標や介入を小さくし，抵抗や負担を小さく達成可能なものにする，の5つが支援を届けるために有効と考えられるのである。

参考・引用文献
河合陽子 (2012). 支援を要する生徒とその家庭へ，学校を窓口とした支援のあり方についての一考察　京都教育大学大学院教育学研究科修士論文（未公刊）
内閣府 (2013). 平成25年度版子ども・若者白書

第9章

学校における緊急支援

若島孔文・森川夏乃

　学校では，生徒の自殺，不審者の侵入，教職員の不祥事，災害等の予期せぬ事態が生じる。これらの事態は生徒・保護者・教職員を混乱・動揺させ，学校全体を危機に陥らせる恐れがある。さらに近年では，学校で問題が生じると多くの報道陣が学校に詰めかけ，さらなる混乱が広がる場合もある。通常は安全・安心な場である学校だが，突如としてそれが覆されるのだ。危機的な事態が生じた時，学校の構成員はどのような対応をしたらよいのであろうか。こうした事態が生じた場合，事前の備えがあることで，混乱した状況の中でも問題に対応していくことが可能である。

　本章では，学校で生じうる危機や危機への反応を解説したうえで，「緊急支援」について述べる。そして，特に中学・高校で生じる可能性が高く，また我が国において喫緊の課題である自殺について解説する。本章を通して，学校として想定すべき危機や危機が生じた際の対応，危機の予防について理解が深まれば幸いである。

Ⅰ．学校の危機とは

1．危機とは何か

　キャプラン Caplan, G.（1961）によると，危機とは，ある事態に直面した際，その人が持つ習慣的な解決方法では克服できず，その結果心身に不調や変調が生じている状態である。このような危機は特別なことではなく，個人の成長過程においてもしばしば生じる。例えば，進学，転校，就職，結婚，健康上の問題等も一つの危機となる出来事である。誰しもいくつか危機に直面した経験があるだろう。また個人だけではなく，家族，学校や会社等の集団・組織が危機に直面することもある。例えば家族であれば，子どもが不登校になり家族がどのように対処をしても登校することができず，家族関係が悪化している状態である。また学校であれば，校内での傷害事件が発生し，生徒や教職員に混乱や動揺が生じ通常の学校運営ができなくなった状態が挙げられる。

　だが基本的には，危機に直面してもその状態が長期にわたって続くわけではない。本人や組織構成員が試行錯誤しながら対処し適応することで収束していく。学校に関していえば，学校は校長，教頭，学年主任，生徒指導，クラス担任，養護教諭，事務員，スクールカウンセラーやスクールソーシャルワーカー等のさまざまな立場・役職の人達から成っている一つのシステムである。危機により混乱・動揺が生じても，各構成員が役割を果たし安定化させていく機能を学校というシステムは本来有している。しかし被害規模や構成員に与える衝撃があまりに大きい場合，学校の構成員のみの力では事態を収束させることができず，問題が重篤化し学校システム全体が深刻な機能不全状態に陥ってしまうことがある。機能不全状態の学校では，情報伝達や意思決定の混乱，人的・物的資源の不足等により，教育活動が不十分となりやすく，二次的な問題も発生しやすい。学校システムが機能不全となる事態を防ぐために，危機に対する備えや危機時の支援が必要となる。

表1　危機となる事件・事故のレベル（窪田，2005）
注）同じ事故であっても，大きな動揺が予想されるものについて冒頭に＊印を記した。

	個人レベル	学校レベル	地域レベル
1）児童・生徒自殺		児童・生徒の自殺	＊いじめ自殺
2）学校管理下の事件・事故		校内事故	＊外部侵入者による事件 /＊被害者，目撃者の多い事故
3）校外事故	校外事故	＊目撃者の多い事故	
4）自然災害，地域の衝撃的事件			自然災害，地域の事件 /＊児童・生徒の直接被害
5）児童・生徒による殺傷事件			児童・生徒による殺傷 /＊学校構成員が被害者
6）教師の不祥事			教師の不祥事の発覚 /＊児童・生徒が被害者
7）教師の突然死		教師の突然死	＊教師の自殺

表2　危機後に生じやすい心身の反応

心理面の反応	不安・悲しみ・イライラ・焦り・高揚感・恐怖・落ち込み・緊張・怒り・罪悪感・感情鈍麻・孤独感・疎外感・無気力など
認知面の反応	集中力や記憶力・思考力・判断力の低下・混乱・フラッシュバックなど
身体面の反応	動悸・微熱・頭痛・腹痛・疲労感・食欲の急激な減退あるいは亢進・嘔吐や下痢・めまい・睡眠障害・過敏になるなど
行動面の反応	怒りっぽくなる・涙もろくなる・攻撃的になる・過活動・引きこもり・拒食や過食・幼児返り・回避行動・薬物乱用など

2．危機のレベル

　学校で生じうる危機について，影響が及ぶ範囲から個人レベル，学校レベル，地域レベルの3つに大別したものが窪田（2005）による表1である。例えば生徒の自殺についても，それがどこで，どのような原因で起きたものなのかによって他の生徒や保護者，教職員，さらに地域に与える影響は異なる。学校で生徒が自殺した場合，残された生徒には深い悲しみと混乱が生じ，学校レベルの危機となる。さらに，遺書を残しいじめを苦にして自殺した場合，校内だけでなく外部からもいじめ加害者や学校への詮索・批判が噴出し，地域も巻き込んだ混乱が生じる。危機に対して適切な対応を行うために，どこまで影響が及んでいるのか危機レベルを見極める必要がある。

3．危機への反応

　通常，人は危機を経験すると，心理・認知・身体・行動といったさまざまな面にストレス反応を示す（表2）。これは危機によって一時的に生じる非常時における正常な反応である。これらの反応は，危機発生から時間経過に伴い，一般的には次第に落ち着いていく。
　しかし，学校の構成員が一斉にストレス反応を示すとどうなるだろうか。たくさんの者がストレス反応を示すことで，学校全体に混乱や恐怖，不安が広がっていく。また心身の不調を訴える多くの生徒が保健室を利用するため，保健室はパンク状態になってしまう。そして些細なことで衝突したり，自分とは異なる反応を示す他者が受け入れられなくなったり，事件・事故の責任を他者に転嫁したりするなど，対人トラブルも生じやすくなる。教職員も平静な心理状態ではなく，かつ事態の収拾に追われている。それゆえ教職員間でも対人トラブルや，連絡系統の乱れや情報の錯綜が生じやすくなる。こうした混乱状態においては，危機によるストレス反応や二次的に発生した問題（対人トラブル等）への対応が不十分となりやすい。窪田（2005）は，個人レベルの反応が相ま

って学校レベルの反応になると，学校システムが本来持つ機能が破綻し個人や学校の危機に対して適切な対応が行えなくなることで，さらに学校システムの機能不全が助長されるという負の連鎖が生じることを指摘している。特に昨今では，SNSでの不確かな情報拡散や画像の流出，それを受けてマスコミからの取材や保護者からの問い合わせといった事態も生じうる。これらに対して事実確認が曖昧なままでの発言や誤解を招く表現をしてしまうと，原因探しや犯人追及，流言による二次被害が発生するおそれもある。学校が機能不全状態に陥り正確な情報収集や冷静な判断ができなくなることで，被害範囲が拡大してしまうといえる。

したがって，学校システムの機能不全や二次被害の拡大を防ぐために，迅速かつ適切な緊急時の対応が求められる。

Ⅱ．緊急支援とは

1．緊急支援の目的

緊急支援とは，「学校というコミュニティで起こった事件・事故によって生じた児童・生徒らのさまざまな反応に対して，学校自体がその事件・事故の直後から主体的に活動し学校本来の機能を回復するということに対する後方支援」と位置づけられている（向笠・林，2005）。緊急支援では，①個人のダメージの回復，ストレスやトラウマ反応の低減，PTSDの予防，②二次的な被害・事件・事故の発生を防ぐこと，③学校全体の機能を回復し日常性を取り戻すことが目的となる（小澤，2012）。つまり，緊急支援では個々が示す反応への支援だけでなく，学校組織全体が示す反応への支援も行われる。学校レベルの危機が生じた際の緊急支援では，教職員は生徒へのケアを行い，その教職員を配置されているスクールカウンセラーやスクールソーシャルワーカー等の専門職が支え，さらに外部から派遣された**緊急支援チーム**が教職員・専門職を支えるという構図となる（窪田，2005）。学校システムの機能回復という目標のもとに多職種が協働する緊急支援体制を敷き，危機からの早期回復を図っていくのである。

2．緊急時の対応における重要な点

①事件・事故後の対応

実際に事件・事故等が生じてしまった場合，素早く情報収集し，生徒の安全を確認することが最優先事項となる。そして職員会議を開き，教職員間での事実確認と情報共有および今後の対応について検討を行う。この際，事件・事故に続いて起こる生徒の反応，保護者の反応，地域からの原因追求，学校批判を予測したうえで対応を検討することが求められる。上地（2003），窪田（2005），文部科学省（2010）によると，実際に事件・事故後の対応として，一般的に以下のようなものが想定される。

1) 現場対応：校内で起こった事案の場合には，現場での応急処置や居合わせた子どもへの対応，外部からの問い合わせへの対応，警察との連携，報道への対応などさまざまな現場対応が求められる。
2) 保護者・遺族への対応：生徒が重症を負った場合や亡くなった場合には，保護者への対応として校長，担任が連絡窓口となり，教職員が訪問を行う。また事実の公表について保護者の意向を尊重し，どのように生徒や外部に伝えるのか確認を行う必要がある。
3) 報道：記者会見は2社以上の取材があった場合には開くつもりで準備を始める必要がある。
4) 保護者会：保護者会をすぐに開くつもりで準備を始める。
5) 学校再開の方針：事件・事故後の学校再開の方針が決まらないと，他の方針も決めにくくなるため，学校再開をいつにするのかの方針をまず立てておく必要がある。現場対応に追われ学校を休校にしがちであるが，学校が再開されるまで生徒は自宅で不安定な心理状態で過ごすこ

緊急支援チーム：主に心理専門職から構成される緊急時の臨時チームである。危機が生じると，学校は市町村教育委員会・教育事務所へ連絡をし，事態の報告を行う。連絡を受けた教育委員会や教育事務所では，緊急支援チームの派遣を行うかどうか協議がなされる。派遣が決定されると，臨床心理士会（都道府県によっては教育相談センター等）へ派遣要請がなされ，緊急支援チームが編成される。

とに留意が必要である。極力，学校の日常活動は早期に平常化させるのが望ましい。

　また緊急時の混乱の中，対応に追われていると，何のためにこのような対応を行なっているのかなど対応の本質を見失いがちになる。対応にあたっている教職員のほとんどが平静ではいられない状況下においては，対応の本質（目標）をしっかりと持っていないと混乱をさらに助長していくこととなる。危機状態を乗り切るためにも，イメージしやすい目標があるとよい。

②対応体制

　危機時には，平時の業務に加えて緊急時の対応を行わねばならない。加えて教職員自身も事件・事故に間接・直接的に巻き込まれた場合，動揺し混乱状態にあるだろう。そのため，学校組織内での冷静な判断の欠如，肉体的・精神的疲弊によるマンパワーの不足が生じやすい。学校内のみで抱えることなく，教育委員会からの人的サポートや，専門職，緊急支援チームと協力体制を作り対応に当たる必要がある。

　また学校内では，校長を中心として，管理職，養護教諭，関係する教職員等で危機対応チームを編成する。その際の重要な点は，以下のとおりである。

1) 適切なリーダーシップ：校長は，保護者への対応はもちろんだが，保護者会，記者会見などで自ら前面に立ち，陣頭指揮をとる。
2) 役割分担：危機時には校長など一部の管理職，当該担任，養護教諭等の負担が大きくなる。これらの教職員の負担を軽減しその役割に集中できるよう，各対応にあたる担当者を確保し役割分担することで混乱を小さくする。例えば，保護者への対応担当，報道への対応担当，生徒のケア担当，遺族への連絡担当などを置き，リーダー（校長）を頭にチームとして対応にあたる。

　これらの役割分担は平時に決めて備えておくことで，緊急時に急いで役割分担を行い漏れが出てしまう危険を防ぐことができるだろう。また，単純に校内分掌をあてるといざという時に機能しないことがあるため，適材適所を考慮し，あらかじめ代理も決めておくことが重要である。学校内での危機対応チーム，配置されているスクールカウンセラーやスクールソーシャルワーカー等の専門職，そして派遣された緊急支援チームが適宜情報を整理・共有し一体となって対応を行う。

III．学校に生じうる危機──中高生の自殺・自傷行為

1．学校教職員の体験から

　実際に学校現場では，どのような危機が生じるのであろうか。実際に教師が経験した学校危機としては，図1のような結果が得られている。これは，2000（平成12）年から2002（平成14）年にかけて実施された現職教職員294名（現職経験3年以上の20代後半〜50代前半の男女，小学校117名，中学校92名，高等学校85名）における，学校現場で経験した危機についてのアンケート調査結果である（上地，2003）。

　この調査結果からは，小中高共にいじめを受けている児童生徒の問題を経験した教職員が多い。小学校に比べて中学・高校で多く見られるのは生徒の暴力行為，アルコール・薬物の乱用，自殺未遂であることがわかる。また，数自体は少ないものの生徒の自殺を経験した教職員も小学校よりも中学・高校では多く見られている。自殺や自殺未遂（自傷行為含む）といった問題については，彼らと接する上でも理解しておく必要があるだろう。

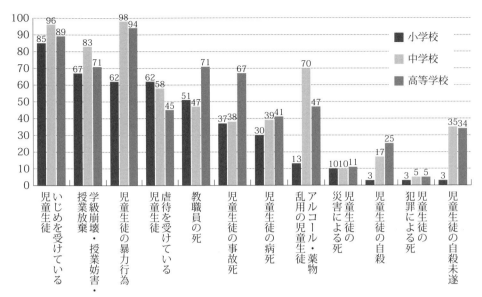

図1　教員が経験した危機の内容と割合（%）（上地，2003 を改変）

2．自殺と自傷行為

中高生と接する中で，自殺や自傷行為に遭遇することは少なからず存在する。生徒の自殺や自傷行為の問題は非常にデリケートであり，直面することはできれば避けたい・触れたくない話題であると感じるかもしれない。しかしこれらの問題をタブー視することで，いざ生徒から相談をされた際にどう扱ってよいか困惑し，不適切な対応をしてしまうかもしれない。まずは子どもと関わる大人が，自殺や自傷行為について知識を得ることが適切な対応につながるのだ。ここでは自殺や，自傷行為について述べる。

自傷行為：自らが行う，致死的でなく社会的には容認されない性質を持つ身体を害する行為，あるいは身体を醜くする行為（Walsh & Rosen, 1988）。

①自殺の実態

2022 年において，自殺は男女ともに 10 ～ 14 歳・15 ～ 19 歳の死因の第 1 位であった（表 3）。2019 年の人口動態統計までは，10 歳～ 14 歳の死因は悪性新生物が第 1 位で，自殺は第 2 位であった。しかし 2020 年の人口動態統計以降，10 歳～ 14 歳，15 歳～ 19 歳ともに自殺が最も多い死因となっている。図 2 からもわかるように，中学生・高校生の自殺者数は増加傾向にある。

渡辺・尾崎・松本（2015）は，自殺の危険因子として，以下の 7 点を挙げている。

1）性差：自殺既遂者は男＞女，希死念慮や自殺企図は女＞男。
2）過去の自殺企図歴。
3）精神疾患：うつ病，物質乱用，行為障害，不安障害，心的外傷後ストレス障害，摂食障害など。
4）自殺の致死的手段へのアクセスのしやすさ。
5）家族背景：家族の自殺歴，家族関係の不和，家族の精神病，虐待。
6）ライフイベント：いじめ，学校不適応，喪失体験。
7）群発自殺，メディアの影響

中学生・高校生の時期は，家族関係，友人関係，いじめ，学業不振や進路選択，性の問題など実に多様な問題に直面する。この時，周囲に安心して相談できる人がいなかったり，自分の悩みを見せることができなかったりし，一人で抱え込んでしまう場合がある。そして自殺以外の解決策はないという心理的視野狭窄状態に陥り，助けを求めることなく自殺という選択をしてしまうことになる。加えて，中学・高校にあたる思春期から青年期の時期は精神疾患の好発期であり内在化・外在化問題が生じてくる。うつ病や

表3 10歳～14歳，15歳～19歳の死因・死亡数（厚生労働省，2023より作成）

		第1位			第2位			第3位		
		死因	死亡数	死亡率	死因	死亡数	死亡率	死因	死亡数	死亡率
男子	10歳～14歳	自殺	62	2.3%	悪性新生物	46	1.7%	不慮の事故	21	0.8%
	15歳～19歳	自殺	383	13.8%	不慮の事故	162	5.8%	悪性新生物	68	2.4%
女子	10歳～14歳	自殺	57	2.2%	悪性新生物	38	1.5%	不慮の事故	13	0.5%
	15歳～19歳	自殺	279	10.6%	悪性新生物	56	2.1%	不慮の事故	34	1.3%
総数	10歳～14歳	自殺	119	2.3%	悪性新生物	84	1.6%	不慮の事故	34	0.6%
	15歳～19歳	自殺	662	12.2%	不慮の事故	196	3.6%	悪性新生物	124	2.3%

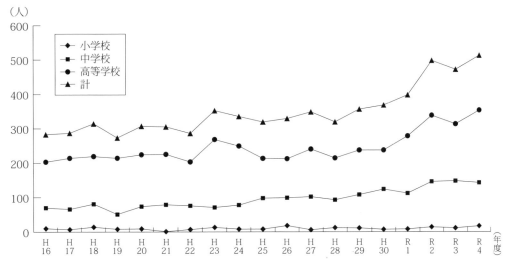

図2 小学生・中学生・高校生の自殺者数の推移（警察庁，2023）

アルコールなどの物質乱用，行為障害は自殺の大きな要因の一つとなる。さらに，著名人（特に若年層の著名人）の自殺報道による影響も受けやすい。WHOは自殺報道のガイドラインを示し，マスメディアに対して報道の仕方に注意を促している。しかし近年ではメディアでの報道以外にも，子どもたちがSNSを通して容易に情報を入手することが可能である。SNSでは真偽の曖昧な情報や自殺者のプライベートに言及する内容も存在し，その情報を見た子どもたちへ衝撃を与えやすい。自殺報道の受け取り方や，情報をどのように咀嚼をしていくかについても考えていく必要がある。

反対に，自殺を防ぐ保護因子としては，家族内でのコミュニケーションが多いことや家族からの心理的サポートがあること，学校との良好なつながりがあること，学業面での達成ができていることが挙げられる（渡辺・尾崎・松本，2015）。危険因子を減らし，保護因子を増やしていくことが自殺を予防するために求められる。

②自傷行為

我が国の自傷行為の生涯経験率は，8.0～14.3％におよび，その約半数に10回以上の自傷経験があるといわれている（Izutsu, Shimotsu, Matsumoto, et al., 2006；山口・松本，2005；松本，2011）。また，自傷行為の経験のある子どもは，経験のない子どもに比べ，飲酒や喫煙経験のある者が多いことが指摘されている（山口・松本，2005）。松本（2009）が養護教諭に実施した調査では，養護教諭全体の81.8％に自傷する児童生徒への対応経験が認められた。学校種別による比較では，有意差が認められている。対応経験者は，小学校（60.8％）に比べて高校（99.0％）と中学校（96.8％）に多く，中学校・高校において自傷行為は注意すべき問題であることが分かる。

自傷行為は，繰り返される傾向にある。そのため周囲からは「どうせ本気ではない」「注目してほしいからやっているのだ」と捉えられやすい。しかし，実際には一人の場所で自傷行為をしている者が多く，その理由も怒りや不安等の不快感情に対処するために行っている者が多い（松本，2011）。そのため，「やめなさい」と頭ごなしに制止するのではなく，自傷をせざるを得ない苦しみに目を向ける必要がある。特に，自傷行為は繰り返される中で次第に傷が深くなる傾向があり，死に至る危険もある。こうした危惧を生徒に伝えつつ，生徒が抱える悩みや不安を聴いていく姿勢が求められる。

3．プリベンションとポストベンション

生徒の自殺を少しでも予防するために，何ができるであろうか。また，自殺が起きてしまった後，どのような点に留意する必要があるのか。最後に自殺の予防（プリベンション）と事後対応（ポストベンション）について簡単に述べる。

①自殺予防教育

文部科学省（2014）は，「子供に伝えたい自殺予防（学校における自殺予防教育導入の手引き）」を示している。この手引きに従い，自殺予防教育の要点を述べる。

1）自殺予防教育にあたっての準備

生徒は一日の多くの時間を学校で過ごすため，教師は，生徒の日常行動の変化に気づき自殺の危険を早期に発見することができる一人である。教師の果たす役割は大きいことから，教師が生徒の自殺について知識を持っておく必要がある。

常時から研修会や専門家を交えた定期的な勉強会などを行い，自殺の要因やサイン，その予防方法について正しい知識を得るようにする。また，勉強会を通じて，生徒の自殺の危険を発見した時に，すぐに専門家に相談できる関係を築いておく。何より，十分な事前の話し合いを通して，教師自身が自殺をタブー視したり，軽視することがないよう死に対する自分の考えを明確にしておく。

2）自殺予防教育プログラム

プログラムの目標は，「早期の問題認識（心の健康）」と「援助希求的態度の育成」の2点である。「早期の問題認識（心の健康）」では，まず自殺の実態を生徒に知ってもらう。そのうえで，心の不調のサインや視野狭窄に陥って周りが見なくなってしまうこと，不調が続いた時の対処法について伝えていく。そして「援助希求的態度の育成」では，友人のSOSにどのように気づくのかや，友人から助けを求められた際にどのように関わればよいのかロールプレイをしながら体験的に知識を得ていく。その際，励ます対応や叱責する対応，傾聴する対応など多様な対応方法を体験し，相談者と被相談者が各対応によりどのように感じるのかを経験する。その経験を通して，友人が発したSOSへの求められる対応方法や相談者の気持ちについてクラスで理解を深めていく。この時，「自分の心が不調に陥った際にはどのように援助希求をするか」と，置き換えて考えることも重要である。相談者・被相談者の役割を演じる中で，誰にどのようにSOSサインを出せばよいのか，どのように相談すればよいかについても気づきを得られるとよい。最後に専門機関に関する情報提供を行い，知識・スキルの習得を通して自殺予防を図っていく。

3）プログラム実施の留意点

授業内で自殺予防教育を行う際には，教師－生徒間や生徒同士が安心してコミュニケーションを取ることができる学級集団であるのが前提となる。また実施にあたり，自殺念慮の高い生徒や自傷行為のみられる生徒，身近な人の自殺を経験している生徒，精神疾患のある生徒等，リスクの高い生徒への配慮が求められる。実施前に参加方法を本人

や保護者と確認し，当該生徒や周囲の生徒双方の精神的負担が少ない方法を検討しておく。そして実施後には，プログラムを受けた生徒全員に対してアンケートを実施する。この事後アンケートでは，相談したいことの有無やその相手，授業の感想について尋ね，悩みを抱えている生徒やプログラムを受け不安等を感じた生徒へのフォローを行う。アンケートを通して抽出された生徒には適宜，教職員・スクールカウンセラーによる個別面談を行い，必要に応じて専門機関につなげていく。

②ポストベンション

緊急支援により混乱状態は落ち着いたものの，その後も継続的に生徒や遺族へのケア（ポストベンション）は行っていく必要がある。特に，1）自殺を発見した生徒，現場を目撃した生徒，2）亡くなった生徒と関わりが深く，自殺の兆候に気づくことができなかった，止めることができなかったと強い自責感を抱く可能性のある生徒，3）いじめの加害者とされた生徒，4）もともとリスクの高い生徒，については特別な配慮が必要となる。遺された人がうつ病，不安障害，PTSDなどになり，専門的な治療が必要になることがある（高橋, 2004）。また，中高生においては**群発自殺**（後追い自殺）が生じやすいことからも，1）から4）の生徒については，担任や養護教諭，スクールカウンセラーが様子を見ながら配慮する必要があるだろう。

Ⅳ．おわりに

ここまで緊急支援についての概要，そして自殺について述べてきた。最初にも述べたが，もともと，個人や，家族や会社，学校等の組織や集団は，何か問題が生じても自分達で問題を解こうとする力を有している。緊急支援は，こうした学校が本来持っている力を活かした支援であることが望ましい。学校が主体となって問題解決に取り組んでいくことで，危機的な状況への一時的な対応だけではなく，その後のフォローや次なる危機への備えとつながり，学校システム自体の成長にもつながっていく。

> 群発自殺：自殺が生じた後に，複数の自殺が立て続けに起こること。青少年は特に群発自殺の危険群であり，強い絆のあった人の自殺や，影響力のある歌手や俳優の自殺がその後，複数の自殺を引き起こしたという報告もある（高橋, 2003）。

✏ ワーク（考えてみよう）

1．ある放課後，あなたが担任をしているクラスの生徒から「生きていても楽しいことも何もないので死にたい」と訴えられた。普段は明るく，友達も多い生徒だったのだが，ここ最近は表情が暗く一人でいることが多かったため気になっていた。このような生徒からの訴えがあった場合，あなたはどのような対応をするだろうか。

2．近年，従来の報道に加え，誰でも手軽に利用できるSNSによって，情報が瞬時に広がるようになった。そのため，学校で事件・事故が生じた場合，学校側が対応するより早く外部に情報が流出する事態も生じ，不確かな情報も瞬時にして広がる。ここ最近の，学校の事件・事故に対するメディアの報道のあり方やSNSでの拡散につい

てあなたはどのように考えるだろうか。

3．現在我が国では，十分な自殺予防教育が行われていないことが指摘されている。また，実践されていても，いのちの大切さを訴えかける道徳的な教育が多く，生徒が自分のこととして実感しにくいといった課題がある。あなたが中学生・高校生に対して自殺予防教育を行うのであればどのようなものを行うだろうか。また，どう工夫すれば，生徒が自分のこととして捉えることができるだろうか。考えてみよう。

✌ ワーク（事例）

■事例1
　中学2年生の男子生徒A君は，2年生になった4月から5月の間に3回の自殺企図を起こした。1回目と2回目はマンションの屋上に一人でいるところを発見され，3回目も同じマンションの屋上にいるところを教師に発見された。3回目に発見された時は，教師に見つかったことで動揺し飛び降りようとしたが，あやうく救出された。本人は固く口を閉ざした状態で何も言わなかった。
　その後，スクールカウンセラーにA君のカウンセリングを依頼した。後日父親が来談し，相談をすることとなった。父親は，A君は自殺企図が過ぎると，家では普通に過ごし，学校にも普通に通っているように見え，自殺などを起こしそうな気配は全くないように見えることを語った。そこでスクールカウンセラーは，外面上元気に振る舞うことで，A君の心の危機状態が周囲の大人に伝わらず，3回も繰り返す状態になっていると推測した。そのため，元気に見えるからといって学校に行くことを要求すると子どもはより過剰な方法をとって自分の思いを訴えようとするだろうこと，A君のつらい気持ちを分かりたいから休んでよいと伝えることを父親にお願いした。学校とスクールカウンセラーの間でも，学校を休ませることで4回目を起こさないようにする方針を確認した。そうすると，次第にA君の方から父親にぽつぽつと本音を話し始め，学校でからかいがあったことが分かってきた。
　その後，学校ではスクールカウンセラーによる父親面談と並行して，いじめがあったのではないかということを考慮して情報収集を行った。しかし，A君がいじめられていたという情報は得られなかった。そのため，いじめがあったかどうかの事実関係にはこだわらずに，A君が学校で辛い思いをしていた，という点に焦点をあててA君の気持ちを受け止める対応にした。
　そして，A君と父親との間に次第に本音で言い合える関係が築かれていく中で，ある日A君が自分から「学校に行く」と言い，父親と一緒に学校に行き担任の先生と話をした。担任の先生は，いじめや自殺企図の理由を聞いたり，学校に来ることを勧めるのではなく，「何か心配なことはないか」とA君を気遣った対応をした。A君も落ち着いて

受け答えができているようであった。その後，A君は学校に通うようになり，2学期3学期もなんとか自殺企図をすることなく通うようになった。（大河原（1998）を一部改編して引用）

解説：なぜ解決したのか？

　本事例が上手くいったのは，2点のポイントがある。

　まず1つ目は，スクールカウンセラーとの連携を行い，A君とその家族のサポートを行ったことである。A君の自殺企図が起こった時，大人はなぜそのようなことをしたのかを問いただしたり，あるいはまったく何もなかったかのように振る舞いがちである。しかし，A君の自殺企図を受け（しかも3回も続いていたことから），A君だけではなく，その家族も含めてのサポートをしようとなったことで，父親が問題解決にあたって大きな資源として働くこととなった。生徒にとって家族から受ける影響は大きく，またそれゆえに家族からのサポートも生徒自身にとって非常に大きな力となる。学校がA君に対して個人的なアプローチを行っただけでは，A君と学校の関係はあまり良いものではなく，A君の本音が出てくることはなかったかもしれない。なぜなら，A君個人に対してのみアプローチを行なうということは，A君の自殺をA君個人の問題として捉えてA君自身を改めようとするということである。一方で，A君を含む家族に対してアプローチを行なうということは，家族や学校などのA君を取り巻くさまざまな関係性の中で「自殺」という現象が生じてしまったという見方である。そして，この上手くいっていない状態を解決しようという見方で，A君の自殺を見ることだといえる。教職員がA君とその家族を相手にすることは時間的にも大変なことであるが，スクールカウンセラーと連携することで家族へのアプローチを行ない，A君を非難することのないサポートを行なうことができた。

　2つ目は，学校側がA君のいじめの事実確認や自殺企図の理由を問いただすのではなく，A君が辛い思いをしているという視点に立って，A君に配慮する対応を行ったことである。A君の自殺企図の原因探しをしてもはっきりした原因が分からなかったとき，A君が嘘をついている，あるいは他者の興味を引くために自殺企図をしたという考えに陥る可能性もある。しかし，A君が3回も自殺企図をせざるを得なかったというA君の立場に立ち，その辛さに焦点をあてた。それだけでも，A君の学校への信頼感は大きく変わってくるだろう。

　このように本事例は，スクールカウンセラーと連携を図りながらA君の自殺に対応した。A君の家族へのアプローチを行なう中でA君の辛さに寄り添い，それによって学校とA君との信頼関係が築かれていくことで，自殺企図の消滅，また少しずつ学校へ行けるようになったのではないかと考えられる。

■**事例2**

　東日本大震災後，被災したA高校では，生徒が心に深い傷を負っているのではないか，本当は辛い思いをしているのではないか等の気がかりがあり，生徒への対応に頭を抱えていた。そこで，新学期が始まる前にスクールカウンセラーと養護教諭に，生徒の心のケアに関する教職員向けのリーフレットを作成してもらい，生徒が示すストレス反応やその反応に対する対応方法の理解に努めた。また研修会を行い，教職員全体で，震災後の生徒対応への理解を深めた。

　そして生徒の登校初日には，震災後のストレス反応についての解説や対処法などを載せたお便りを配布し，辛い状況にある生徒への配慮とともに，個々人の回復力を促し日

常生活を取り戻すためのサポートを行った。さらに，4月中に全校生徒に対して「心と体のアンケート」(ストレス反応の調査)を実施した。このアンケートは，自己採点方式で，得点とその解説をみて生徒自身が自分の状態を把握でき，対処法も解説してあるため自分で対処できるようになっていた。

4月末には各担任が生徒に対して心のケアや学習・生活全般に関する個人面談を実施した。加えて，アンケートの得点が高かった生徒には，担任からカウンセリングを勧め，丁寧な対応を行った。また，県内外の特に被害が大きかった地域から転入してきた生徒については学年で情報共有し，いつでもカウンセリングにつなげることのできる体制を整えた。

そして，半年後にも再度アンケートを全校生徒に実施し，そのアンケートの得点が依然として高い生徒や，得点が増した生徒に対しては，スクールカウンセラーと相談しながら担任が中心となって対応していく体制を整えた。

こうして，学校システム全体で惨事ストレスに対する態勢が作られ，生徒達に対して対応できる機能を持つことができた。(板倉・高野(2012)を一部改編して引用)

解説：なぜ解決したのか？

本事例のように学校システム全体で惨事ストレスに対応する態勢が上手く作られたのは，以下の3点のポイントがある。

まず1つ目は，教職員全体で，惨事ストレスについての理解を図ったことである。震災などの惨事を経験した後では，大人は子どもの心を詮索しようとし，問題視しがちになる。大人が子どもの行動について問題視し，過敏になることで子どもも落ち着かなくなり，より一層大人は子どもの行動に過敏になってしまうという悪循環が生まれがちである。しかし，事前に子どもに生じる反応(特に，それらの反応が非常時の自然な反応であること)を理解しておくことで，子どもの行動一つひとつを問題視することなく，落ち着いて子どもの様子を見守ることができる。

また，今回のように多くの生徒に惨事ストレスの反応が生じることが予想される場合，一人ひとりとゆっくりと話をして対応するということは難しくなる。そのため，一斉に周知できるリーフレットを活用した心理教育や，一斉に実施できる自己記入式のアンケートによって生徒の心身状態を知ることは非常に有効な方法である。これが2つ目のポイントといえよう。そのアンケートをもとに担任も生徒と面談をすることができるため，生徒の状態を把握しやすい。またストレスの高そうな生徒を発見することもしやすくなり，特に配慮の必要な生徒に対してはカウンセリングなどにつなげやすい。

そして，3つ目のポイントは，教職員が中心となって生徒への対応にあたったことである。生徒のストレス反応や心の状態について，教職員が理解を図り，基本的に担任が中心となっていくことで，学校システムが本来持っている力が損なわれることなく，緊急支援が行われたのではないかと考える。「心のケア」に関するものを全て専門家に任せてしまっても，生徒の普段の様子が分からず，あまり意味をなさないだろう。しかし，学校の教職員が中心となって対応し，必要があればより専門的な場合にカウンセリングにつなぐというように連携することで，互いの利点を生かしながら生徒をサポートしていくことができるといえる。

この3点によって，しっかりと支援態勢が作られたことで，学校システムとして惨事ストレスに対処していくことができたのではないかと考えられる。

参考・引用文献

Caplan, G.（1961）. *An Approach to Community Mental Health.* Crune & Stratton.（山本和郎（訳）　加藤正明（監修）(1968). 地域精神衛生の理論と実際　医学書院）

板倉憲政・高野仁美 (2012). 学校・震災ソリューション・バンク：震災時にみられた学校システムの力　子どもの心と学校臨床（特集：大震災・子どもたちへの中長期的支援：皆の知恵を集めるソリューション・バンク），6, 38-46.

Izutsu, T., Shimotsu, S., Matsumoto, T., Okada, T., Kikuchi, A., Kojimoto, M., Noguchi, H., & Yoshikawa, K. (2006). Deliberate self-harm and childhood hyperactivity in junior high school students. *European Child & Adolescent Psychiatry*, 15 (3). 172-176.

警察庁　自殺者数　https://www.npa.go.jp/publications/statistics/safetylife/jisatsu.html（2023年9月20日閲覧）

厚生労働省 (2023). 令和4年（2022）人口動態統計月報年計（概数）の概況　https://www.mhlw.go.jp/toukei/saikin/hw/jinkou/geppo/nengai22/dl/gaikyouR4.pdf（2023年9月20日閲覧）

窪田由紀 (2005). 第1章学校コミュニティの危機・第2章緊急支援とは　福岡県臨床心理士会（編）　学校コミュニティへの緊急支援の手引き　金剛出版，pp.22-76.

松本俊彦 (2009). 自傷行為の理解と援助―「故意に自分の健康を害する」若者たち　日本評論社

松本俊彦 (2011). アディクションとしての自傷―「故意に自分の健康を害する」行動の精神病理　星和書店

文部科学省 (2010). 子どもの自殺が起きたときの緊急対応の手引き　http://www.mext.go.jp/component/a_menu/education/detail/__icsFiles/afieldfile/2016/11/11/1304244_01.pdf（2023年9月20日閲覧）

文部科学省　児童生徒の自殺予防に関する調査研究協力者会議 (2014). 子供に伝えたい自殺予防　学校における自殺予防教育導入の手引　https://www.mext.go.jp/a_menu/shotou/seitoshidou/__icsFiles/afieldfile/2018/08/13/1408017_002.pdf（2023年9月20日閲覧）

大河原美以 (1998). そぶりを見せずに自殺企図をくりかえす中学生事例への危機介入　カウンセリング研究，31 (2). 142-152.

小澤康司 (2012). 学校における緊急支援の経験から―準備・初期・中長期の支援概要　子どもの心と学校臨床（特集：大震災・子どもたちへの中長期的支援：皆の知恵を集めるソリューション・バンク），6, 12-19.

向笠章子・林幹男 (2005). 序論取り組みの経緯　緊急支援の手引きができるまで　福岡県臨床心理士会（編）　学校コミュニティへの緊急支援の手引き　金剛出版，pp.13-21.

髙橋祥友 (2003). 青少年の自殺予防に対する一提言　保健医療科学，52 (4). 326-331.

髙橋祥友 (2004). 青少年の自殺予防―とくに postvention に焦点を当てて　小児保健研究，63 (2). 194-197.

上地安昭 (2003). 教師のための学校危機対応実践マニュアル　金子書房

Walsh, B. W. & Rosen, P. M. (1988). *Self-mutilation: Theory, Research, and Treatment.* Guilford.（松本俊彦・山口亜希子訳 (2005). 自傷行為：実証的研究と治療方針　金剛出版）

渡辺由香・尾崎仁・松本英夫 (2015). 子どもの自殺　児童青年精神医学とその近接領域，56 (2). 137-147.

山口亜希子・松本俊彦 (2005). 女子高校生における自傷行為―喫煙・飲酒・ピアス，過食傾向との関係　精神医学，47, 515-522.

コラム ❖ column

放課後の居場所づくり

岩本脩平・花田里欧子

　放課後に全ての子どもたちが安心して，多様な学習・体験活動ができるよう，地域全体で取り組んでいくことが重要である。文部科学省では，多様な経験や技能を持つ地域の人材や企業と学校が連携・協働する取り組みを支援しており，平成29年度は，公立小・中・高等学校のうち約12,423校で土曜日を活用した教育活動を実施した。また，経済的理由や家庭の事情から，自宅での学習が困難であったり，学習習慣が十分に身についていなかったりする中学生，高校生等に対して，地域住民の協力等による原則無料の学習支援（地域未来塾）を推進しており，平成29年度は全国約2,813カ所で実施した。その他にも，関係省庁が関係団体と連携して，環境学習や自然体験，文化・スポーツ等の体験活動が地域で展開されるように取り組みを行っている。全国28施設の国立青少年教育施設では，心身の健全育成を目標とした活動体験などの機会を提供しており，平成28年度は約508万人に利用されている（内閣府，2018）。

　通学範囲が広範にわたる私立学校でも，独自の居場所作りが行われている。通学距離の短い生徒であれば地域活動に参加することも可能だが，遠方から通学する生徒は，クラブ活動や図書室等，学校内にある組織や空間に居場所を見つけなければならない。しかし，全ての生徒がクラブ活動や読書に一途に打ち込めるわけではない。ただのんびりと放課後の時間を過ごしたいのだが，教室に居場所がないという生徒がいることも事実であろう。こうした生徒に対して，どのような場を提供できるであろうか。

　例えば私の勤務する私立中学校には「サポートセンター」という部屋がある。もともとは，登校支援やSSTが必要な生徒への働きかけを行うための部屋だったが，生徒状況を考慮して一般の生徒にも開放するようになった。サポートセンターを休み時間の息抜き目的で利用する生徒もいれば，別室登校の部屋として利用する生徒もいる。複数人で過ごしたい時はソファやテーブルなどのオープンスペースを利用し，静かに過ごしたい時はカーテンで仕切られた個室に入り，自分の時間を過ごすことができるよう空間には構造的な工夫を施している。また，生徒の登校から下校まで，臨床心理士・公認心理師のスタッフが常駐していることも大きな特徴の一つである。スタッフは生徒の話し相手になったり，学習支援を行ったり，必要に応じてSCに相談をつなぐなど，生徒の生活場面に接近して適切と考えられる支援につなげていく。サポートセンターに息抜きに来たある生徒は，「私この部屋大好き。はっきりとは言えないけれど，なぜかここに来ると安心する」と話してくれた。クラブ活動や自主学習等，主体的な活動を行う場合とは異なり，ただ友人と談笑しながら放課後を過ごすという状況は周囲から評価されにくいものである。しかし，自身の存在が認められる感覚とは，「肯定される」よりも，「否定されない」ことを経験し続けることだと言われている（本間，2006）。この生徒は，放課後の時間をのんびり過ごしていることを咎められず，大人に見守られながら過ごすことで安心感を得ていたのかもしれない。このような部屋の運営は，一部の私立学校で見られる。

　行政や地域，民間がそれぞれに生徒を受け入れる場所を拡充している。障害を抱える子どもたちの居場所としての放課後等デイサービスも，平成31年3月段階で13,268事業所と，ますます広がりを見せている（厚生労働省，2019）。各自の個性に応じた場所を子ども自身が選びとり，自分なりの居場所を見つけられる社会でありたい。

参考・引用文献
本間友巳 (2006). 居場所とは何か―不登校・ひきこもり支援への視座　忠井俊明・本間友巳（編）不登校・ひきこもりと居場所　ミネルヴァ書房　pp.2-25.
厚生労働省 (2019) 障害福祉サービス等の利用状況について　https://www.mhlw.go.jp/content/0106_01.PDF (2019年10月10日閲覧)
内閣府 (2018). 平成30年度版子ども・若者白書

第10章

学校組織と関係機関・家庭との連携

三谷聖也・奥野雅子・生田倫子

I．学校が関係機関と連携する上でのポイント

　学校が関係機関と連携するのは，いったいどんな場面であろうか？　具体例をあげて考えてみたい。例えば，精神疾患が疑われ，保健室やカウンセリングでの支援が困難になってきたため，医療機関を紹介し，向精神薬の処方により学校生活ができるまで回復した事例が挙げられる。また保護者の養育能力が乏しくネグレクトの環境で育った生徒が，児童相談所による家族関係調整によって祖父母の協力を得て学校再開が実現するような事例もある。家庭や学校での指導の範囲を超え，反社会的問題を繰り返す生徒について，少年院などの矯正機関や保護司の力を借りて社会復帰を目指すという事例なども挙げられる。これらの事例から学校が関係機関と連携するケースを考えてみると，それはこれまでの個人の努力，家庭の力，学校の指導力で対応を試みてきたが，それにもかかわらず対応が困難な事例について，学校の外側の力を借りながら解決を目指すことであると言えるだろう。さらに学校が関係機関と連携しようとする状況を「システム理論」を基に説明をするならば，「学校」と「学校外の関係機関」をプラスした「より大きなシステム」に含まれる人々が協働して，問題の解決を図ろうとすることを意味する。ただし，その「より大きなシステム」が本当の意味で機能するには，いくつかのポイントがあるともいえる。

　1つ目のポイントは，連携する前に専門性の違いを知っておくということである。教員は教育の専門家であるが，連携をする相手は教育とは異なる専門性を有する専門家である。このことから，連携する前に専門性の違いをよく知っておくことが必要である。専門性の違いとは，職業意識の違いでもあることから，問題を捉える枠組みや支援の方法が異なることを意味し，問題への向き合い方のレベルの違いがさまざまな誤解を生むこともあるということである。例えば，非行の問題に対しては，教員は子どもの成長可能性を信じ成長発達モデルの枠組みで捉えるが，警察では刑法（少年法）に抵触するかあるいは補導の対象となりうる行為であるか否かを基準に考える。一方，精神科医は反社会的行為の背後にある精神疾患の可能性を疑い，治療の対象かどうかを基準に考えるのである。学校では対応困難な問題行動をする生徒であったとしても，法律に抵触せず，治療の対象でもなければ，その大変さに一定の理解を示してくれることはあったとしても，警察や医療は関わることさえできない立場にあるのである。つまり単なる職業意識の違いを，非協力的な担当者であると個人のパーソナリティの問題に帰属してしまい，連携がうまく行かなくなってしまうことは避けなければならない。

　2つ目は他機関への要請や情報提供の仕方に細心の注意を払うということである。ここで重要な姿勢は外部にまるきりお任せ（丸投げ）するというスタンスではなく，学校が外部の関係機関の力を一時的に借りながらも，最終的には学校内で対応可能な問題レベルにまで回復できるようになることを目指すというスタンスである。

　連携をするうえでは，この部分まで学校では対応したけれど，この部分について指導

や支援の範疇を超えるので，力を貸して欲しいと依頼する姿勢が何より重要となってくる。連携するには関係機関の専門性はもちろんのこと，その機関が対象としうる範囲やその限界をよく知っていることも重要となる。例えば中学生や高校生は年齢でいうと12歳〜18歳の範囲に該当するが，年齢の違いによって紹介できる関係機関も変わってくることも知っておかなければならない。これは児童福祉法や少年法という法律の定めによるものである。

　また，協力を要請する関係機関がその問題解決にとってふさわしい相手なのかを知っておくことも重要である。相談すべき相手を間違えると連携がうまくいかないことがあるからである。例えば，精神科を受診すべき症状のレベルであるにも関わらずカウンセリングでの対応を求めてしまうような場合や，警察や児童相談所に相談すべき危機介入が生じているにもかかわらず，医療機関につなげようとしてしまっているような場合がそれである。このような場合，そもそもの窓口が異なるため連携に消極的なのが当然であるが，学校側は相手を非協力的な関係機関だと思いがちである。連携がうまく行かなかった場合には，相談や紹介をすべき窓口が本当に適切であったかを振り返ってみることも大切である。

　3つ目は，関係機関が連携の機会を作ってくれることは当たり前ではなく連携は困難な営みであるという前提を持っておくということである。とくに連携を必要とするようなケースに限って困難事例であることが多いからである。そもそも連携を必要とするケースとは，単独の組織では対応困難であるからこそ，外部の連携を必要としているのである。すなわちどの機関でも単独では対応に苦慮してしまうケースだということを忘れてはならない。陥りやすい失敗例は，紹介後にうまく問題解決ができなかった場合に，学校は紹介先の対応に不備があったと不満を持ち，一方紹介先は紹介元の学校のこれまでの対応が不十分であったからだというような不満を持つといった，お互いがお互いを責め合う構図ができあがってしまうということである。さらにそのような対立の構図は，その後の組織間の良好な連携をも妨げてしまうという問題を生むかもしれない。

　すなわち連携をスムーズにしていくには，困難なケースほど，紹介先の関係機関と密に連携をし，紹介後も丁寧に情報共有をし続けるということが必要となる。異なる専門性を有する人々が理解し合い協働していくことは，困難で一筋縄にはいかない営みであるということをあらかじめ知っているということが重要なのである。

　4つ目は，一から新たな連携を作ろうと労する前に，すでにこれまで連携をしてきた相手はないかを丹念に調べるという作業が重要である。学校には伝統があり，地域に開かれた学校であれば，必ず連携の歴史があるのである。そのような学校がこれまで「ごひいき」にしてきた関係機関を活用しない手はない。例えば既存の連絡会や協定が結ばれている場合も少なくないのである。一から新たな連携を作ろうとする前に，すでにあるつながりを生かしていくこと，そしてもしその機能が失われていたら再活性化を試みるという方法を考えてみることも望ましい。

　これまで述べてきたように，各関係機関とよりスムーズに対応していくには，それぞれの機関がどのような組織なのかを理解しておく必要があると言える。以降は，「医療機関」「警察」「児童相談所」「児童福祉施設」「矯正機関」「その他の機関」の順に，それぞれがどのような組織であり，連携する上でとりわけどのようなポイントに気を付けるべきかをまとめてみることとする。

II．各関係機関との連携について

1．医療機関

　生徒が何らかの病気や障害を抱えている可能性を教師が疑った場合，教師は養護教諭やスクールカウンセラーと相談し受診を提案することが求められる。この場合の医療機関としては病院やクリニック，**精神保健福祉センター**などがある。また，すでに医療機関を受診して治療中の場合，中学校は医療機関と情報交換を行い連携することで支援の効果を向上させることができる。そこで，中学校と医療機関との連携については，生徒が医療機関に関わり始める時期と，治療を継続していく期間との2つの時期を取り上げ説明する。

> 精神保健福祉センター：各県，政令市には，ほぼ1カ所ずつ設置され，精神保健福祉に関する相談の窓口を持つ公の相談機関。

①病院の受診につなげる

　教員が生徒の病気や障害を疑い，それらのために中学校生活を送るうえで何らかの困難をきたしていると見立てた場合，本人や保護者に対して病院の受診を勧める必要がある。このとき，本人や保護者は症状に気づいていないか，あるいは気づいていても治療を受けるほどでもないと判断しているときがあるため，教員は病院の受診が必要であることを伝えなければならない。このとき，「教員の手に負えないので病院に行って欲しい」というニュアンスを本人や保護者が誤って受け取ることがあるため，伝え方には充分配慮すべきである。「中学校でより可能な支援をさらに遂行するために専門家の見解が欲しい」ことを丁寧に話すべきである。しかし，決して無理強いせず，タイミングをみて病院についての情報提供を行うことが望ましい。また，養護教諭やスクールカウンセラーの立場から病院を勧めてもらうこともできるので，誰が勧めるほうがスムーズかについて学校内で相談した上で行うことで病院の受診につなげられる。

　中学校から医療機関への紹介状が必要になる場合もあるかもしれない。この紹介状は公的文書になるため，校長の許可を得て校長名で作成することになる。生徒や保護者の目に触れることも考慮して書くべきであり，むしろ，あらかじめ保護者に確認してもらってから封をするというのもよいだろう。紹介状の例を図1に示す。

②病院やクリニックとの連携

　生徒がすでに病院やクリニックを受診しており，病気や障害があることを保護者から教師に伝えられている場合，その生徒を学校で指導する際に配慮しなければならない。そこで教師は配慮のあり方や具体的な対応の方法について，専門家である医師の意見を

紹介状

○年○月○日
○○病院　○○○○先生

児童氏名（○○小学校○年・性別）につきまして，ご診察いただけますようお願いいたします。
本児童は，○年○月頃より……………………という状態です。
本児については以下のような点が気になっております。
　1）………………………
　2）………………………
付記と致しまして，………………………（他の病院の来歴などがあれば記入）

どうぞよろしくお願いいたします。

　　　　　　　　　　　　　　　　　　　　　　　　○○小学校　校長○○　　署名　（印）

図1　紹介状（花田, 2003；福島, 2008；久保, 2009参照）

訊く必要性が生じることがある。これは喘息をはじめとする重度のアレルギー症状などの身体疾患と，心の問題などを含む**精神疾患**，また，てんかんや**発達障害**の要因とされる**脳機能疾患**のいずれの場合でもありうる。

　病気や障害を抱える生徒への配慮や対応のあり方について，まずは保護者と相談することが優先である。しかし，その対応がうまくいかない場合，教師が適切な関わり方について主治医に意見を求めるために連絡を取ることが必要になる。一方，医療機関は守秘義務があるため患者の情報を開示できない立場にある。そこで，医師と連絡を取ることを必ず生徒とその保護者の了承を得ておく必要があり，事前に保護者から医療機関に学校教員から連絡が入ることを伝えてもらっておくといいだろう。もし，教師が病院を直接訪問して医師に相談する場合には，担任のみではなく複数の教員で行うことが望ましい。養護教諭や教育相談担当や**特別支援コーディネーター**の役割を担う教員，症状が深刻であれば管理職の教員にも同行を依頼することができる。医師の見解を聞いた後，保護者と再度情報共有を行い，学校側でできる配慮や環境づくりを学校全体で行っていくことが大切である。

　筆者がスクールカウンセラーとして関わっていた中学校において，不登校生徒本人への対応に担任が困難を感じ，医療機関と連携したケースがある。中学校1年より他者と関わることが不得意だったA君は2年生になってから奇妙な行動を始めた。ぶつぶつ独り言をしゃべっていることが多くなり，作文には「宇宙人が攻めてくる」といった非現実なことを書いて先生を驚かした。また，何かを警戒するように廊下の端っこを不自然な姿勢で歩き，他の生徒もA君に違和感をいだき関わりづらくなってしまった。夏休み前に担任はA君への関わりに迷い，スクールカウンセラーにA君のことを話したが，A君はとうとう夏休み明けから学校を休み始めた。保護者や教師がいくら学校に来るように励ましてもA君は断固として学校に行かなかった。保護者は焦ってA君を病院に受診させた。そこで医師はA君を「**統合失調症の疑い**」と診断し投薬治療を開始することになったと母親から連絡を受けたが，母親は納得がいかない様子であった。学校でも対応に困ったため，スクールカウンセラーと相談のうえ，保護者の了承を得て，担任，養護教諭，学年主任の3名で医師のもとに意見を聞きに行った。その結果，A君は幻覚幻聴があるため，投薬治療と休養が必要であることを医師からアドバイスされた。そこで，教師とスクールカウンセラー，保護者が相談してしばらくはA君を治療に専念させることにして，担任は定期的に保護者と連絡を取りA君の様子を聞くことにした。A君の症状も良くなり落ち着き始めた頃に，担任が家庭訪問に行った。その後，担任はA君に会えるようになり，スクールカウンセラーも紹介することができた。A君はスクールカウンセラーのサポートを受けながら，3年生の後期から少しずつ学校に行けるようになった。高校受験に向けても無理しないで少しずつ準備し，高校に進学した。このように，医療機関との連携によって適切な初期対応をすることができ，必要である治療や休養をきちんと行ったうえで学校に復帰することができた。このケースからも連携の有効性が示される。

2．警察

　中学生，高校生に関する問題で警察と学校が連携するケースの多くは非行の問題であると言えるだろう。学校の外で起こった少年事件の**触法少年**（14歳未満）や**犯罪少年**（14歳以上〜20歳未満）は，その発見をもって警察から家庭へと連絡が入り，それを契機として事後的に学校が関わることになる場合がほとんどである。これは学校と警察が連携をしようとしてスタートする関わりではなく，問題を契機として事後的に関係が始ま

精神疾患：心の病気の総称。遺伝的要因とストレスなどの環境的要因が関与すると言われている。

発達障害：生徒指導提要（改訂版）p.268　発達障害

脳機能疾患：病気や事故によって脳の機能に障害が起きたために起こる病気。

特別支援コーディネーター：発達障害者の特別支援をするための教育機関や医療機関への連携，家族などへの相談窓口を行う専門職を担う教員のこと。

統合失調症：自我が統合されなくなるという病気。認知や思考の障害，妄想や幻覚などの多様な症状を呈する。

触法少年：14歳に満たないで刑罰法令に触れる行為をした少年。

犯罪少年：罪を犯した少年。少年法の対象となり，家庭裁判所の審判を受け，処遇が決定する。

ると言ってよいだろう。学校と警察の連携は，当該問題への対処ということはもちろんであるが，二次的・三次的な被害・加害を繰り返さないためにも重要なことである。例えば非行事実が全くの単独の犯行の場合もあるが，少年たちがグループとして犯行に関与しているような場合も少なくない。そのようなときはグループ内の他の少年も同様の犯行をしている可能性や，仲間ぐるみで証拠の隠滅や情報操作などが加えられることもあるかもしれない。すなわち警察と学校との連携は，トラブルが起きたときの速やかな情報共有に加え，二次的・三次的な被害・加害の発生の防止にもつながるのである。

　警察では，万引きなどの比較的軽微とされる犯罪でかつ初犯の場合，警察署で身柄の引取人として主に保護者が呼ばれて厳重注意がなされ自宅に帰される場合がほとんどである。覚えておきたいのは大抵の場合，この段階で触法行為や犯罪行為が収まる場合が多いということである。単純に適切な指導を誰からも受けていない場合には，指導をすることがシンプルかつ効果的な介入となる場合があることを忘れてはならない。しかしながら再三にわたって犯行が繰り返されるような場合には，家庭の機能に課題があるとして，児童相談所（14歳未満）への通告や，家庭裁判所送致（14歳〜20歳未満）がなされることがある。このレベルになると学校としては生徒が家庭や学校などの地域社会から離れて遠くの世界に行ってしまうような印象を覚えるが，一定期間を経て地域社会に戻る段階で，ふたたび学校や家庭というコミュニティとの連携が始まることを覚えておきたい。

家庭裁判所：家庭に関する事件の審判および調停，少年の保護事件の審判などの権限を有する裁判所。

　次に学校内でのトラブルに警察が介入する場合について考えてみたい。すなわち学校管理下で起こった事件の場合には，警察が学校に入ることも少なくない。注意すべきは，生徒が事情聴取の対象となる場合があり，可能な限り生徒が慣れ親しんだ場所や安心できる関係者の立ち合いのもとに実施できるような配慮を要請することが求められる（窪田ら，2005）。

　学校側から警察の積極的な関与を依頼するような場合には，ときに警察の対応にもどかしさを覚えることもあるかもしれないが，適切に動いてもらうためには警察が必要とする情報を警察に伝わる言葉で伝えることが大切である。具体的には，事件性があるという前提で，いつ，どこで，誰が，どのような行為をして，それを誰がどのような状況で目撃し，その事柄を放置すると周囲にどのような危険性が及ぶかなどの正確な情報が何より必要となってくる。教員が日頃つけている日誌などに客観的な情報を書き込む習慣をつけていくことも，いざというときの助けとなるだろう。

　また既存のつながりとして，学校警察連絡制度の利用や，学校と警察署の橋渡しをする役割を有するスクールサポーターなどの社会資源の活用も期待される。

3．児童相談所

　上記の少年事件の一部で警察から児童通告書によって通告を受けたケースは，児童相談所への通所が促される。年齢14歳未満ということは中学校1年生と2年生の一部が対象となる。触法少年として児童相談所に通告されると，その少年と家族には通所が義務づけられ一定期間の面談指導が行われる。通告後は今後の適切な処遇を検討するために客観的な情報を収集すべく，生徒の所属学校に学校生活における少年の振る舞いや成績，交友関係などが尋ねられる場合がある。児童福祉司や児童心理司が学校を訪問することもあれば，児童相談所への来所の要請があるなど連携の仕方はさまざまである。なお，14歳以上の生徒に関しては家庭裁判所への送致が実施される。

　児童相談所では上記のような非行相談のほかに養護相談（虐待）保健相談，障害相談，育成相談など多様な問題について，多様な専門性を持つ職員が対応している。一部は一

般の行政職が対応している場合もある。意外と知られていないことであるが児童相談所には行政教員という立場で「教員」が勤務している（ただし地域による）。このことは学校との連携においては強みとなるだろう。彼らは一時保護所入所児童への教育のほか，学校との橋渡しのケースワーク的な機能を担うことがある。

　以降は生命に関わる虐待対応について学校と児童相談所の連携はいかにあるべきかを考えてみたい。学校で生徒の教育相談に携わっていると，ときに生徒の悩みの背景に虐待の問題が絡んでいることに行きつく場合がある。そのようなときに，まずは学内での情報共有をするということが第一ステップである。市民には通報の義務があり匿名による通報も認められているが，学校から通報する場合にはその後の連携を視野に入れ，管理職判断を経て実施されることが望ましい。匿名の虐待通報ではその後の連携に関する情報が不足するからである。校内での情報共有は簡単なように見えて意外と難しい。それは虐待であるかどうかの判断について教員間での認識の違いがあるからである。重要なのは共有可能な客観的な事実を積み重ねるということである。根拠に乏しいまま感情的に訴えかけることは得策とは言えない。例えば児童相談所のパンフレットを用いて虐待が疑われるサインと生徒の様子が合致している事実を示すことによって，通報につながったケースもある。また通報したことによって家族と学校との関係が悪化してしまうのではないかと恐れてしまうあまり，通報を躊躇してしまう場合もあるが，そのようなときには通報に伴う不安をも含めて通報することが，児童相談所が慎重な介入を実行するうえでのヒントとなる場合があるのである。このように考えると，虐待の早期発見がなされる場所は学校である場合が多いのであり，教員としては「学校は虐待対応の最前線である」という認識をもって臨みたい。ただし，中学生や高校生の発達段階に達している生徒で，よほど生命の危機に直結しないような場合には，児童相談所の対応は消極的に感じられることもしばしばあるので，連携に際しては注意をしておきたい。

4．児童養護施設

　児童養護施設とは，保護者のない児童，虐待されている児童，その他環境上養護を要する児童を入所させて養護し，あわせてその自立を支援することを目的とする施設であると定義されている（児童福祉法第41条）。年齢上限は原則18歳（最長22歳）までとなっていたが，ケアリーバー（保護を離れた人）への支援を手厚くする目的で，2022年6月の改正児童福祉法により撤廃された（児童福祉法等の一部を改正する法律）。

　児童養護施設は基本的には社会的な「家庭」であり，施設職員は子ども達の生活関係・社会関係の形成に努めながら，年齢に応じた「生活の自立」を目指していく。また，子ども達の情緒的安定を図りながら，あわせて「家族関係の改善・修復等」に向けて支援していくことが要請されている。

　近年の傾向としては被虐待児の増加があげられる。また児童養護施設には子どもと家族をつなぐ機能である「家族調整機能」が求められるようになり，「家庭支援専門相談員（ファミリーコーディネーター）」が配置され，いわゆる"親代わり"役割のみならず"家庭に戻す"役割も期待されるようになっている。

　被虐待経験がある子どもは，小学生であれば，暴力傾向や，落ち着きのなさを含む不安定さ，愛着障害，また中学校では，メンタルヘルスに関する諸問題や非行行動が噴出することがある。児童養護施設を学区内に置く中学校もまた，同様に難易度の高い対応スキルを求められることから，学校と施設との連携が重要となる。

　○学校と施設の連携に関する注意点

1点目として，「児童養護施設の子＝かわいそうな子」とステレオタイプに当てはめないことを切にお願いしたい。施設の子どもは確かに複雑な境遇かもしれないが，一緒に暮らす他の子ども達も同様であるため，施設の中では自らの境遇を意識しないことが多い。逆に，学校などで気を遣われることによって，「かわいそうな境遇と同情されること」に傷ついたり，「心に闇を持つキャラ」が確立してしまう。叱らなければならない時には，特別視せず通常の枠組みの中で対応することが望ましい。

2点目として，被虐待経験がある子どもは先に述べたように問題行動を起こすなど特別な対応が必要な「ことがある」が，問題を起こさず周囲にも適応している子どもも多くいる。問題がなければ，特別の対応については「本人のニーズ」を重視することが望ましい。

3点目として，学校側は，施設の職員を「難しい子ども達の親代わり」と認識するからかベテランのイメージを持っていることが多い。ところが施設の職員は職員の入れ替わりも激しく，実際は学校を卒業したばかりの若い職員も多いことに驚かれるかもしれない。しかし，児童養護施設を志望する職員は，たとえ人生経験が浅くても，子どものために一生懸命頑張る心構えを持っている。大きい心で接していただけると大変ありがたい。

4点目として，施設入所している中学生・高校生が大人に対して使う「信頼できない」「死にたい」「私なんかどうでもいい」という3点セットに振り回されないことである。教員はこれらの3点セットに対して特別対応をしてしまうことが起こりやすい。しかし特別視するのは逆効果で，これらの言葉を使っても要求が通らないと分かると使わなくなることも多い。ルールを徹底することを施設ではよく「枠づけ」と呼ぶが，この「枠」が思春期の子どもを安定させる効果も大きい，とベテランの職員はよく述べている。

5点目として，学校教員が施設と連携をしたいと強く望んでいるのに，呼び出してもすぐに来ない等，施設担当職員の対応が悪いと感じられる場合には，以下を考慮してほしい。炊事や洗濯などの家事業務，乳児から高校生までの幅広い年齢層への対応，三交代等の勤務システム，研修への参加，病院や児童相談所への付き添い，行事等で職員の人手が割かれ，多くの子どもを1人でみる時間が長くなる日もある。乳幼児にはより手がかかることなどを考慮すると，相当な激務であることを理解する必要がある。

多くの児童養護施設では，主任や施設長への報告を書類にて行うことがあるが（交代制なので口頭で伝えられない事情等もある），この書類作成に手間取っている。個人情報保護の観点からパソコンを職員室に設置出来ず，児童に見られないように夜間のみ書類作成という施設もある。筆者は施設の心理職であったが，連携した後はこちらで話し合いの概要をまとめ，コピーすればそのまま報告書となるフォーマットで渡すようにしたところ，大変に感謝され，その後急に連携がスムーズにいくようになった。

上記で述べたこととは矛盾するが，施設の職員は学校との連携を望んでいるし，子どもの施設での状況を学校に伝えたいと思っている。ただ，さまざまな事情により連携がうまくいかないことを心苦しく思っている。そのことを理解し考慮したうえで，時には気長に対応する必要がある。また必要ならば施設に勤務する心理士と連携するというのも一案であろう。心理士の方が時間的な余裕があることが多いからである。

5．矯正機関

矯正機関とは，非行少年の更生や矯正教育，非行予防の活動や相談を行うところである。主に「児童自立支援施設」「保護観察所」「少年院」「少年刑務所」がある。中学校教員としては，これらの矯正機関が担う役割を理解し，生徒本人やその保護者に適切な

児童自立支援施設：犯罪などの不良行為をするおそれがある児童，家庭環境等から生活指導を要する児童を入所または通所させ，必要な指導を行って自立を支援する児童福祉施設。

保護観察所：犯罪や非行を犯し家庭裁判所の決定により保護観察になった少年，刑務所や少年院から仮釈放になった者，保護観察付の刑執行猶予となった者に対して保護観察を行う機関。

少年院：家庭裁判所から保護処分として送致された者を収容するための施設。

少年刑務所：少年法により懲役または禁錮（きんこ）の言渡しを受けた少年を収容する刑事施設。

情報提供を行う必要がある。

　非行を行った少年がどの矯正機関に送致されるかの決定までに，さまざまな処遇のプロセスがある。非行少年は，罪を犯した犯罪少年，14歳未満で刑法に触れる行為をした触法少年，将来罪を犯し刑法に触れる行為をする虞れのある**虞犯少年**に分類される（第6章参照）。まず，犯罪少年や14歳以上の虞犯少年は警察を介して家庭裁判所で審判を受ける。殺人などの深刻な事件の場合には家庭裁判所から検察に引き渡され，成人と同様に**刑事裁判**を受けることになる。

　一方，14歳未満の虞犯少年と触法少年は警察から児童相談所に通告され，矯正教育を目的とした非行相談が行われる。しかし，14歳未満の場合でも深刻な事件を起こした際は児童相談所から家庭裁判所に送致されて審判が行われる。

　中学校に通う生徒は12歳から15歳であるため，14歳を境に非行少年の分類や処遇のプロセスが異なることを中学校教員は知っておかなければならない。さらに非行の重さによって送致される場所やルートも変わってくる。しかし，刑事裁判になる場合を除けば，最終的には家庭裁判所が審判を行い処遇が決定される。

　この処遇には，「審判不開始」と「不処分」「**保護処分**」がある。審判不開始と不処分は，裁判官や家庭裁判所調査官による指導の結果，少年本人が深く反省しており再犯の可能性が低いとみなされた場合，審判が行われない，あるいは処分を行わないという決定である。保護処分となった場合は，在宅での**保護観察**，あるいは矯正機関に送致されることになる。つまり，「少年院」「児童自立支援施設」や「児童養護施設」への措置が行われる。なお，「少年院」は従来14歳以上の少年を収容していたが，2007年に少年院法が改正されることによって年齢下限が12歳に引き下げられたため，中学生にとっての矯正機関は児童自立支援施設や児童養護施設ではなく，少年院となる。また，14歳以上で深刻な事件を起こした少年が刑事裁判になった場合，判決に執行猶予がつかなければ矯正機関として「少年刑務所」に収容されることになる。

　中学校教員は，以上のような矯正機関で教育を受けた少年たちと出会う可能性がある。かつての犯罪少年たちも将来には学校や地域に戻るのであり，戻った少年たちの社会適応を支援する必要がある。実際，地域の人々の間では犯罪少年たちに対する偏見や警戒心が強いかもしれない。しかし，少年たちを矯正機関にいつまでも拘束し，世間から隔離しておくわけにはいかない。少年たちの社会復帰には困難が伴うことが予想されるが，中学校においても彼らの復帰を前提とした取り組みが求められるだろう。そのためには少年たちを理解し見守る姿勢が必要である。地域では，これらの役割を「**保護司**」が担うため，少年たちの復帰時には中学校も保護司との情報交換を行うことになる。また，中学校は家庭裁判所や保護観察所との連携も必要になることもある。

　以上のように，非行少年がどのように矯正機関に至り，中学校と矯正機関との関係や連携の必要性などについて述べてきた。近年になって，少年犯罪の増加や凶悪化が社会問題となっていることから，中学校は矯正機関と関わる可能性が高いことが推測される。復帰してきた少年たちが再び罪を犯してしまわないように支援する必要がある。一方，中学校においても校内暴力が問題視され，教師に対する暴力だけではなく，優等生でおとなしかった生徒が突然同級生に暴力行為をするという事態も少なくない。こういった中学生の問題行動がエスカレーションして犯罪行為に結びつかないように予防するという視点が重要である。したがって，関係機関と連携しながら中学校全体での取り組みが求められる。

虞犯少年：犯罪を犯してはいないが，少年法で規定する一定の不良行状があり，性格や環境に照らして将来罪を犯すおそれがある少年。

刑事裁判：犯罪者に刑罰を適用する裁判。

保護処分：少年法に基づき，家庭裁判所が審判の結果，少年に対して言い渡す処分。保護観察所による保護観察，児童自立支援施設または養護施設への送致，少年院への送致の3種がある。

保護観察：犯罪者に対して，その改善・更生を助けるために，国家の機関による指導監督および補導援護を行う処遇方法。

保護司：保護観察において，対象者の更生を援助する非常勤国家公務員。

6．その他の機関
①教育支援センター（適応指導教室）
　教育支援センター（適応指導教室）とは，市町村の教育委員会が設置する長期欠席をしている不登校の児童生徒を対象に本籍校に復帰を目指して運営されている教育機関である。教育支援センターへの出席は本籍校の出席日数としてカウントされる。教育支援センターとの連携で重要なポイントは，教育支援センターに関する情報提供を学校から不登校生徒とその保護者に適切なタイミングで行うことである。教育支援センターというオルタナティブな選択肢が存在することすら知らないまま，生徒や保護者が悩みを抱えてしまうことのないように心を配りたい。また紹介時だけでなく通所中も連携を絶やさないことが大切である。本籍校への復帰支援に関しては，教育支援センターへの出席と本籍校の出席を並行させる段階を設ける工夫や，本籍校への復帰を促すと同時に進学や就職への動機づけを高めていく支援も有効である。なお，2017年2月に教育機会確保法が制定され，学校以外の場での学習活動が法的に認められたことにより，いわゆる民間のフリースクールの利用も不登校支援における重要な位置を占めるようになってきた。フリースクールに通っても学校に通ったことにはならないが，もともと通っていた校長判断で出席扱いとすることもできる。不登校支援における学校や自治体とフリースクールの連携は，今後ますます必要となるだろう。

> フリースクール：不登校の児童生徒の学習の機会の提供や居場所の提供を目的とした既存の学校とは異なる機関や施設のこと。

②学校と学校の連携
　小学校から中学校への切り替えがうまくいかずに不適応を起こしてしまういわゆる「中1ギャップ」という問題が知られている。これは小学校のルールから中学校のルールへのルールの変化に適応できない子どもが陥りやすい問題と言える。このような問題への対処として，小学校と中学校との連携を密にしていくことで予防できる場合がある。例えば親の意向を確認しつつ小学校で特別な配慮をしてきた児童の情報を中学校にも引き継ぐなどの対応や，中学校とはどんなところかについて児童が視覚的にもイメージできるよう具体的な情報提供をしておくことなどが挙げられる。

> 中1ギャップ：小学校から中学1年生になったことがきっかけとなり，学習や生活の変化になじめずに不登校やいじめなどの諸問題をきたす現象のこと。

③家庭との連携
　家庭との連携で気を付けるべきは，それを学校の既存の枠組みの中で行うか，特別な枠組みを設定して行うかで，保護者にとっての意味合いが変わってくることがある，ということである。まずは三者面談や進路指導，家庭訪問週間の利用など，通常どの保護者も体験する面談の範囲で，子どもの問題について共有できることが望ましい。なぜならそれ以外の呼び出しや家庭訪問は，そのために特別な時間を保護者に作ってもらうことを意味し，それ自体が保護者にとっては事件であり大問題であるというメッセージを伝えてしまことになるからである。一部の保護者にとっては，一生悔やまれるような体験にもなる。逆に保護者に真剣に捉えてほしいと教員が望む場合には，あえてそのような特別な時間を作ることも有効である。しかしながら呼び出されることに慣れている保護者にとっては，それは「またか」という溜息交じりで嫌々ながらの来校となることも気を付けておきたい。保護者への関わりをはじめる際の前提は，子どもの問題行動のことでかっとなっていると，つい省略してしまいがちなのであるが，まずいかなる時も，保護者への来校へのねぎらいから始めるべきであるということである。呼び出しの場合は，たいていは，バッドニュースを伝えることになるが，お互い面倒だからという理由で電話だけで済ませることなく，相手が自身のメッセージをどのように受け取ったかを確認できる対面の状況を作ることが望ましい。初めから本題を切り出すのではなく，安心安全な時間空間を確保し，雑談などを通して安全を脅かすような関係ではないことを明示してから本題を告げるのである。序盤は家庭での近況なども尋ねつつ，できる限り

バッドニュースは中盤以降に伝えるのが賢明である。人はバッドニュースを聞くと，それ以降の話が一切入らなくなる傾向があることにも気を付けておきたい。それは不治の病を告知された場合，それ以降の治療方針が耳に入らないのに等しいからである。

一方，家庭訪問については教師がそれを行う目的は多様にあるが，その最大なる目的は安否確認であることも知っておきたい。安否確認のために家庭訪問をさせてくださいとお願いするのではもちろんない。保護者との信頼関係を作りつつ，他の目的とワンセットにして訪問し，その過程で生徒の安否を直接学校関係者の目で見て確認をしてくるという，高度なスキルが求められるのである。

ほかにも過度な期待を学校に寄せるような保護者もいる。彼らはモンスターペアレントと称されることもある。一般に「困った人」であると捉えがちであるが，丁寧に話を聞くと「困った人」ではなく「困っている人」であるということがわかってくることがある（生田，2011）。「困っている人」であると認識すると，彼らと協力体制を築いていくことも決して不可能なことではない。

✍ ワーク（考えてみよう）

1. 学校が関係機関と連携をするときに「生徒の秘密を守ること」と「生徒の生命を守ること」が対立してしまうことがある。このようなときにどのように対応をしたらよいかを考えてみよう。

2. 連携がうまく行かない例として「丸投げ」や「たらいまわし」が知られている。このような対応にならないようにどのような工夫をしたらよいかを考えてみよう。

3. 関係機関への訪問や家庭訪問などの際に，教員として（社会人として）心掛けるべき姿勢はどんな姿勢か考えてみよう。

✌ ワーク（事例）

■事例1

中学1年生の男児のショウ君。入学式後数日は出席したものの，その後およそ半年間完全不登校であった。担任は母親とは定期的に連絡を取っており，母親は「ショウは最

近一歩も外出していない。最近元気がないようだ」と担任に語るなど近況を報告してくれていた。このように家庭との連携がとれていたが，ショウ君の不登校に関して一向に回復の兆しがみられなかったので，ある日，担任の先生はショウ君の支援をどうしたらよいかスクールカウンセラーに相談をしてみることにした。すると，スクールカウンセラーからは意外なことに「この半年間ショウ君と学校関係者は会っていますか？」という問いがなされたのである。担任の先生は「確かにいままで誰とも会っていません。私がお母様から情報をもらっていただけです」と答えた直後に，はっとした表情になった。担任の先生はさっそくスクールカウンセラーからの提案を受けて，家庭訪問を検討してみることとした。ショウ君の母親に「プリントを届けに行きたいのですがご家庭を訪問させていただけないでしょうか。ショウ君にもぜひ会いたいので」とお電話でアポを取ろうとしたところ，母親からは忙しいのでと会話をはぐらかされてしまった。初めのうちは単に忙しいだけだろうと思っていたが，その後の何回かの訪問の依頼やショウ君と直接電話で話したい旨のお願いをしてもことごとく断られてしまったのである。

　その後，担任の先生，養護教諭，学年主任，スクールカウンセラー，管理職などの関係者が集まりショウ君の今後の対応についての会議を開くことにした。養護教諭から，小学校当時の様子を聞いてみるのはどうかという提案がなされ，さっそく実行されることとなった。担任の先生は小学校に赴き，小学校当時のショウ君の様子をうかがうことになった。小学校ではショウ君が不自然な怪我や傷があり，それを隠すような様子も見られたという。6年生にしては平均と比べて身長は低く体重もやせ過ぎのレベルであったことなどもわかった。小学校からの情報と中学校に入ってからの長期の欠席，母の家庭訪問やショウ君とのコンタクトをかたくなに拒む様子などから，ショウ君への虐待の危険性が疑われたので，校長判断で児童相談所へ通報することとなった。その後，児童相談所の児童福祉司の調査が行われ，ショウ君への不適切な関わりを改善すべく通所による支援が行われることとなったという。

解説：なぜ解決したのか？
　まず担任の先生がスクールカウンセラーのコンサルテーションを受けたことが解決への第一歩となった。教員ひとりで抱えずに校内の心理の専門職であるスクールカウンセラーからの助言を受けるという姿勢が望ましいものとなった。ここでスクールカウンセラーからは事実を押さえることの重要性を示唆されている。すなわち，母親から聴いた情報の内容だけではなく，その情報のやりとりがどのような文脈でなされたのかを担任の先生は丁寧に再検討したのである。ここでは，担任の先生を含め学校関係者が直接目で見てショウ君の安否の確認ができていないという事実があることが判明し，まずその確認をしてみることとなった。担任の先生としてはできる限り家庭との信頼関係を作りながら，同時にショウ君の安否確認をするための方法を探っていたが，埒が明かなかった。ここで担任の先生は，ショウ君の安否確認についての情報が得られなかったというゼロメッセージではなく，ショウ君の安否情報が得られないほどに深刻な状況であるかもしれないという1つのメッセージを読み取ったことが何より重要であった。安否確認に際しては情報の内容ではなく，「情報についての情報」を的確に読み取るスキルが求められると言えるだろう。

　その後は，安否情報が得られないほどに深刻な状況であるかもしれないというメッセージを踏まえて，関係者を増やして学校関係者でふたたび検討をすることとなった。ここでは「集団守秘義務」（長谷川，2001）を徹底して，チーム内でのみ情報を共有しチーム外に情報をもらさない細心の注意が求められる。

ショウ君の事例についての検討会議にて，小学校との連携の必要性が提案されている。小中学校の学校段階が変わる際に，安否に関わるような重要な情報の申し送りをできるような日頃の関係づくりが大切と言える。小学校からの報告では，不自然な怪我や傷があり，それを隠すような様子がみられたという事実が判明している。ここでも繰り返される重要なテーマは，怪我の有無という情報だけでなく，その情報についての情報，すなわちそれを隠すような様子があったという情報である。この点に注意深く目を向けていくことを忘れてはならない。またショウ君に関連した特徴的な様子は，年齢に比べて身長体重の成長が著しく阻害されているという事実であった。被虐待児の中には年齢不相応に身長体重の成長が停滞している子がいることが知られている。身長体重に関するデータは健康診断などで毎年得られるデータであることから，保健室との連携による有益な活用を検討していくことも一助となるだろう。

　このような事実の積み重ねを経て，ショウ君が虐待を受けている可能性が高いことが推測されたことから，次に校長判断で児童相談所への通報がなされることとなった。児童相談所には虐待の疑いレベルでも虐待通報可能であるが，迷わずに通報できるにはやはり事実の積み重ねも重要となってくる。一刻を争うような場合には，迅速な対応を取ることは言うまでもない。

　私たちは生徒が学校に来ていない場合，「不登校」であるとひとくくりに短絡してしまう可能性がある。生徒が学校に来ていない背景はさまざまあり，なかには生命に関わる深刻な事態が含まれているかもしれないという認識を持って臨むことが求められると言える。

■事例2

　高校2年生のみどりさん（仮名）。高校1年生までは問題なく，成績も上位クラスで優秀であった。しかし夏休み以降から保健室利用が増えるようになり，成績も落ち込む。次第に欠席も目立つようになった。担任の先生はみどりさんを呼び，成績の低下や保健室利用の頻繁さについて指導した。しかしその後もみどりさんの度重なる保健室利用が続いたので，養護教諭からの紹介で教育相談担当の先生がみどりさんの対応をすることとなった。教育相談担当の先生は，みどりさんと話すための部屋を確保し，軽く世間話をした後，近況について尋ねることとした。担任の先生が成績や保健室利用のことで心配しているようだけれど，どんなことで困っているの？　と尋ねた。すると「お弁当を作るのが大変で疲れてしまう」との意外な答えが返ってきた。そこで家庭の状況やみどりさんの日常生活について尋ねてみた。すると，言うのを躊躇した後，「夏休みまでお母さんがお弁当を作ってくれていたけれど，夏休み明けからは自分で作らなくてはならなくなった。友達から心配されるといけないのでお母さんと同じようなレベルのお弁当を毎朝頑張って作っているんです」と答えてくれた。家族構成をうかがうと，現在は母とみどりさんの二人で暮らし。父は単身赴任で他県に住んでいるが夫婦のやり取りはほとんどなく関係は冷え切っているという。兄は高校卒業後他県で働いているとのこと。母はこれまでは過保護だったのに，ある日を境に理由は分からないが母の夜間の外出が増え自宅に帰らないこともあるのだという。そんなわけで現在は家事一切をみどりさんが担っている。教育相談の先生は，みどりさんの不登校はみどりさんの周りで起きた非常事態，すなわち急な親役割代行におけるもっともな反応であると感じ，みどりさんの抱えているしんどさに深く共感をした。みどりさんの困りごとが「疲れを感じること」であったので「あまり疲れを感じなかった時や元気になったときは？」と質問をした。みどりさんは「うーん，父にメールをしたとき……かな」と答えた。教育相談の先生は「ど

うやってできたの？」と質問を重ねた。みどりさんは「思い切って今困っているって連絡してみた」との返答。「助けを求められるのはあなたの力だよ」とみどりさんの解決能力の高さを評価した。

　教育相談担当の先生は，うかがった話を担任と養護教諭に話してもよいかと確認を取り，その二人だけなら大丈夫とのことだったので，その後，担任と養護教諭を含めて情報共有がなされた。みどりさんの了解を得て，担任の先生は母と他県に住む父とも連絡を取り，みどりさんのことについて両親で話し合ってもらうようお願いをした。夫婦で協議をし，隣町の父方祖父母宅からみどりさんを通学させることで合意した。みどりさんの不登校は改善していった。

解説：なぜ解決したのか？

　本事例における解決の第一歩は，成績低下などの生徒のサインに教員がいち早く気づいたということである。高校生の年齢での急な成績の低下については，もっとも深刻な事態の場合，統合失調症などの精神疾患の前駆症状の可能性もあるが，本事例の場合には，家事の負担が増えたことにより学業への集中力が低下していたことが要因として判明している。成績の急激な低下を周囲は当人の努力不足であると見なしてつい励ましてしまいがちであるが，中には深刻な事態が含まれている可能性があることを忘れてはならない。本事例ではこのような成績低下のサインに教員がいち早く気づき適切に対応することができたことが解決の一助となったと言える。

　また教育相談担当の先生のスタンスは，高校生の年齢の生徒であることをふまえながら，みどりさんが自身で解決しようとしている部分を最大限評価しようと心掛けたことであった。すなわち，あまり疲れを感じなかったときに，みどりさん自身が父に思い切って連絡をとってみたというみどりさん自身が自分の力で解決しようとした部分に，少しだけ学校側が力を貸したということであった。このような生徒たち自らが解決しようとしている部分に注意深く目を向けていくことにより，学校としてどのような支援をしていくことができるかを見出していくことが可能となると言える。また高校生ぐらいの年齢になると周囲に迷惑をかけずに自分の力だけで解決したいと思う傾向もある。彼らのそのような思いも大切に扱いながら，支援をしていくことがポイントと言える。

　学校側から見ると，成績不振や保健室の利用，欠席日数の増加は一見すると問題行動のように見えるかもしれないが，生徒たちの置かれている状況について丁寧に耳を傾けていくと，問題のように見えていたものは実は別のより大きな問題の一部であり，それを解決しようとする子ども達の精一杯の試み，あるいはその問題に対するレスキューサインであるとして捉えることができるかもしれないということである。すなわち，本事例では急な親機能の低下（ネグレクト）や夫婦不和というより大きな問題を，子どもなりに対応すべく精一杯頑張ってき結果が，周囲からは問題であるように見なされてきてしまっていたのである。生徒たちがそうせざるを得ないもっともな理由はなんであるかを常に念頭に置いていく関わりにより支援の幅が広がるものと思われる。

　本事例の場合には，保護者との連携も功を奏したものと思われる。ときに子どもが何らかの困難を抱えているようなときには，子どもが夫婦の葛藤に巻き込まれているような場合も少なくない。母親だけにみどりさんへの適切な関わりを求めるだけでは，一時的に改善するにせよ同じことの繰り返しになってしまった可能性があったと思われる。本事例においてご両親で考えてくださいと依頼したことは，両親の葛藤に巻き込まれていたみどりさんの支援において有効であったと思われる。保護者のみへの働きかけで不十分であるような場合には，拡大家族との連携によって支援が充実するような場合もあ

る。拡大家族の中で生徒の抱える困難な状況を支えてくれるキーパーソンとなる人物は誰であるかを，生徒からの話を丁寧に聞きながら見極めていくことも求められると言えるだろう。

参考・引用文献
福島里美 (2008). 他機関との連携　吉田克彦・若島孔文編　小学校スクールカウンセリング入門　金子書房　pp.68-79.
花田里欧子 (2003). 紹介状の書き方　若島孔文編　学校臨床ヒント集―スクール・プロブレム・バスター・マニュアル　金剛出版　pp.187-189.
長谷川啓三 (2001). 集団守秘義務という考え方　臨床心理学，1 (2). 159.
生田倫子 (2011). ブリーフセラピーで切り抜ける対人トラブル即解決力　日総研出版
久保順也 (2009). 学校と家庭・各種機関との連携　宮前理編　子ども理解とカウンセリング　八千代出版　pp.59-75.
窪田由紀・向笠章子・林幹男・浦田英範 (2005). 学校コミュニティへの緊急支援の手引き　金剛出版

コラム ❖ column
多様な主体による取り組みの推進
――治療的家庭教師とMCR活動
小林　智・赤木麻衣

　学力低下傾向や不登校など，現在の子どもや若者をめぐってはさまざまな課題があることが指摘されており，これまで以上に行政の取り組みだけに留まらない地域ぐるみの体制作りが求められている。本項では，こうした子どもや若者をめぐる問題の相談活動として筆者らが「特定非営利活動法人メンタルコミュニケーションリサーチ」（以下，MCRと表記）において行っている支援の特徴について紹介する。

　MCRは東京・横浜・千葉・仙台・埼玉に活動の拠点を持ち，地域貢献活動として不登校・ひきこもり支援を中心に，発達障害支援，学習支援のほか，現在では東日本大震災の被災地支援などの支援活動を実施している。MCRの援助プログラムは，訪問援助者である「治療的家庭教師」を筆頭に，臨床心理士等の有資格者を中心とした家族療法の専門家であり主に保護者との面談を担当する「家族コンサルタント」，毎月行われるケース検討の際に客観的立場から専門知識に基づいたアドバイスを行う「援助スタッフ」が3本の矢となり，一つの家庭に援助を提供していくという形態がとられているのが特徴である。

　訪問援助活動を特色とした同様の支援事業として，各地方自治体における児童相談所などが主体となって行っているメンタルフレンド事業を挙げることができる。このメンタルフレンド事業は数々の自治体で実施される拡がりを見せる一方で，研修会や検討会などへのメンタルフレンドの出席率が低い，児童相談所職員に時間的余裕がなくスーパーヴィジョンや研修が不徹底になっている，親との面談が実際に行われることが少ない，などの課題を抱えていることも指摘されている。

　MCRの治療的家庭教師は，毎月実施されるケース検討会によって担当家族コンサルタントや他の援助スタッフからスーパーヴィジョンを受けることができ，援助の質や援助者そのものの資質向上に向けた取り組みが体制として取り込まれている点や，多くの場合ケース検討会と並行して月に1回親との面接を実施しているところにメンタルフレンドにはない特色を有しているといえる。

　行政機関による支援活動は，比較的低価格で支援が受けられるなどのメリットはあるものの，事業内容や支援体制を柔軟に変化させることが難しいことが時にデメリットとなることがあるため，民間団体等を含む多様な主体と行政とが相互補完的に地域コミュニティの教育的機能を強化し合う体制作りが必要であることはもちろんのこと，要支援家族に適したサービスを提供できるようにマネージメントする能力が教育従事者にも求められているのである。

　参考・引用文献
市根井都・中野明徳 (1999). 児童相談所におけるメンタルフレンド活動の現状と課題　福島大学教育実践研究紀要, 36, 27-34.
厚生労働省 (2013). ひきこもり関連施策　http://www.mhlw.go.jp/bunya/seikatsuhogo/dl/hikikomori01.pdf
内閣府 (2013). 平成25年度版子ども・若者白書

コラム ❖ column

統合失調症の就学支援と薬物治療
伊東　優・花田里欧子

　統合失調症は，精神医学における中心疾患であるにも関わらず，学校現場での知名度はあまり高くない印象がある。従来の統合失調症治療は，入院治療を中心とした管理的なケアモデルであった。一度発症すると学校や社会から切り離されて治療されてきたので，学校現場での注目度も低かったものと思われる。思春期以降に好発し，時代や文化を問わずおよそ100人に1人の割合で発症するにも関わらず，うつ病や発達障害，摂食障害に比べると，名前は知られていても症状や治療については浸透していない現実がある。また治ることはなく人格的に荒廃する病気という偏見や無理解も根強いかもしれない。

　しかし，近年の統合失調症治療では「リカバリー」という概念が浸透してきている。リカバリーとは，「単に症状の回復を目指すだけではなく，症状があったとしても病気と上手に付き合いながら社会的機能を維持して，できるだけ満足できる充実した人生を歩んでいこう」とする考え方である。近年は抗精神病薬の発展もめざましく，従来の入院治療中心の管理的ケアから，外来治療中心のコミュニティケアが重視されている。すなわち，精神疾患を発症しても地域社会（家庭・学校）から引き離されることなく，就学・就労といった社会参加を維持しながらの治療継続を目指す時代になってきている。統合失調症を患いながらも，安定して就学，就労，結婚，出産・育児をしている方も今や珍しくなくなってきているのである。

　さて，そうした時代の流れによって，今後は学校現場においてもより一層の疾病理解が求められている。統合失調症治療において，従来学校現場に求められてきた役割は，早期発見，早期介入（受療支援）のためのチェック機能であった。だが，今後はそれだけでなく就学を支えるための治療継続・再発予防支援が重要になっていくだろう。中でも症状と治療方法（薬物療法・心理社会療法）の理解は欠かせないこととなっている。

　統合失調症は，未だ原因が解明されていない疾患であるが，ストレスなどの外的環境要因と遺伝要因が組み合わさって脳の神経伝達物質の異常を引き起こし発症する，と考えられている。症状としては，急性期に見られる幻聴，妄想，滅裂思考などの陽性症状が有名だが，思春期の生活場面では，理由が不明瞭な成績低下，不登校・ひきこもり，言動の変化，性格変化（したようにみえる状態）などの変調として症状が表れることがある。

　また，統合失調症治療は心理社会的支援に加え，薬物治療の継続が不可欠である。現在は，第二世代抗精神病薬（商品名：ジプレキサ®，セロクエル®，リスパダール®，ルーラン®，エビリファイ®など8種類）と呼ばれる薬剤が主流である。副作用としては，第一世代抗精神病薬（商品名：コントミン®，セレネース®，レボトミン®）で問題だった錐体外路症状が少ない代わりに，顕著な代謝性副作用（体重増加や血糖値上昇）が見られる。体形の変化が目立つために，思春期・青年期では二次的なストレスになり，服薬アドヒアランス（積極的な服薬意識）の低下を招きやすい。スクールカウンセラーや担任，養護教諭を中心に，周囲もこうした薬物療法の副作用を知り，本人の苦痛や苦悩に理解を示していくことが本人の服薬アドヒアランスを高める。怠薬・拒薬，治療中断による再発を予防するためには，病院や親だけでなく学校現場を含めた地域社会の理解・協力が不可欠なのである。

参考・引用文献
伊藤順一郎監修 (2001). 統合失調症を知る心理教育テキスト家族版　じょうずな対処・今日から明日へ［改訂新版］　NPO法人 地域精神保健福祉機構・コンボ
功刀浩 (2013). 研修医・コメディカルのための精神疾患の薬物療法講義　金剛出版
水俣健一 (2008). 学校現場と精神科臨床の連携　精神医学, 50 (3), 289-294.

第11章

カウンセリングの理論と技法

石井宏祐・石井佳世・松本宏明

Ⅰ．さまざまなカウンセリングの理論

子どもや保護者，教師，それぞれの困りごとが「問題」として立ち上がる背景要因は，子ども自身の特徴，家族関係，学校での人間関係など，多様かつ複雑である。問題の理解や対応に際し手がかりとなるのが，それぞれ人間理解の理論や方法を持つカウンセリングや心理療法の考え方である。

教員にとって，一つの方法を用いてじっくりカウンセリングや心理療法を行うことは難しい。各アプローチが持つ特徴をつかみ，柔軟に活用する姿勢が求められる。とはいえ，カウンセリングや心理療法の考え方は多様極まりない。整理する際に手がかりとなるのが，具体的な課題を設定しその対処に焦点をあてる**問題解決型アプローチ**と，自己の洞察や成長を目指す**人格成長型アプローチ**という分類である。

1．精神分析的心理療法

精神分析とは，人間に無意識の過程を想定し，行動もこの無意識による強い影響を受けるという前提に基づく，人間心理の仮説と治療体系である。創始者フロイト Freud, S. は，19世紀末のウィーンでヒステリー（現在の解離性障害や身体症状症）の治療に携わっていた。その中で症状とは，意識することが苦痛な欲望（性的なものなど）が無意識に抑圧されたものが形を変え表出されたものであるから，抑圧された葛藤などが表面化，意識化されることで解消に向かう，という治療仮説をたてた。また，無意識的で快楽原則に基づく**イド**と，現実原則に基づく**自我**，道徳原則に基づく**超自我**からなる心的構造論を提唱した。「抑圧」や「否認」など防衛機制と呼ばれるものは，イドと超自我の調整役を担う自我に葛藤が生じた際，自我が心の安全を確保するための方法である。

日本でよく知られるユング Jung, C. G. による分析的心理療法は，フロイト同様無意識に着目しつつも，無意識のより肯定的な可能性に焦点をあてる。このようにフロイト後，精神分析は批判も含め多様な発展を遂げた。ただ，意識と無意識の相互作用に基づき，精神現象や行動に一定の因果関係を想定する心的決定論は基本的な共通点であり，その考え方はわれわれにも「無意識に」浸透している。

治療としての精神分析は，訓練を受けた分析家により，長期間かけ行われる。時間制限のある学校場面には不向きといってよい。しかし子どもの行動に対し，何らかのサインとしての意味を見出す，という子どもの理解に不可欠な視点は，もとをたどれば精神分析の考え方が出発点である。また，発達課題の獲得という観点から子どもの発達を捉えるエリクソン Erickson, E. H. の発達段階理論，さらに子どもへのプレイセラピーや，愛着理論など，子どもの理解や対応に関する考え方の多くは，精神分析の影響を有形無形に受けている。

問題解決型アプローチ：行動療法や論理療法，短期／家族療法が代表的な例。

人格成長型アプローチ：精神分析やクライアント中心療法が代表的な例。

イド：「快楽原則」に基づく，人の精神エネルギーの源泉。

自我：イドの上に存在。「現実原則」に基づき，理性的にイドをコントロールする。

超自我：「道徳原則」に基づき，ルールや道徳観などを自我とエスに伝える。

ユング（1875-1961）：スイスの精神科医・心理学者。深層心理について研究し，分析心理学の理論を創始し，箱庭療法や芸術療法，夢分析などに影響を与えた。日本では，日本の心理療法をけん引した京都大学の故河合隼雄がユング派であったことから，影響力が大きい。

2．クライエント中心療法

　抑圧された無意識に焦点をあてるフロイトの精神分析は，やや悲観的な人間観が想定されていた。これに異を唱えたのが，クライエント中心療法を提唱したアメリカの**カール・ロジャーズ** Rogers, C. R. である。クライエント中心療法とは，人間の成長可能性に多くの信頼を置く肯定的な人間観に基づき，クライエントに対する「無条件の積極的関心」「共感的理解」「自己一致」を重視し関わる人間理論および心理療法である。

　その発展過程で非指示療法からクライエント中心療法へと名前を変えつつ，ロジャーズの理論は大きく進化した。具体的には，繰り返し，感情の反射，明確化などの技法的側面から，さきの「無条件の積極的関心」「共感的理解」「自己一致」というカウンセラーの態度が強調されるようになった。この3条件は，カウンセリング場面に限らず，人間関係を促進する重要な要因と位置づけられている。

　日本の教育現場では1950～60年代，**カウンセリング・マインド**という姿勢とともにロジャーズ理論の導入がなされた。「第1次カウンセリングブーム」とも称されるこの時期は，教師がカウンセラーを兼ねる「教師＝カウンセラー論」が主であり，うなずきや傾聴がカウンセリングである，などやや表面的な理解もあった。しかし，受容や共感に代表されるカウンセリング・マインドの姿勢は，子どもに関わる際の基本姿勢として，時代を超えて重要である。

　また，後で紹介するエンカウンターグループは，クライエント中心療法としてのロジャーズの理論的な発展を集団場面に適用したものであり，特に日本では，子どももその主な対象の一つとする構成的グループエンカウンターとして発展した。

3．フォーカシング指向心理療法

　言葉で表現される以前の曖昧な実感に注意を向け，それにしっくりくる言葉などを求め概念化する過程をフォーカシングという。カール・ロジャーズの共同研究者であり，またロジャーズから臨床指導を受けていた**ユージン・ジェンドリン** Gendlin, E. T. が見出した。概念化以前の未形成の意味感覚は**フェルトセンス**（felt sense）と呼ばれる。このフォーカシング過程の心理療法への利用がフォーカシング指向心理療法である。ここではクライエントのフェルトセンスに焦点をおきながら面接が進められる。

　私たちは安易に概念化をしていることが少なくない。一言で人見知りといっても，場面によってその実感は異なるものである。誰に会うのか，どこで会うのか，どんな時に会うのかなど，フェルトセンスは同じではない。しかしそれらを一様に「自分は人見知りだから」と表現してしまうのである。フォーカシングは実感を大事にし，丁寧に概念化を促す。

　中学生や高校生の時期は，言語能力も高まり，言葉のバリエーションも増える。そこでフェルトセンスに着目し，安易に言葉にしてしまっていた実感が実はどんなものなのか，よりしっくりくる言葉で概念化していく練習をしてみることが，気持ちの整理を促すだろう。

4．認知行動療法

　例えばコップに半分入った水を半分「も」入っていると喜ぶ人と，半分「しか」ないと嘆く人がいる。このように一見同じ現実であっても見方は人によってさまざまだが，このものの見方や考え方が認知と称される。認知行動療法では不安や落ち込みなどの心理的な問題を，その人の「ものの見方（認知）」や行動のパターンにより続いてしまうもの，と考える。そして，この「ものの見方（認知）」と社会生活としての行動の両

ロジャーズ（1902-1987）：クライエント中心療法の創始者。人間に自己実現する力が自然に備わっていると捉える肯定的な人間観は，多方面に影響を与えた。非指示的カウンセリング，パーソンセンタード・アプローチなどの言い方もある。

カウンセリング・マインド：カウンセリングにおけるロジャーズの姿勢（自己一致・無条件の積極的関心・共感的な理解）やその心持ちを示す和製英語。

ジェンドリン（1926-2017）：フォーカシングの創始者。アメリカの哲学者で臨床心理学者。ロジャーズの共同研究者でもあった。クライエント中心療法の発展にも大きく寄与した。

フェルトセンス：人が体験している言語化以前の未形成の意味感覚。からだで感じられる未分化な実感。

方に働きかけることで，自分での対処力を上げることを目標とする。

認知行動療法は，効果を具体的な形で提示することが重視されており，実際の手法としても，データ化や客観化が重視される。例えばクライエントと治療者との関係も，問題解決のための「共同研究者」と位置づけられる。クライエントは，セラピストとともに自分の考え方や行動パターンの特徴を見つめ直し，**コラム法**，**ホームワーク**といった共同作業を通じて，自動思考の発見や認知の再構成をはかっていく。

認知行動療法の考え方は，ストレスマネジメントや，ソーシャルスキル・トレーニングなど予防・開発的な領域でも活用されている。これらは認知行動療法の考え方を活かしつつも，子どもにとってより取り組みやすいものになるように工夫がなされており，学校場面でも取り入れやすいものとなっている。

5．家族療法とブリーフセラピー

多くのカウンセリングや心理療法では，個人に焦点があてられる。一方家族など，おもに「ひと」と「ひと」との関係性に介入するアプローチの総称が，家族療法である。家族というまとまりを「**システム**」として捉える家族療法は，親子や夫婦など，家族システムを構成するメンバーの関係性そのものが治療対象となる。

家族療法には，いくつかの考え方がある。代表的なものが，家族成員の結びつきや境界の問題を介入の焦点とする構造派，世代を超え連鎖する家族間の病理的な融合とそこからの分化を重視する多世代派，また，家族間で展開されるコミュニケーションパターンとその変化に着目するコミュニケーション派である。近年クライエントの語りに焦点をあてる**ナラティヴ・セラピー**が着目されたが，これも家族療法からの発展である。

このように家族療法は，問題の所在を個人から「ひと」と「ひと」との関係性やコミュニケーションへと転換した。ただ，関係性への着目を推し進めると，家族全体ではなく，関係性を構成する個人だけでも面接対象となりうる。これがブリーフセラピーの到達点である。

ブリーフセラピーでは，家族や個人が問題や困難を解く力や可能性をもともともっている，と捉える。具体的な方向性として，問題への解決努力がもたらす「悪循環」を切断するMRIアプローチと，問題を維持するルールから外れた「例外」を「良循環」へと拡張する解決志向アプローチという2つの考え方がある。その両者を統合したのが，二重記述モデルである（長谷川，2005）。家族療法やブリーフセラピーの場合，個人の人格の成長や変容については直接扱わず，具体的な問題解決に焦点をあてることも特徴である。

6．その他の心理療法

例えばゲシュタルト療法は，実存主義的な基盤を持ち，今ここでの体験や気づきに着目する。また，再決断療法は，自我状態に着目する交流分析に基づき，人生脚本の書き換えを目指す。そして，EMDR（Eye Movement Desensitization and Reprocessing；眼球運動による脱感作と再処理法）やTFT（Thought Field Therapy；思考場療法），動作法は，クライエントの身体を通してこころに働きかける。さらに，日本発の心理療法である森田療法や内観療法は，仏教など，東洋思想の影響を受けているのが特徴である。

百花繚乱ともいえる心理療法やカウンセリングの様相だが，近年，一つの考え方に拘らない統合や折衷という視点も生まれている。その際の軸となり得るのが，①客観性やデータなど証拠を重視するエビデンス vs. 語りや主観的体験を重視するナラティヴ，②問題解決型 vs. 人格成長型といった分類である。

コラム法：自分自身の思考や気分を表（コラム）にまとめることで気づきを促す技法。認知再構成法とも呼ばれる。

ホームワーク：認知行動療法で重視される次回面接までにやってくる「課題」のこと。

システム：カウンセリングにおいては，問題を捉える際の単位。個々の要素（あるメンバーや，ある出来事）を単位とするのではなく，それらの要素が関連しあい全体として形成されるシステムを単位として考える。

ナラティヴ・セラピー：クライエント自身の語りや会話の力を重視する新しい心理療法の流れの総称。

II．予防開発的アプローチ

2022（令和4）年12月に12年ぶりに改訂された「生徒指導提要」（文部科学省）では，児童生徒の課題への対応を時間軸や対象，課題性の高低という観点から，生徒指導を2軸3類4層構造として類別している。予防開発的アプローチの視点は，改訂に伴い，2軸における「常態的・先行的生徒指導」，3類における「課題予防的生徒指導」，4層における「課題未然防止教育」として，明確に生徒指導に位置づけられることになった。

ここで紹介する予防開発的アプローチは，さまざまなカウンセリングのそれぞれの考え方を取り入れつつ学校向けのアレンジがなされており，さまざまな葛藤の中で自らの生き方を模索する中高校生にとって，自分の心的健康や他者との関係について考える手がかりとなるかもしれない。

1．構成的グループエンカウンター

「出会い」を意味するエンカウンターグループとは，ロジャーズの考えに基づき「主体性の回復」（国分，1992）を目指す，学校現場でもなじみ深い活動である。エンカウンターグループには，特定の内容を決めない非構成的（ベーシック）エンカウンターと，国分康孝が開発し，あらかじめ用意したプログラムにより作業や討議を行う構成的エンカウンターがある。日本の教育現場では，導入しやすさや目標達成の効率化などから，主に構成的エンカウンターが用いられている。

中高校生は，急速な変化に自他ともに戸惑い，それをなかなか言語化できない場合もある。そこで構成的エンカウンターの導入は，それまで気づかなかった自分や他者の気持ちや考えに気づき，相互の人間関係を促進する手がかりとなりうる。

2．ソーシャルスキル・トレーニング

ソーシャルスキル・トレーニング（SST）とは，主に行動療法や認知行動療法の考え方を基礎に，社会生活に必要な技術（ソーシャルスキル：言語・非言語両面を含む対人行動）を身に付けさせるための支援の総称をさす。

中高校生の子どもたちにとって人間関係は重要な関心事となり，微妙なコミュニケーションのずれから始まる対人関係の問題によって不適応状態に陥る子どもも少なくない。ソーシャルスキル・トレーニングの導入による対人関係の改善が，子どもの自信や自己イメージの回復の手がかりとなりうる。また，知的障害のある子どもへの特別支援教育においても，積極的に活用されている。

3．アサーション・トレーニング

アサーションとは「適切な自己表現」のことである。自分と相手，お互いを大切にしながら，自分の意見，考え，気持ちを率直に，素直に，その場にふさわしく表現することである。例えば友達に誘われたとき，「今日はほかにすることがあるので，またいつか行こう」とその時の気持ちを率直に，素直に言うことはアサーションである（平木，2001）。

非主張的な表現＝ノンアサーティブ（服従的・相手任せ・他人本位）は，ときに攻撃的な表現（支配的・相手に指示・他者否定的）にもなりうる。これらはともに，自己と他者どちらかを否定している。一方アサーションは，自分の意見を通そうとするのではなく，あくまで相手に対して自分の考えや気持ちを分かってもらうための自己表現である。自分も相手もどちらも否定しない「私もOK，あなたもOK」という考え方である。

適切なアサーションのためのトレーニングが，アサーション・トレーニングである。自己表現のためのコミュニケーションの獲得を目指すことから，広い意味ではソーシャルスキル・トレーニングと位置づけられる。日本では中高校生の**自尊感情**が低いことが指摘されているが，その背景には自分の気持ちを率直に表現できないことがあると考えられ，自分も相手も大事にするアサーション・トレーニングの意味合いは大きいと考えられる。

> **自尊感情**：自分自身を価値があり大事な存在だと思える感覚のこと。

4．ストレスマネジメント教育

ストレスマネジメントとは，ストレスを「克服」するための完璧な方法を身に付けることではない。我々がふだん何気なく行っている気晴らしや気分転換も含めて，ストレスとむしろ上手につきあう方法を身に付けることである。

ストレスマネジメント教育の過程については，山中・冨永（2000）が，①ストレスの概念を知る，②自分のストレス反応に気づく，③ストレス対処法を取得する，④ストレス対処法を活用する，といった４つの過程に分けている。また，多くのストレスマネジメントの考え方の背景にあるのが，先に挙げた行動療法や認知行動療法の考え方である。具体的な内容として，例えば自律訓練法や呼吸法などのリラクセーションは古典的なものとして挙げられる。

特に近年着目されているストレスマネジメントとして，ストレスの中でも怒りやイライラの感情に焦点をあて，それに振り回されずに，和らげたり上手に付き合っていったりする方法を学ぶアンガー（怒りの）マネジメントを挙げることができる。また，援助者が身体の「動作」に働きかける臨床動作法に着目したリラクセーションなど，さまざまなものが提案されている。

中高生の子どもは教師が考えている以上にいろいろなストレス状況にさらされている一方，ストレスがもたらす自分の身体状態や緊張について，十分意識や実感していないことも多い。自然な形でストレスの対処やリラックス法を身に付ける手助けとなるのが，ストレスマネジメント教育である。

5．さまざまな問題に関する心理教育

以上のような対人的スキルの獲得を基盤とし，学校現場でみられる諸問題を予防することを目指す心理教育もある。それぞれのテーマに関する心理学的知見を獲得し，リラクセーションやロールプレイ等を用いて体系的に実施することが効果的であるとされる。テーマとしては例えば，いじめの未然防止，自殺予防，アディクション（依存症）予防（薬物乱用防止，ゲーム障害防止等），精神疾患（うつ予防），性教育，デートDV予防，性の多様性，インターネットリテラシー等が挙げられるだろう。

特に中高生に特徴的なテーマとしてはデートDV予防教育がある。デートDVは婚姻していない恋人間における暴力である。異性との親密な関係を希求し始める中高生など若い世代に，カップル間にみられる暴力やジェンダーバイアスについて等，デートDV予防教育を行うのが重要であろう。

6．その他

予防的開発的なカウンセリングへの理解は学校場面でも進みつつある。ただ学校ごとの事情や経営方針により，導入しやすさの違いもある。構成的エンカウンターのようにある程度の時間や手間を要するものもある。まずはショートエクササイズなど短時間でできるものから始めるのもよいだろう。また，複数の仲間と一緒にやることもおすすめ

である。同僚の教員や，スクールカウンセラー，養護教諭などがこれらの技法を導入している場合，ノウハウやコツを尋ねてみよう。

いろいろなアプローチがあって特に初学者は戸惑ってしまうかもしれない。しかし，これと思うものがあれば，まず試しにやってみるのがよいのではないだろうか。そのうえで，実際の経験とそれぞれのアプローチが依って立つ基本的なカウンセリングの考え方（行動療法やクライエント中心療法など）とを照らし合わせ，より深く学ぶことが大事と考えられる。

Ⅲ．カウンセリングの基本姿勢と着目点

学校現場において教員はもちろん教育の専門家であり，子どもと関わる時間はカウンセリングではない。しかしカウンセラーがクライエントに対する姿勢や着目点の中には，生徒や保護者と関わる際に活用できるものが少なくない。

カウンセラーは2つの"きく"を駆使して，クライエントがより負担なく生きていけるよう援助していく。クライエントの語りに耳を傾ける"聴く"と，クライエントの語りを質問によって拡げる"訊く"である。

ここでは，特に教員という立場から，"聴いて訊く"ためのポイントを，基本姿勢と着目点に分類し紹介していく。

1．基本姿勢

①受容と共感

クライエント中心療法の創始者ロジャーズが重視したカウンセラーの姿勢である。いまでは心理療法の学派の違いを超えて，カウンセリングの基本姿勢といわれるまでになっている。聴くための前提となる姿勢である。

受容とは，クライエントの語りをそのまま受けとめることである。たとえそれがカウンセラーにとって受け入れがたい考え方や感じ方であっても，クライエントにとってまさに今考え感じていることとして尊重するのである。それは，（その内容というよりも）そのように考え感じながら悩み葛藤していることそのものを肯定するということでもある。

共感とは，クライエントの内的世界（考え方や感じ方）をカウンセラーが感じ取ろうと努めることである。クライエントの実感をカウンセラーがあたかも自分のことのように経験することができるよう目指すことである。

受容と共感の姿勢で聴くことは，**傾聴**とも表現されている。

②できるだけ今のままで

カウンセリングの中でも特にブリーフセラピーの立場では，「できるだけ今のままで」（石井，2009）クライエントの変化を促す。人格の成長，スキルの獲得，短所の克服，新たな学習，過去の反省と償いなどは，人生においてそれぞれ貴重な取り組みではあるが，カウンセリングでは積極的に扱うことはしない。クライエントにとって今すでに何があり，何を身に付け，何を残しているのかに，もっぱら着目する。リソースの重視である。

積極的に質問し，クライエントの現状に，変化につながる力があることを見出していく。そして**コンプリメント**していく。コンプリメントは敬意をもってほめることであり，クライエントが自身の能力や資質（リソース）に気づくことを助ける関わりである。

大きな変化を目指すのではなく，"できるだけ今のままで"できることを積極的に考

傾聴：相手の話に真摯に耳を傾け，表面的な言葉にとらわれることなく，その背景にある気持ちに焦点をあてて，相手の立場に立って理解しようと努めること。積極的傾聴（active listening）ともいう。

リソース：解決を支える"資源・資質"の意味。少しでもうまくいったときの状況や相手や場所や，それを支えた個人の能力や周囲の味方，環境などは，全てリソースとなる。

コンプリメント：称賛やねぎらいのこと。相手が自身のリソースに気づくことができるように，積極的に伝えられる。

えていく。そのためには次項の悪循環と良循環への着目がポイントとなってくる。

③せつない人をださない

例えば共に我が子を案じ来校した父母が，子どもの教育に関して異なる意見をもっていたとする。その場合，どちらかに肩入れすると，他方がせつなくなってしまう。どちらかではなくどちらも我が子を案じている点では同じなのだ。

また，例えば担任として，ある不登校生徒の母親と面談を続けていたとする。あるとき母親を通じて父親に働きかけ，そのことで父親が関わりをもつようになり子どもが少しずつ登校できるようになった。そのとき父親だけを称賛したとしたらどうだろう。父親に働きかける前から子どものために学校に通い続けた母親はせつなくなってしまう。母親の熱心さがあったからこそ，父親が子どもに良い影響を与えることができたのだと，母親のことも忘れずにねぎらうことが大切だろう（もちろん母親と面談を続けた担任の先生もねぎらわれてほしい）。

教育現場では複数の相手と同時に関わることが多い。生徒と保護者，生徒の両親，あるいは学年主任の先生と教頭先生など。そしてその複数の相手が互いに対立していることもよくあることである。このようなとき，どちらかに加担した対応は往々にしてうまくいかない。片方に加担すると，もう片方の人は，自分が否定されたような気分になってしまうからである。それでは共に解決の道は進めない。どちらにも加担することが求められるのだ。

例えば子育てをめぐり父母が対立している場面では，どちらかの意見に賛同するのではなく，抽象度を上げ，どちらも子どものことを熱心に考えている点では共通していると考えてみる。そこを強調したうえで両者の意見を整理していくと，どちらにも加担した形で話を進めることができる。

ナージ Boszormenyi-Nagy, I. の文脈療法では「**多方向への肩入れ**」という姿勢を提唱している。「多方向への肩入れ」にはただ単に中立の立場を維持するのではなく，積極的に両者（その場にはいない関係者も含めて）に味方，肩入れすることの重要性が示されている。

④良い変化に伴う嘆きを知る

生徒に良い変化が起きたとき，本人もうれしいが，支えてきた教員や保護者ももちろんうれしい。例えば勉強に全く身が入らず，テレビゲームばかりしていた生徒が，ゲームを控え勉強を少しずつするようになったとする。生徒本人も自信がつき，また周囲もホッとする。

ところがこういった良い変化はなかなか続かない。なぜなら良い変化は良いだけでなく，同時に疲れるからである。良い変化も疲れるのだ。良い変化に伴い，周囲の期待に応えなければならないという責任感や，元の状態に戻ることは周囲への裏切りになってしまい気が抜けない不安など，新たなプレッシャーを背負うことにもなるのである。そこに嘆きのような気分があるのである。

良い変化を起こすことができた生徒に対して，良い変化に伴う嘆きを話題にすることは，せっかくの変化を妨げるようで，藪蛇のようで躊躇するかもしれない。しかし，良い変化にあるだけに，周りを落胆させるわけにもいかず，生徒は自分からこの嘆きを口にすることはできない。変化を続ける生徒を孤独にしてしまうことは結果的には変化を妨げることになるだろう。良い変化に伴う嘆きに共感することが，良い変化を続ける援助になると考えられる。

> 多方向への肩入れ：合同面接場面での信頼関係づくりをジョイニングという。その具体的な態度・技法としてナージによって紹介された。それぞれのメンバーに等分に肩入れし，結果的に誰にも偏らない公平な援助を可能にする。

2．着目点

①悪循環

"聴いて訊く" ための着目点を紹介するにあたり，まず問題をどう見るかというところからはじめたい。

いじめをきっかけとして不登校に至った子どもが，いじめをしていたクラスメイトを許し，仲直りしたにも関わらず，再登校に踏み出せないケースがある。これは，問題解決が原因解明と密接に関わっているはずだという私たちの前提を揺さぶるものである。原因を突き止め，取り除いても問題が解決しないのだ。

カウンセリングには原因解明とはまったく異なる問題の解決観がある。問題を**悪循環**と捉え，それを断ち切ろうとする見方である。悪循環に着目すると，関心は原因の追求にではなく，今なお問題が維持されている仕組みに向けられる。そうすると，子ども自身や保護者，教師，カウンセラーなど，問題にまつわる多くの人々が解決に乗り出しているにもかかわらず，その努力が報われないという，せつない事情がみえてくる。残念なことに，原因が問題を支えているというよりは，解決が問題なのだということが分かってくるのである。解決をしようとすればするほど問題が維持されてしまう悪循環に陥ってしまうのである。解決しようと努めるのだが，悩んでいる中で思いつくさまざまな取り組みは，実は同じことの繰り返しであることが多い。思いつく限りのことに取り組んでいるつもりであっても実は同じ枠組みの中におさまっているのだ。

しかしこの見方は，問題が維持されるのはそれだけ解こうとした人がいたからである，というふうに，ネガティブな状況だからこそポジティブなリソースが見出されるというパラドックスが含まれる点でユニークである。解決努力に向けられた力を活かして，悪循環を断ち切っていくわけである。

そのためには解決努力の仕組みを探りそれとはちょっとだけ違うことを積極的に行っていくことが大切である。そのためカウンセラーには，原因に関心を示さず，いつもの努力とは一風変わった解決策を提案する，ちょっとした奇妙さが求められる。

②良循環

問題が悪循環として維持されると捉えるとならば，解決は**良循環**として捉えられることになる。

良循環はゼロから作り出すようなものではなく，良循環のカケラを集め，その雪玉を坂道から転がすようなイメージで理解するといい。良循環のカケラは "**例外**" と呼ばれている。解決努力をちょっとだけ変える方向性が悪循環切断であるが，例外を膨らませる方向性が良循環促進である。解決努力を続ける中には，残念ながら報われなかった解決策だけでなく，実は少し良かったと感じられるものがあるはずである。そこに着目し，そのときの状況や相手，場所など整理する。

例外に着目しリソースを整理し，再現してみるのである。例外はもともと本人や周囲の人にフィットした解決策である。成長したり反省したり目が覚めたりしなくても，今のままで取り組めることである。そのためカウンセリングでは良循環に関わることについて，積極的に訊いていくのである。

③コミュニケーション

カウンセリングはもっぱらコミュニケーションを通して行われる。そこでコミュニケーションについても多角的に捉える必要がある。ここでは特に2つの視点を取り上げる。まず，トピックとマネジメント，それから言語と非言語である。

トピックとは語られる内容そのものであり，マネジメントとはトピックとは比較的独立したコミュニケーションのやりくりの側面である。同じ言葉でも言い方で意味は変わ

悪循環：問題への解決努力がかえって問題の維持に寄与してしまうこと。全ての問題を悪循環として捉え，原因追及でなく，維持する仕組みを見つけ，それを変化させることを目指す。

良循環：悪循環の対義語は好循環であるが，カウンセリングではこれを良循環と表現している。良い変化も悪循環と同様に，循環しながら維持・促進されていくと考える。

例外：問題が起きるはずなのに起こらない場合や問題が起きているのに少しマシといった場合が例外である。問題にまつわる人がすでに持っている解決への突破口でもある。問題から比較的自由でいられる場合を全て例外と捉え，良循環へと膨らませていく。

る。「愛してる」という言葉も甘く囁く場合と，きつく詰問する場合とでは，意味が全く違うのである。例えば，子どもの話を「分かるよ」といいながら聞いているにも関わらず，表情がしかめ面だとしたら，トピックの意味づけはこのしかめ面のマネジメントによって，子どもの話を非難していることとして受け取られるわけである。

言語でトピックは表現されることが多いが，マネジメントは非言語で表現されることが多い。言語だけでなく非言語への配慮もとても大切である。表情や姿勢，語気，語尾，そのようなさまざまな非言語が，コミュニケーションを大きく作用することに気づいておくことが必要である。

④抵抗

悩みを抱える当人や周囲の人物は，問題を解決したい，現状を変化させたいと願っている。しかしそれにも関わらず，変化を目指す過程で変化に抵抗するような言動がみられることがある。こういった現象は「抵抗」として概念化され，心理療法の過程で広くみられる現象として捉えられている。攻撃性を向けられる場合も抵抗の一つの表現とみなすことができる場合が多い。例えば非協力的な保護者や，不信感を露わにする保護者，批判の激しい保護者など，攻撃性の強い保護者と出会うことがある。

このような抵抗について，ド・シェイザー de Shazer, S.（1980, 1984）は「治療抵抗の死」という論文で，「患者との協働的な姿勢による治療を目指すならば，『抵抗』という現象は生じないのだ」と述べた。例えば攻撃性の強い保護者の場合，保護者を過剰なクレイマーと捉えるのではなく，保護者の抵抗は私たちが協調できていないことの指標として捉えたい。保護者と協調しうる「子どものため」の目標をいかに柔軟に設定できるかが肝心である。

⑤協調の三型

クライエントの動機の高さについても着目しておくといい。教師が問題と感じていても，生徒や保護者が問題を感じていないことも少なくない。また，問題を感じていてもそれは自分自身とは関係なく，自分以外の他者の問題なのだと考えている方もいる。もちろん動機づけが高く，変化のためにできることをしていきたいという熱意のある方もいる。ブリーフセラピーでは，クライエントとどのような関係性を築けているのかについて，この動機の高さを基準にカスタマー，コンプレイナント，ビジターという分類がなされる。**カスタマー（顧客）タイプ**の関係とは，クライエントの動機が高い状態でカウンセラーと話し合える関係である。クライエントとカウンセラーは，協働で問題とそれが解決された状態を明確にしていく。一方，**コンプレイナント（不満を訴える人）タイプ**の関係では，問題は他者が取り組む問題であるとの意味づけを前提にカウンセラーとの話し合いが進められる関係であり，カウンセラーとの関係においても，共に解決を目指すというやりとりにはなりにくい。しかし問題は見出されているので，対話を続ける中でクライエントが変化のためにできることを自覚していくと，カスタマータイプの関係に変わっていく。また**ビジター（連れてこられた人）タイプ**の関係とは，クライエントとカウンセラーが，取り組む訴えや目標を協力して明確にするのが難しい関係である。しかしそれにも関わらず対話の場に参加してくれているのだと考えることができると，参加へのねぎらいや関係づくりから始めてコンプレイナントタイプへ，そしてカスタマータイプの関係へと深めることができる。

中高校生の場合，自分から困りごとを訴えるような生徒は小学生と比べ少ないかもしれない。つまり上の関係の三型に当てはめると，ビジタータイプ（誰かに連れてこられてきた人）の場合が多いと考えられる。生徒指導場面などではなおさらである。このような場面では，問題や解決に関係ない会話を重ねることでリソースが見出され，解決へ

> カスタマータイプ／コンプレイナントタイプ／ビジタータイプ：ディヤング DeJong とバーグ Berg によって提唱されたクライエントーセラピスト関係の分類。協調の三型として知られる。援助場面においてクライエントにどのようなニーズがあるのかを認識することは解決への近道となる。

の会話が進む場合がある。また，場合によってはカスタマータイプの関係を築きやすい人，つまり周囲の困っている人（家族や他の生徒，教員など）へと柔軟に話す相手を変えることも必要と考えられる。

　⑥問題と自身との関係

　協調の三型が，相手と自身との関係性の話だとすると，もう一つ，問題と自身との関係への着目も大事である。

　問題について教育者として関わり始めたとしたら，私たち自身も問題を維持するメンバーの一員ということになる。問題は個人の問題や家族の問題と外側から見立てることはできなくなるのである。私たちが関わる中でそれでも問題が維持されるのならば，私たちもまた悪循環を何らかの形で維持してしまっているのだ。

　このように考えると，例えば生徒や保護者に変化が見られないことを，生徒の無気力や保護者の無責任などで説明しようとするのは妥当性を失うことになる。変わりにくさに私たち援助者も加担していると捉えられるからである。

　望ましい変化がみられないとき，相手の問題にとらわれるのではなく，自らの援助のあり方を振り返ることは変化の大きなきっかけとなる。自身が悪循環に陥っていないか，自身が経験した例外はどんなもので，持っているリソースは何なのか，良循環を促進するためには自分にはどんなことができるのかについて，積極的に自分自身に"聴いて訊く"視点が教育相談のポイントといえるだろう。

Ⅳ．カウンセリングのトレーニング

　ここでは，実際のトレーニングの工夫について紹介する。これまで述べてきた姿勢や手法を身に付けるためには体験的に学ぶことが欠かせない。また，学びについて偏りがないか，時折振り返る必要もあるだろう。そこで，事例検討やロールプレイの方法について述べていく。

1．ツイン・リフレクティング・プロセス

　これは，北ノルウェーのトム・アンデルセン Andersen, T. を中心としたトロムソ・グループによって開発されたリフレクティング・プロセスを参考にしている。通常，家族療法では，ワンウェイ・ミラーで面接室から仕切られた観察室にチームがおり，クライエントとセラピストらの面接の様子を観察する。さらにセラピストは面接の途中で何度か面接室を中座し，観察室でチームと面接方針を話し合う。リフレクティング・プロセスでは，一般的な方法とは異なり，面接の途中，チーム（リフレクティング・チーム）の話し合いをクライエントやセラピストがきくことになる。

　このやり方をカウンセリングの技術向上のために役立てることを目的として，三澤ら（2005）によりツイン・リフレクティング・プロセスが開発された。ツイン・リフレクティング・プロセスはコ・スーパーヴィジョンの一手法として用いられるものである。参加者はそれぞれ，クライエント役，面接者，チームα，チームβの役割をとる。クライエント役は自分が関わっているケースについて話す。面接者は参加者の1人から選ばれ，クライエント役の面接を行う。リフレクティング・チームは2つに分けられ，αチームは一般的なリフレクティング・プロセスでのチームと同様，クライエントと面接者の話を聞きコメントする。βチームは面接者の面接の進め方や話す内容に限定したコメントをする。クライエント役は面接者との話し合いやαチームのコメントにより，自分が抱えている事例について検討でき，面接者はβチームのコメントを活かしながら面接技術の練習ができる点がメリットとして挙げられる。

リフレクティング・プロセス：従来の家族療法ではワンウェイミラーを用いて家族とセラピストの面接を臨床家チームが観察していたが，それまで家族から見えなかった臨床家チームの話し合いの様子を家族からも観察できるようにした。アンデルセンはこの面接の方法をリフレクティング・チームと名づけ，のちにリフレクティング・プロセスと改称した。

コ・スーパーヴィジョン：指導者（スーパーヴァイザー）が被指導者（スーパーヴァイジー）の臨床心理的行為について指導を行うスーパーヴィジョンを同僚同士で行うもの。ピアスーパーヴィジョンと同義。

石井佳世（2012）はツイン・リフレクティング・プロセスを応用し、2つのチームの役割を言語側面に着目するものと非言語側面に着目するものに変更した研修法を提案している。クライエント役は担当している事例のクライエントを演じる。チームαは言語側面に着目してその面接を観察し、コメントする。チームβは非言語側面に注目してコメントを行う。これにより、チームはコミュニケーションに着目して面接を観察・実践するトレーニングができる。

2．インシデントプロセス法の応用

インシデントプロセス法とは、発表者がごく簡潔なインシデント（出来事）を報告し、参加者が質問によって事例の概要を明らかにしていきながら事例検討する方法である。詳しい手続きやメリットは本書姉妹編「小学校編」に記載されている。

3．ロールプレイの工夫

保護者と生徒に対する面接など、家族面接に役立てるためのトレーニングとして、モレノ Moreno, J. L. の心理劇をアレンジした手法を紹介する。この手法では家族の日常場面と合同面接場面の2つの場面を参加者が演じることにより、家族面接のトレーニングをすることを目的とする。

手順は以下のとおりである。

1）参加者の担当している事例をもとにしたロールプレイ
①事例を参加者全員で共有する。
②役割を決める（IP、家族、面接者、チーム）。
③家族の日常場面を演じる。
④合同面接場面を演じる。

2）あらかじめ用意した架空の事例をもとにしたロールプレイ
①架空のジェノグラムと問題状況を参加者全員で共有。
②役割を決める（IP、家族）。
③架空の家族成員の考え、気持ちを書いたシートをその役割を演じる人のみに配付する。
④家族の日常場面を演じる。
⑤面接者役を決め、合同面接場面を演じる。

この手法を用いて実際の家族の日常場面を演じてみることにより、家族システム（家族内のコミュニケーションによる拘束）を体感できる。例えば家族で不登校の子どもの問題を話し合う場面を演じると、父親が子どもに学校に行くように強く言い、それを受けて母親が子どもをかばい、子どもは父親に反抗するといったコミュニケーションの流れを体験できるかもしれない。そして、そのようなコミュニケーションをとってしまう家族の気持ちも、演じることでより推し量れるようになるという感想もある。さらに、その後その家族に対して面接をする場面を演じることで、合同面接場面のトレーニングや家族システムの見立てのトレーニングが可能になると考えられる。

心理劇：モレノによって創始された集団心理療法。即興劇を通して個人の内面の洞察や行動変容を促すことを目的としている。サイコドラマとも呼ばれる。

IP：Identified Patient の略で「患者と認識された人」の意。その人自身が問題なのではなく、周囲の人によって問題・困難を抱えていると認識されている人という意味で、個人に問題の原因を同定しない家族療法の姿勢が体現されている。

ジェノグラム：家系図のことであり、性別、年齢、職業、婚姻関係、など家族に関する情報や家族の関係性を図にまとめたものである。家族療法では治療の初期にジェノグラムを面接時に作ることが多い。

✍ ワーク（考えてみよう）

1．さまざまなカウンセリング理論を問題解決型や人格成長型に分けてみよう。

2．コンプリメントとプラス思考，どこが違うのだろう。

3．抵抗の強い保護者とはどのように関わるといいだろう。

✌ ワーク（事例）

■解決事例1
　言葉の選び方：
　中学1年生の勇太君が，クラスメイトから"いやがらせ"を受けて困っていることを，勇気を出して担任の武田先生に相談しました。勇太君はやさしい武田先生が好きでしたし，信頼していたのです。
　ところが武田先生がクラスの"いじめ"を何とかしようと熱心に聞けば聞くほど，勇太君はどんどん心を閉ざしてしまうのでした。武田先生もなぜだか分かりません。次第にうなだれていく勇太君を前に，いろいろと思いを巡らせたそうです。まだ何かもっと大きなことを話せていないのではないか，もっといじめっ子を非難してほしいと思っているのではないか，いじめの相談をしたことを後悔しているのではないか，など心の片隅で感じながら，それでも熱心に耳を傾けていたそうです。
　しかし実は，武田先生の何気ない"いじめ"という言葉を聞くたびに，勇太君は（僕はやっぱりいじめられているのか）と傷ついていたのです。武田先生はいち早く"いじめ"の問題として捉え，対策を考えながら聞いていたのですが，勇太君は一回も"いじめ"という言葉を使っていなかったのです。常に"いやがらせ"と表現していたのです。しかし武田先生が"いやがらせ"ではなく"いじめ"という言葉で応答を続けていたために，勇太君はその言葉を聞くたびにドキッとして，つらくなっていたのでした。
　その後，「僕はいじめられているのかな」という勇太君の言葉で武田先生は気づくことができました。なかなか気づけるものではありません。武田先生の熱心さや細やかさがあったからこそ気づけたのだと思います。それから武田先生は勇太君の言葉を用いて話を聞くことにしました。すると勇太君も安心して話しだし，早期解決につながったのでした。

解説：なぜ解決したのか？

　言葉の選択によって悪循環が生じてしまうことを示す事例である。私たちが自然に行っている言葉の選択は，普段意識されにくいが，カウンセリングにおいては自覚的であることが求められる。相手が使う言葉を使う，という工夫が基本となる。

　特に子どもたちが言いにくいことを伝えてきたときには気をつけたい。例えば自傷行為の一つであるリストカットについても，子どもたちの表現はさまざまだ。「リストカット」「リスカ」「手首を切る」「傷つけちゃうんだよね」など，子どもたちなりの表現がある。それぞれの表現を尊重し応答するのがよいだろう。「傷をつけてしまう」と表現する子どもに，「リストカット」という言葉で応答を続けると，その子はそのたびにドキッとして，その後相談に来なくなってしまうかもしれない。

　しかし例外もある。子どもたちが使う表現が，激しすぎたりグロテスクだったりする場合には，無理に合わせないほうがよいこともある。むしろ少し穏やかな言葉にして地道に応答を続けることが，子どもたちのためになる。

　さて，この事例はMRIアプローチといえる。自らが悪循環を維持していると考えた武田先生はすぐに改めた。悪循環を断ち切ることで，良循環を形成していったのである。

　このように悪循環は，よかれと思って熱心に取り組んでいる人たちの間でも容易に生じることを知っておくのは大切である。勇太君は勇気をだして，武田先生も熱心に，この問題に取り組んでいたのである。それでも悪循環は生じるのだ。だからこそ悪循環に気づくことができたときは，それだけで大したものなのだから，あまり反省しすぎず自分を責めすぎず，行動をまずは変えてみるのがいいだろう。

■事例2

ゲーム依存をどう考えるか：

　中学2年生のまさる君は，なかなか登校できません。登校できる時も10時に学校に着けば早い方といった具合です。このような状態は小学6年生の頃から続いています。大きな問題は昼夜逆転でした。

　まさる君は，小学3年生のとき，初めて携帯用ゲーム機を手にしました。最初の頃は時間が長くなると自制も効き，両親の制止にも応じていましたが，次第にゲーム機を手放せなくなっていきました。家の中で移動する際も常に持っています。自制は効かなくなり，両親が制止してもやめることができません。

　小学校6年生になると，両親の制止に対して強い攻撃性を見せるようになりました。父親はもともとテレビゲームが好きで，夢中になるまさる君の気持ちにも理解を示してきましたが，あまりに没頭する様子にさすがに心配になり，ある日母親にまさる君からゲームを取り上げるよう伝えていたのです。母親が携帯用ゲーム機を取り上げようとしたその日，初めてまさる君は暴言を吐き，暴れて壁に穴を開けてしまいました。その後もまさる君からゲームを取り上げることはできませんでした。

　夜中3時頃までゲーム機にかじりつき，朝6時に起きる生活はすぐに破綻しました。昼夜逆転になり，学校も休みがちになりました。中学2年生になる頃には，何事にも意欲が湧かず，いつもイライラしていて，学習も大幅に遅れてしまいました。

　担任の先生はスクールカウンセラーと連携をとることにしました。スクールカウンセラーはまさる君の状態をゲーム依存と考えることを勧めました。そしてまさる君の無気力，攻撃性，ゲームの自制が効かないなど意志の弱さを感じさせる状態は，ゲームへの依存による「脳の疲れ」と外在化されることになりました。

　まさる君も両親も担任の先生も，まさる君の人格や能力に問題があるのではなく，脳

の疲れによるものなのだという考え方が気に入りました。また，ゲームをやめる方向性には抵抗のあったまさる君も，脳を休ませる取り組みには関心を示しました。ゲームを減らそうとするのではなく，別の活動を増やすという取り組みを積極的に行い，相対的にゲームの時間が減っていきました。

ゲームの時間が減ってくると，表情も明るくなり，言動も落ち着いてきました。昼夜逆転も少しずつ好転し，生活リズムも整ってきました。両親も喜びましたし，まさる君も自信を得ることができました。

解説：なぜ解決したのか？

近年，世界中の家庭で繰り広げられているのが，携帯型ゲーム機やスマートフォンでのゲームをなかなかやめようとしない子どもと，遊ぶ時間を守らせようとする親との葛藤である。一般的な光景とはいえ，事態は真摯に受け止めたい。ゲームへの依存は，2019年にWHOによる診断ガイドライン（ICD-11）で，ゲーム障害として正式に診断基準として認められることとなった。ゲームへの依存は，深刻になると，アルコール依存症や薬物依存症と同様の苦しみや回復への困難に，子どもや家族が直面することになる。

実際，ゲームに熱中している際の脳と，覚醒剤を使用した際の脳は，同じような状態になっている。人間の欲望に関わるドーパミンが過剰に放出されているのである。私たちが何かを欲しいと感じ行動するとき，脳内ではドーパミンが分泌されている。これが過剰だと，より強い快楽でないと満足できなくなり，欲求がコントロールできなくなるのだと考えられる。さらに，無気力や神経過敏，実行機能や社会的機能の低下などを招くといわれている。

ゲームに熱中し続けていると，ゲームの刺激でしか満足できなくなる。脳の疲れが蓄積されていく。イライラしたり，ゲームをするために嘘をついたり，暴言を吐いたりするようになる。また生活のリズムや睡眠のリズムも崩れ，学業にも支障がでてくる。家族関係や友人関係よりも，ゲームを優先するので，社交性も育む大事な時期を孤独に過ごしてしまうことになる。特に暴力的なゲームでは，共感性の低下や攻撃性の増加，感情の激化などを誘発しやすいといわれている。現代のオンラインのゲームでは，ゲーム内コミュニティ，課金システムなど，子どもがゲームにハマりやすいシステムが巧妙に取り入れられている。

まさる君の事例もまた，ゲーム依存の状態として記述し，援助の方向性を考えていくのが望ましいと考えられる。「脳の疲れ」は外在化の意味合いだけでなく，実際の状態を示している。ゲームから離れることが一番なのだが，しかしゲーム依存の子どもたちはゲームの時間を減らすことに対し，激しい抵抗をみせる。そのため，時間制限は直接的には目指せない。だからこそ，ゲームを減らすのではなく，脳を休ませるのだ，というリフレイムが有効なのである。まさる君もまた，ゲームに溺れる現状に気持ちのどこかで危機感を持っていた。しかしゲームを減らすことができないでいた。このとき，脳を休ませるという新しい視点は，受け入れやすいフレイムだったのだ。

事例では外在化によるリフレイムだけでなく，解決志向ブリーフセラピーの立場からも援助が行われていた。何事にも意欲が湧かなくなっていたまさる君にとって，ゲームの代わりの別のことを行うのは実はなかなか難しい。そこでSCはまずまさる君の生活の把握に取り組んだ。ずっとゲーム機を手放せないまさる君だが，四六時中ゲームをしているわけではない。ゲームの内容を母親に伝えているときなどはゲームの話に夢中で，ゲームはしていない。そういった例外を集めこれらをふくらませていく方針をとった。

家族の協力のもと，ゲームをするよりゲームの話をすることからはじめていったのである。このように小さなことからはじめるのがうまくいく秘訣である。ゲームの時間が減ってくると，徐々にまさる君から，外出の意欲やファンタジー小説への関心などが語られるようになってきた。その段階でそれらをふくらませていけばいいのである。

　例外をふくらませて良循環を形成していくアプローチは解決志向ブリーフセラピーの特徴である。

　なお，家族と協力していく際には，家族支援の視点も忘れずにいたい。例えば本事例のように「脳の疲れ」への外在化など，家族の負担が少ないような意味づけを共有することも大切である。

　　参考・引用文献
Berg, I. K. & Steiner, T. (2003). *Children's Solution Work*. Norton.（長谷川啓三（監訳）(2006). 子どもたちとのソリューション・ワーク　金剛出版）
Boszormenyi-Nagy, I. & Sparks, G. (1974). *Invisible Loyalties*. Harper and Row.
Boszormenyi-Nagy, I. & Krasner, B. (1987). *Between Give and Take*. Harper and Row.
DeJong, P., & Berg, I. K. (2008). *Interviewing for Solutions: 3rd Edition*. Thomson Higher Education.（桐田弘江・玉真慎子・住谷祐子（訳）(2018). 解決のための面接技法：ソリューション・フォーカスト・アプローチの手引き〈第4版〉　金剛出版）
deShazer, S. (1980). *The Death of Resistance*. Unpublished Manuscript.
deShazer, S. (1984). The Death of Resistance. *Family Process*, 23, 11-21.
長谷川啓三 (2005). ソリューション・バンク―ブリーフセラピーの哲学と新展開　金子書房
平木典子 (2001). 自己カウンセリングとアサーションのすすめ　金子書房
平木典子・中釜洋子 (2007). 家族の心理―家族への理解を深めるために　サイエンス社
池見陽 (1995). 心のメッセージを聴く　講談社
石井佳世 (2005). えーと，あのー：間投詞の臨床語用論　現代のエスプリ（特集：臨床の語用論Ⅰ），454, 51-59.
石井佳世 (2012). 家族療法的トレーニング―ツイン・リフレクティング・プロセス，インシデントプロセス法の応用とロールプレイの工夫　日本心理臨床学会第31回秋季大会抄録集，740.
石井宏祐 (2009). ブリーフコーチング―子どものリソースに目を向ける　児童心理，63 (1). 41-45.
石井宏祐 (2012). ゲームばかりして困っています　児童心理，66 (12). 112-115.
国分康孝 (1992). 構成的グループエンカウンター　誠信書房
三澤文紀・久保順也・石井佳世・花田里欧子 (2005). ツイン・リフレクティング・プロセスという新しい事例検討の方法　東北大学大学院教育学研究科臨床心理相談室紀要，3, 101-114.
文部科学省（2022）生徒指導提要改訂版　東洋館出版社
日本家族研究・家族療法学会（編）(2003). 臨床家のための家族療法リソースブック―総説と文献106　金剛出版
岡田尊司 (2005). 脳内汚染　文芸春秋
岡堂哲雄（監修）(2005). 現代のエスプリ別冊臨床心理学入門辞典　至文堂
渡辺弥生 (1996). ソーシャルスキル・トレーニング（講座サイコセラピー）　日本文化科学社
山中寛・冨永良喜編 (2000). 動作とイメージによるストレスマネジメント教育〈基礎編〉　北大路書房

コラム ❖ column
中高生の携帯電話とインターネットに関する問題と対応
加藤高弘

近年，スマートフォンと呼ばれる多機能携帯電話の普及や，それに関連するサービスの発展により，携帯電話は，単純に電話やメールの機能のみならず，いつでもどこでもインターネット上の情報にアクセスできる便利なツールとなっている。

この携帯電話は中高生にも普及し，平成24年度の内閣府の調査では，中学生の所有率はおよそ2人に1人（約46％），高校生ではほぼ全員（約98％）とされ，その中で，スマートフォンを使用している中学生は約25％，高校生は約56％という（追記：令和4年度の調査では，スマートフォンの子ども専用率は，中学生91.0％，高校生98.9％となっている）。

また，最近の中高生の携帯電話の使用の特徴を見てみると，いわゆる「SNS（ソーシャル・ネットワーキング・サービス）」を通じて，友人や知人と頻繁に交流することや，ネット上で無料，あるいは有料で提供される「ソーシャルゲーム」を楽しむことを目的としていることが多いようである。

しかし，こうした魅力的なツールも，使い方を誤ると，長時間の使用により日常生活に支障をきたす「依存（嗜癖）」の側面があったり，インターネットの世界も現実世界と同様に「ネットいじめ」が起きたり，さらには犯罪に巻き込まれたりするトラブルが多く存在しており，これらは社会問題の一つとなっている。

この状況を踏まえて，各関係機関はそれぞれの特色を生かした取り組みを展開しているが，例えば，内閣府では，平成21年から「青少年が安全に安心してインターネットを利用できる環境の整備等に関する法律」を施行している。また，文部科学省（2020）では，インターネット上のトラブルから児童生徒を守るために，①学校における携帯電話の取り扱いについて，②学校における情報モラル教育の取り組みについて，③「ネット上のいじめ」等に関する取り組みの徹底について，④家庭や地域に対する働きかけについて，全国の教育委員会に対応を求めている。

昨今，急速に普及している携帯電話やインターネットを，単純に禁止するだけの対応はもはや現実的ではなくなっており，大人も子どもも含めた社会全体で，携帯電話や当該サイトについての有効性と弊害について理解を深めていく必要があるといえる。また，インターネット上の世界だけで問題が起きているという一元的な見方ではなく，実際は，現代社会を生きる中高生が，現実の世界になんらかの生きづらさを感じており，それを解消するための一つの手段として，インターネットの世界に足を踏み入れているということが少なくない。結局は，現代社会において，家庭や学校，地域が一丸となって，中高生が安心感を持って過ごせる環境やルールについて，再構築していくことが求められているといえる。

ソーシャル・ネットワーキング・サービス（social networking service; SNS）：社会的ネットワークをインターネット上で提供するWebサービスをいう。代表的なものに，Twitter，Facebook，Line等がある。

青少年が安全に安心してインターネットを利用できる環境の整備等に関する法律：青少年がインターネットへの接続に用いる携帯電話等について，民間事業者にはフィルタリング提供の義務を，保護者には子どもに適切にインターネットを利用させる責務等を課している。平成24年7月の見直しでは，スマートフォンを始めとする新たな機器への対応，保護者に対する普及啓発の強化，国や地方公共団体や民間団体の連携強化等を挙げている。

情報モラル教育：メディア・リテラシー教育とも呼ばれ，情報社会における正しい判断や望ましい態度，危機回避等を教える。なお，小・中学校の新学習指導要領では，各教科等の指導の中で，情報モラルを身に付けることが明記されている。

参考・引用文献

文部科学省 (2020). 学校における携帯電話の取扱い等について（通知） https://www.mext.go.jp/content/20200803-mxt_jidou02-000007376_2.pdf

内閣府 (2013). 平成24年度青少年のインターネット利用環境実態調査報告書 https://warp.da.ndl.go.jp/info:ndljp/pid/12927443/www8.cao.go.jp/youth//youth-harm/chousa/h24/net-jittai/pdf/kekka_g.pdf

内閣府 (2023). 令和4年度青少年のインターネット利用環境実態調査報告書 https://www.cfa.go.jp/assets/contents/node/basic_page/field_ref_resources/ce23136f-8091-4491-9f29-01fc8a98cf83/18a29c16/20230401_councils_internet-kaigi_ce23136f_10.pdf

第12章

進路指導の理論と方法
——思春期，青年期における進路指導

中村　修・高綱睦美・吉中　淳

Ⅰ．はじめに

　2022(令和4)年12月に発表された生徒指導提要(改訂版)では,その冒頭において「これからの児童生徒は,少子高齢者社会の出現,災害や感染症等の不測の社会的危機との遭遇,高度情報化社会での知識の刷新やICT活用能力の習得,外国の人々を含め多様な他者との共生と協働等,予測困難な変化や急速に進行する多様化に対応していかなければなりません」(p.14)と述べ,児童生徒が「自己指導能力の獲得を身に付けることが重要」だとしている。

　このことはもちろん進路指導でもあてはまることである。社会の変動があるなかで,一人の人間がどのように自分の人生で進む道を決めていくか,進む道を切り開くためにどのようなことを身に付ける必要があるのか,そしてそれをどのように指導していくのか,ということが本章で扱う進路指導およびキャリア教育の問題である。

生徒指導提要（改訂版）：

Ⅱ．進路指導とキャリア教育

1．進路指導とは

　近年,キャリア教育という用語は特に珍しくもない言葉となってきていると思われるが,キャリア教育とはいったい何を行うものなのか,従来行われてきた進路指導と何が違うのか,ということが十分に理解されているとは言い難いと思われる。章の初めに,まずはこれらの言葉の整理,内容の異同についてまとめていく。

　まず本章のタイトルとなっている進路指導とはどのような活動なのか,その定義を紹介しよう。

　文部省（1983）の「進路指導の手引——高等学校ホームルーム担任編」によれば,

　　進路指導は,生徒の一人ひとりが,自分の将来の生き方への関心を深め,自分の能力・適性等の発見と開発に努め,進路の世界への知見を広くかつ深いものとし,やがて自分の将来への展望を持ち,進路の選択・計画をし,卒業後の生活によりよく適応し,社会的・職業的自己実現を達成していくことに必要な,生徒の自己指導能力の伸長を目指す,教師の計画的,組織的,継続的な指導・援助の過程

とされている。

そして,この進路指導を構成する活動は,主に以下の活動にまとめられる。

1）生徒理解,自己理解に関する活動：生徒の能力・適性を把握して指導に役立てるとともに,生徒自身にも自己を正しく理解させるための活動。
2）進路情報資料の収集と活用に関する活動：職業や進学先に関する情報を生徒に与え,進路選択に活用させる活動。
3）啓発的体験・体験に関する活動：職場体験等の実際の経験を通して生徒に自己および職業の

情報を得させるための活動。
4）進路相談に関する活動：進路に関する悩みや問題の解決を図るための活動。
5）就職・進学などへの指導・援助に関する活動：生徒の進路選択に応じて援助や斡旋を行う活動。
6）追指導に関する活動：卒業後のそれぞれの進路先によりよく適応していくための援助活動。

2．キャリア教育とは

　続いて，キャリア教育についてだが，キャリア教育の定義は提唱された当初と現在では違いがあることに注意したい。
　キャリア教育という概念が文部科学行政関連の報告書にて初めて登場したのは，1999年の中央教育審議会答申「初等中等教育と高等教育との接続の改善について（答申）」であった。本答申には，以下のように記されている。

　　学校教育と職業生活の円滑な接続を図るため，望ましい職業観・勤労観及び職業に関する知識や技能を身に付けさせるとともに，自己の個性を理解し，主体的に進路を選択する能力・態度を育てる教育（キャリア教育）を発達段階に応じて実施する必要がある。

　この当時の社会的な問題に「フリーターの増加，若者のフリーター」や「ニート（NEET）の増加」「七五三問題」など若年層の雇用問題があり，若者たちが選ぶ働き方がそれまでと変わってきたことを重大な問題と位置づけてキャリア教育が提唱されていた。「学校教育と職業生活の円滑な接続」「望ましい職業観・勤労観」といった語句が用いられていることが特徴的だといえる。
　その後，キャリア教育は，中央教育審議会（2011）「今後の学校におけるキャリア教育・職業教育の在り方について」において次のように定義された。

　　一人ひとりの社会的・職業的自立に向け，必要な基盤となる能力や態度を育てることを通して，キャリア発達を促す教育

　この定義が現在も用いられるキャリア教育の定義となっている。

3．進路指導とキャリア教育の共通点，相違点

　上記の引用から，キャリア教育と進路指導にどのような違いを感じるだろうか。まず共通しているのは，進路指導もキャリア教育も「計画的・組織的に進められる教育活動」であることには変わりないということである。そして，進路指導の取り組みはキャリア教育の中核となる活動であり，「進路指導のねらいもキャリア教育の目指すところとほぼ同じ」とも言われている。
　しかし，「同じ」であるならばわざわざ新しい概念，新しい定義を持ち出すことはあまり意味のないことである。キャリア教育という新しい概念が提唱されるようになった背景には，これまでの「進路指導」に対して指摘されてきた複数の問題が背景にある。進路指導の何が問題視されたのかというと，それは「理念」ではなく，その名のもとに行われてきた「実態」といえよう。
　そもそも進路指導の前身は「職業指導」である。中学生・高校生の卒業後には就職することが一般的だった時代には「職業指導」こそが生徒の進路を指導することの実態を表すものであった。しかし，高等教育機関への進学率が高くなるにつれ進路の内容が多様化していったことと職業指導では単に職業斡旋活動との誤解を招く恐れのあることも

フリーター：そもそもフリーアルバイターの略語であり，パート・アルバイトという形態で雇用されている者を指す。フリーターにはさまざまな分類がなされており，「正規雇用を望まない」者ばかりがフリーターなのではなく，正規雇用を望みながらやむを得ずパート・アルバイトととして生計を成り立たせている者もいることに留意したい。

ニート：日本型ニートとは「主婦でも学生でもなく，働いてもいない15〜34歳までの若者で，求職活動をしていない人」とされる。そもそものNEETは"Not in Education, Employment or Training"の略である。

七五三問題：中卒の7割，高卒の5割，大卒の3割の人が，就職してから3年以内に最初に勤めた会社を辞めてしまうという問題。

あって，「進路指導」という名称が活動を適切に表すものとして用いられるようになったわけだが，問われたのはその内容であった。中学校・高等学校で行うべき進路指導とは「職業」「働くこと」に関する指導ではなく，「進学指導」ということになるのだろうか。これに関連して，象徴的に用いられた言葉が「出口指導」である。これは先述の進路指導を構成する活動1）から6）のうち，5）だけが重視され「卒業後の行先を決める」ことだけに偏った指導だといえよう。ただし，そこには「出口の決定の主体は誰なのか」という問題が存在した。その最たるものが「偏差値教育」と言われたものであろう。偏差値に基づき進学先を決定するということが，果たして生徒自身の意向・希望を反映したものなのかどうか，という点が疑問視されたわけである。

　教師を含む周囲の大人の考え・意見は確かに貴重なものではあろうが，「人生に対する保証」は誰からも与えられるものではない。1999年の中教審でのキャリア教育の定義当時の社会的背景，そして冒頭に述べた現在の社会変化を考えると，旧来の「大学進学，就職してその後終身雇用」という旧来の人生モデルが通用せず，「望ましい働き方」ということから個々に考えて個々で実現させることが必要となっている社会背景の中で，「誰かに決められてしまう／決めてもらう」のではなく「主体的に選択する」ことがますます重要視されるようになってきていると言えるだろう。

　次に，進路指導とキャリア教育の相違点として，これらの教育活動が行われる「時期」の点が挙げられる。進路指導は，学習指導要領から言えば，中学校・高等学校において行われるものであり，初等教育（小学校）および高等教育（大学，高専等）には設定されていないものである。一方，キャリア教育は，上記の定義に「キャリア発達」という概念があるように，中学校・高等学校の範囲だけではなく，就学前の段階から継続的・体系的に行われることが想定されているのである。小学校から高等学校のそれぞれで行われる「総合的な探究の時間」では，生徒が自らの興味関心に基づいたテーマを設定し，自発的・意欲的な学習を行い，自己理解を深めたり自分のこれからの生き方を考えたりすることができるようになることをねらいとしているわけだが，探究活動が先述の「主体的」という要素と緊密につながるわけであるし，要はキャリア教育的意義を持つ活動であるといえるわけである。

4．キャリアとは何か

　そもそも「キャリア」ということは何を指すのだろうか。キャリアは，「職業に関する経歴」という意味合いで用いられることが多いのではないだろうか。また，「キャリア官僚」という言い方に現れるように，特にステイタスの高い職業経歴を誇る人たちを指す言葉としてのイメージも強いかもしれない。

　しかし，キャリアという概念は職業に関連したことだけをさすものではない。スーパー Super, D. E.（1980）による定義では，キャリアは「生涯において個人が果たす一連の役割，およびその役割の組み合わせ」とされている。この定義のポイントは2つある。

1）生涯にわたってつながっていくものだということ：キャリアという言葉には，そもそもの語義に「通ってきた道筋に残るもの，積み重なってきたもの」「ずっと続いていくもの」という意味合いがある。
2）複数の役割の組み合わせということ：職業をもたない者のキャリアを「大学生」「専業主婦」から考えてみよう。「大学生」では，「学生」という役割を中心に，出自家族における「子ども」という役割，アルバイト先での「労働者」という役割を同時にもっているといえるだろう。「専業主婦」でも，夫に対する「配偶者」，子どもに対する「親」などの役割をもっている。このように考えると「キャリアのない者は存在しない」ということができるだろう。成人の有職者を一般的に考えてみると，

中学校のキャリア教育の手引き「第1章キャリア教育とは何か 第2節キャリア教育と進路指導」:

中学校学習指導要領（平成29年告示）特に「第1章総則　第4　生徒の発達の支援　1　生徒の発達を支える指導の充実」:

高等学校学習指導要領（平成30年告示）特に「第1章総則　第5款生徒の発達の支援　1生徒の発達を支える指導の充実」:

「職場」という領域で「職業人，労働者」という役割をもつ以外にも，「家庭」という領域で「配偶者」「親」という役割を，「地域」などで「市民」という役割を同時にもっていると考えられる。ただし，これらの役割は単に同時に存在しているわけではない。個人はこれら複数の役割を同時に持ちつつ，その役割間のやりくり（マネジメント）を行うことが求められる。

ここで，スーパーが作成した「ライフキャリアの虹」を紹介しよう（図1）。外周に年齢が記され，内部には役割名が書かれた帯がある。また帯には色の濃い部分があるが，これがその役割に対する個人のエネルギーのかけ方をさす。例えば，働きつつ，親の介護もしつつ，というような状況の場合，職業人と子どもという2つの役割間で，時間配分等のバランスをとっていかなければならない。「ワークライフバランス」という概念があるが，役割間のバランスを整えて自己の望ましいものとして生活をしていくという点で，共通の問題意識をもった概念といえるだろう。

5．キャリア発達とは何か

キャリア発達は career development の訳語である。心理学で一般に「発達」と訳す development は，他の領域では「開発」とも訳される。つまりキャリア発達とキャリア開発は同じ言葉の訳語となるわけだが，これら2つから感じる意味合いは異なるのではないだろうか。

「キャリア発達」ということに込められた意味合いを考えてみよう。発達とは「時間経過に伴う変化」を重視した概念である。特に学校段階では，（幼稚園→）小学校→中学校→高等学校→高等教育機関という学校段階と対応した時間的展開とそこで期待され

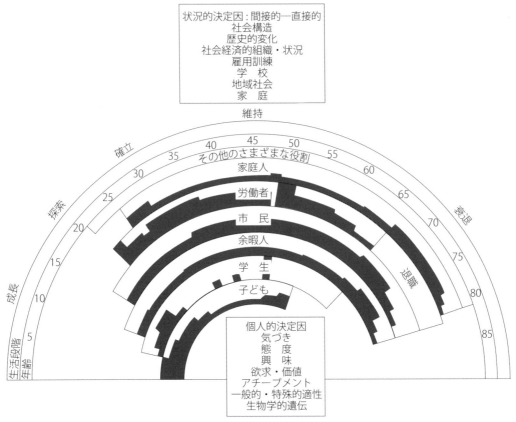

図1　ライフキャリアの虹（Super, 1980）（出典：中西，1995）

る児童・生徒の変化，とまとめることができるだろう。もちろん個人の人生は学校段階を終了して終わりになるということはなく，その先の人生のほうが（現代社会では）長い。「学校段階の先」という長い人生を生きていくための基盤を学校段階で築く，ということがキャリア教育として課題とすることなのである。教育によって発達を促す，という教育と発達の基本的関係は「キャリア」に関する教育と発達の関係においても何ら変わりはない。

6．キャリア教育で育成されるべき能力

先にキャリア教育とは「一人ひとりの社会的・職業的自立に向け，必要な基盤となる能力や態度を育てることを通して，キャリア発達を促す教育」と述べたが，その「自立に向けた必要な基盤となる能力」として提示されているのが「基礎的・汎用的能力」である。以下は，文部科学省が2023年3月にHPにて公開した「中学校・高等学校キャリア教育の手引き」に基づき，著者が整理したものである。

① 人間関係形成・社会形成能力
- 多様な他者の考えや立場を理解し，相手の意見を聴いて自分の考えを正確に伝えることができるとともに，自分の置かれている状況を受け止め，役割を果たしつつ他者と協力・協同して社会に参画し，今後の社会を積極的に形成することができる力
- 社会との関わりの中で生活し仕事をしていくうえで，基礎となる能力
  具体的要素の例：他者の個性を理解する能力，他者に働きかける能力，コミュニケーションスキル，チームワーク，リーダーシップ

② 自己理解・自己管理能力
- 自分が「できること」「意義を感じること」「したいこと」をして，社会との相互関係を保ちつつ，今後の自分自身の可能性を含めた肯定的理解に基づき主体的に行動すると同時に，自らの思考や感情を律し，かつ，今後の成長のために進んで学ぼうとする力
- 「子どもや若者の自信や自己肯定感の低さが指摘される中，「やればできる」と考えて行動する力
  具体的要素の例：自己の役割の理解，前向きに考える力，自己の動機づけ，忍耐力，ストレスマネジメント，主体的行動

③ 課題対応能力
- 仕事をするうえでのさまざまな課題を発見・分析し，適切な計画を立ててその課題を処理し，解決できる力
- 自らが行うべきことに意欲的に取り組むうえで必要なもの
  具体的な要素の例：情報の理解・選択・処理等，本質の理解，原因の追究，課題発見，計画立案，実行力，評価・改善

④ キャリアプランニング能力
- 「働くこと」の意義を理解し，自らが果たすべきさまざまな立場や役割との関連を踏まえて「働くこと」を位置づけ，多様な生き方に関するさまざまな情報を適切に取捨選択・活用しながら，自ら主体的に判断してキャリアを形成していく力
- 社会人・職業人として生活していくために生涯にわたって必要になる力
  具体的な要素の例：学ぶこと・働くことの意義や役割の理解，多様性の理解，将来設計，選択，行動と改善

「中学校・高等学校キャリア教育の手引き」ではこれら4つの力を紹介するとともに，

様々な教育活動を通して育成されるべき重要な「力」である基礎的・汎用的能力は，

能力観：「基礎的・汎用的能力」の他にもさまざまな能力観が提唱されている。

「人間力」内閣府提唱，社会を構成し運営するとともに，自律した一人の人間として力強く生きていくための総合的な力。

「就職基礎能力」厚生労働省提唱，事務系・営業系職種において，半数以上の企業が採用にあたって重視し，基礎的なものとして比較的短期間の訓練により向上可能な能力。

「社会人基礎力」経済産業省提唱，職場や地域社会の中で多くの人々と接触しながら仕事をしていくための能力。

中学校・高等学校キャリア教育の手引き：

「社会人・職業人に必要とされる基礎的な能力と現在学校教育で育成している能力との接点を確認」することを通して具体化される（p.19）

と述べている。上記の「具体的要素の例」で挙げられている事柄は「働く場面」だけで必要になることではなく，児童生徒が学校生活をおくる中で必要となる力でもあり，学校生活の中で鍛えられていく力であることがわかるだろう。学校教育で行われていることと将来必要となることがリンクすることで児童生徒の目の前にある学習活動が将来へとつながっていくことを理解してもらうことも大事なことだといえよう。

6．キャリア教育は単独の活動か？

　上記のような諸能力の形成がキャリア教育の目標となるとするならば，それはどのような教育活動の中で行われるものであろうか。進路指導・キャリア教育は当然のことながら学校教育の中で行われる活動であるが，教科学習と異なり時間割の中で「毎週１時限設定されていた」などという者はいないだろう。教科教育でないとするならば，それ以外の特別活動（学級活動・ホームルーム，生徒会活動，学校行事などから構成される），特に先に触れた「総合的な探究の時間」をキャリア教育の時間として捉える方も多いのではないだろうか。確かに，学校行事の運営に携わることで「一つの大きな活動の中における自己の役割」を意識しその達成のために努力することで理解されるものもあるだろう。また，「総合的な学習（探究）の時間」では教科では扱いづらい（ように思われる）「将来，職業，社会」といった内容を扱うことができるということもできよう。

　しかし，キャリア教育は，普通教育や専門教育，特別活動を問わずにすべての教育活動の中で実施されることが想定されている。「中学校高等学校キャリア教育の手引き」の第５章「キャリア教育の実践」では中学校と高等学校それぞれの国語や数学，中学校における道徳，高等学校の商業科などでの実践例が紹介されているので，ぜひ確認してほしい。

　このことに関して，下村（2009）はキャリア教育の代表的手法として「インフュージョン」を挙げている。教科・科目の授業では，その教科の目標を外さないことは当然としてもキャリア教育の視点を取り入れて行うことが求められる。つまり，進路指導でもキャリア教育でも変わらない活動であったり，上記の能力を育成したりということを考えると，キャリア教育はすべての教科においてその要素を含めることができるとも言えるだろう。図２は，さまざまな教育活動とキャリア教育の関連を図示したものである。Ａの図は一般に紹介される図であるが，浦上（2010）はＡ図では「キャリア教育でない学習部分が存在することも暗示してしまう」（p.118）という問題点を指摘し，「キャリア教育は教育そのものである」（p.118）というスタンスのもとＢ図を提案している。

　また2017（平成29）年に公示された中学校学習指導要領及び2018（平成30）年に公示された高等学校学習指導要領には，共通に「生徒が，学ぶことと自己の将来とのつながりを見通しながら，社会的・職業的自立に向けて必要な基盤となる資質・能力を身に付けていくことができるよう，特別活動を要としつつ各教科・科目等（筆者注：中学校学習指導要領では各教科等）の特質に応じて，キャリア教育の充実を図ること。その中で，生徒が自らの生き方を考え主体的に進路を選択することができるよう，学校の教育活動全体を通じ，組織的かつ計画的な進路指導を行うこと」との記述がある（高等学校学習指導要領の第１章第５款１．（３）より，「生徒」を「児童」と置き換えた同様の記述は平成29年度に公示された小学校学習指導要領にも示されている）。「自らの生き方を考え主体的に進路を選択することができる」というキャリア教育の目的のために，

> インフュージョン：「何かに何かを『注ぎ込む』という意味の英語です。キャリア教育では，普通の授業にキャリアの要素を注ぎ込むことをいいます。例えば国語の勉強をする際，有名な文学作品を読んだり，少し難しい論文を読むことも重要ですが，同時に職業人として働くことについて述べた文章を読んだり，生徒に自分の将来や人生を考えさせる内容の教材をもちいれば一石二鳥です」（下村,2009, pp.40-41）

図2　キャリア教育と各教科（文部科学省，2004, p.11）

「学ぶことと自己の将来とのつながりを見通す」ことが重要であることが明確に示されているわけである。もちろん「将来へのつながりを見通せない学びは無駄」と言っているわけではない。「教科教育などキャリアと一見関係なさそうに見える科目の中に将来のキャリアにつながっていくものを見出す」ことが，学びへの動機づけの点からも重要視されていると言えるだろう。

III. 進路指導・キャリア教育を構成する活動——職業理解，自己理解を中心に

先に進路指導を構成する活動について6つの活動を紹介したが，ここからはそのうちの「進路情報資料の収集と活用に関する活動」「生徒理解，自己理解に関する活動」「啓発的体験・体験に関する活動」についてそのポイントをまとめていく。

1．進路情報の収集，社会理解・職業理解

世の中にはどのような産業や職業があるのか，それがわからなければ将来の職業・キャリアを考える際にもとても狭い範囲で考えることとなる。ただし，単に「職業を調べてみよう」といっても何をどう調べたらよいかもわからないだろうし，逆に職業は周囲にありふれていることだから，何をみても職業をみたことになるかもしれない。つまり児童・生徒の身の回りの職業には偏りがあるかもしれない，ということには留意すべきである。目につきやすい，あるいは人気のある職業については自然と学んでいくこともあるだろう。

できるだけ幅広く職業を調べるためには，やはり工夫が必要になる。ここでは，そのツールとして，厚生労働省が提供している**職業情報提供サイト（日本版 O-NET）**，通称 **jobtag** を紹介しよう。このサイトでは，2024（令和6）年3月時点で531の職業が掲載されており，「フリーワード検索」「テーマ別検索」（例，「自然を探る」「語学を生かす」などのテーマ別に職業が整理されている）「イメージ検索（地図）」などの多様な職業検索法が用意されている。特にイメージ検索（地図）では，架空の町の地図と共に「オフィス街」「町工場・工業団地」などのエリアが示され，エリアをクリックするとそのエリア内にある具体的な仕事が表示される仕組みとなっており，「ある仕事の近くにある仕事」をユーザーが知ろうとしたかどうかにか関わらず確認可能になるような仕組みとなっている。この jobtag は多くの年代が利用可能であるが，他にも**児童生徒向けに職業情報を提供するHP**もあるので参照されたい。

このような幅広く職業を知ってもらうためのツールでは，自分の知りたかった職業を調べて知識を深めることだけでなく，それまで興味をもったこともないし存在さえ知らなかった職業をいかに見つけてもらうかも大切なポイントになるだろう。また，職業の

職業情報提供サイト（日本版O-NET），通称jobtag：

児童生徒向けに職業情報を提供するHP：他にも，「13歳のハローワーク」公式サイト（http://www.13hw.com/special/special02_02.html）等のwebでの情報提供を挙げることができる。

種類・内容の理解に加えて，社会情勢・経済状況・雇用問題についても理解することが望ましいだろう。例えば，労働法についての知識，マネーリテラシーともいうべき「お金に関する知識」も必要になる。雇用形態の違いにおいて得られる生涯賃金がどのように異なってくるか，どのような保障が異なるかということがその一例になるだろう。

またこれらの情報収集の際には，できるだけ「正確な情報・新しい情報」を入手することが必要となる。ICTが進化・普及した現在，昔に比べて簡単に多量の情報を入手することが可能となっている。また，一人一台のPC・タブレット端末が用意されることで，授業外でも好きな時間に思うままに調べることも可能となっている。しかし，多量の情報が簡単に手に入るからこそ，「情報を見る目」を養うことが求められる。また，このような活動を指導する者にとっても，正しく理解しているか，知識を新しいものに更新しているかということが問われると言えるだろう。

2．自己理解

自己理解の目的は，自分自身を分析してさまざまな面から自己を捉えて「客観視」できるようになることだと言えるだろう。しかし，「客観的な」自己理解を行うことはとても難しいことと言える。

本書の対象である中学校・高等学校は，青年期の前期から中期と位置づけることができ，この時期の代表的な発達課題として「アイデンティティの形成」が挙げられる。ゆるぎない自己を確立させること，またその形成プロセスをきちんと踏んで「確立していない不安定な状態」から「確立した安定状態」へと自分を変化させていく体験をつむことは，青年期において達成されるべき発達課題としての意味をもつだけではなく，その後の人生でも「アイデンティティの再構成」をする際の有用な経験ともなりうる。ただし，自己理解をおこなうためには，なにより内省する力が必要となるし，また理解したことを表現する力も求められるだろう。そして，自己にある複数の側面に気づくためのきっかけも必要になる。

自己理解を促す活動において留意すべき点は，まず「自己の短所・欠点」の扱い方にあると言えるだろう。長所だけ見つけて短所を認めないということも問題であるが，短所ばかりに目が向き「欠けている部分」にだけとらわれるということも大きな問題である。「長所と伸ばしつつ，短所を克服する」という姿勢につながるような自己理解を行う必要がある。

そして，職業に関する自己理解のツールとして職業適性検査が挙げられる。先に述べたjobtagでは，「職業興味検査」「価値観検査」「職業適性テスト（Gテスト）」などの適性検査を行うことが可能である。その検査から示される「自分」にはどのような特徴があるのか，結果を示すプロフィールや簡単な解説文をもとに理解することでき，また結果をもとに適職を確認することもできる形になっている。こうしたICTサービスを利用することで，自己理解の機会を従来よりも簡単に作ること，増やすことも可能となっている。では，これらのような適性検査の用い方として注意すべき点はなんだろうか。まず，検査前に思っていたものと検査で明らかになったものとの食い違いがあるかどうか，ということがあるだろう。食い違いがないということはある意味正しい自己理解をしていたということにもなり，望ましい結果が示されたことになるだろう。しかし，食い違いがある場合にこそチャンスがあるともいえる。検査前に思い描いていた職業への適性を備えていないという結果となった場合には，逆にこれから身に付けるべき事柄が示されたという理解をすることができるだろう。また，思ってみなかった職業への適性が示された場合には，気づいてもいなかった新たな可能性が示されたと考えることがで

> アイデンティティ：自らと社会からの両面によって，自分の斉一性と連結性が認められているという感覚・自覚。

きるだろう。要は，検査結果は「次へのきっかけ」として用いることが大切である。そして何より大事なのは，検査結果は「その人のすべて」を示すものではないし，「これからもずっと変わらないその人の特徴を示すものでもない」ことを理解したうえで検査を用いることであろう。jobtag の例に挙げた職業興味検査と価値観検査では，その名前が示すように検査からわかるものも異なり，それぞれが示す適職が異なっても不思議ではない。あくまで「ある観点からみたその人の特徴」が示されているのであり，「すべて」ではないのである。また，先に「長所を伸ばし短所を克服する」と書いたが，それが行われた結果，その人は検査時点から「変わる＝発達する」ことになる。なので，もう一度同じ検査をしたとしても，違う結果がでてくることも十分に想定されるわけである。検査時点の自己に向き合いつつも，将来の自己は「今とは変わっているものだ」という認識が必要なのである。

3．啓発的体験

　実際の体験をすることを通して自己理解や職業・社会理解を深めたり，体験することでしか得られない知識を得たりするきっかけとして，「啓発的体験」は位置づけられる。この啓発的体験の代表的な活動は「職場体験活動」であるが，「中学校高等学校キャリア教育の手引き」では「キャリア教育については，その理念が浸透してきている一方で，職場体験活動のみをもってキャリア教育を行ったものとしているのではないか」(p.27)との問題を提起している。では職場体験活動が単なる活動ではなく，キャリア教育となるにはどんなことに留意すればよいだろうか。

　まず，「何か体験させればそこから理解するだろう」と安易に決めつけてはならない。職場体験活動が自己理解や職業理解へとつながるためには，体験前後の指導が重要となるだろう。「中学校高等学校キャリア教育の手引き」では「体験活動は，今の学びや努力が何につながるのか，体験する絶好の機会であるといえる。しかし，その機会を生かすためには，体験活動がやりっ放し，イベントの乱立にならないように事前・事後指導の充実こそが重要である」(p.47)と述べている。まず事前指導としては，その体験の意義・目的を明確にし，体験への動機づけを高めることが重要である。何が理解できるのか，何を理解することが必要なのかということが事前に明確になることで，体験中の「目の付け所」も変わってくるだろう。また，体験後には，体験をしっかりと振り返ることが必要である。感覚的に何かをつかむこともあるだろうが，それを言語化しておくことが大切である。理解できたことあるいは理解できなかったこと（新たな疑問など）を明確にすることで，次の活動へのつながりも生まれるだろう。一時の「イベント」ではなく，職場体験自体は，職場体験学習のメインではあるもののあくまで一部であるという捉え方が必要だろう。

　また，「体験学習」となるには，単に「職場を見てきた」だけは不十分である。「お客さん扱い」のままで期間が終わるのではなく，何かを任せてもらい（途中の失敗やうまくいかない経験を挟みつつ）やり遂げた，という体験となることが望ましい。また，このことと反することのように見えるかもしれないが，「つらい経験」で終わってしまうのも望ましくない。「働くということは大変だ」「働くのは面倒なことだ」というネガティブな理解で終わってしまうことは，職業観・勤労観の形成においても「もったいない」ことである。

　ここで，職業「観」ということについて，浦上（2010）は「職業観」と「職業感」という2つの言葉を用いて次のように述べている。

「感」は心の動きを表すので、「職業感」レベルの理解とは、職場体験をして、「おもしろかった」「すごかった」「感動した」「大変だった」「つまらなかった」などと感じたことをそのまま職業と結びつけた理解と言えるでしょう。

…（中略）…他方で「観」は、ものの見方を意味します。すなわち、対象をとらえる枠組み自体のことを指します。感情も枠の一つですが、もちろん枠はそれだけではありません。たとえば職業の3要素である、経済的側面、個人的側面、社会的側面といったものも、この枠に相当すると考えてよいでしょう。さまざまな職業関係の調査で用いられている、職場の人間関係、所在地、福利厚生施設、休日数などの項目も、職業をとらえる枠といえます。この枠は無数にあり、さらに個人によって枠が異なるユニークなものと考えられます。

…（中略）…感情以外の枠が新しく作られなければ、いつまでも「職業感」で職業をとらえることになります。つまり、今自分がもっている枠以外の枠があることを知る必要があります。違う枠からみると、同じ職業でもまったく違ってみえてきます。こういうことを繰り返しながら、職業をとらえる枠というものを意識すること、それを増やしていくことが職業観の形成の基礎として重要なことといえます。(pp.123-124, 著者により一部省略)

この指摘にあるように、体験からの感情的・感覚的な気づきに留まらず、体験した1つの職業・業務の範囲を超えて、「働くこと」自体に対する自分なりの観点を形成していくことが必要となるだろう。

最後に、この職場体験の実施の際には、「受け入れ先の開拓」が大きな問題となる。また、体験期間中の安全確保・緊急対応も大きな問題となる。これらに代表される諸問題があることから、実施するのが生徒だけではなく教員側にとっても大変な活動となることは確かだが、それだけに成果に対する期待の大きな活動といえよう。

なお2018（平成30）年に公示された高等学校学習指導要領の「第1章第2款3．教育課程の編成における共通的事項」の中の「（7）キャリア教育及び職業教育に関して配慮すべき事項」には、

「ア　学校においては、第5款の1に示すキャリア教育及び職業教育を推進するために、生徒の特性や進路、学校や地域の実態等を考慮し、地域や産業界等との連携を図り、産業現場等における長期間の実習を取り入れるなどの就業体験活動の機会を積極的に設けるとともに、地域や産業界等の人々の協力を積極的に得るよう配慮するものとする」

との記述がある。もちろんキャリア教育の観点で学校が連携を図る先は地域や産業界のみならず、「家庭・保護者」や「学校間（異校種間）」も対象となりうる。こうした連携の総合的なイメージは図3を参照してほしい。

4．キャリア・パスポート

文部科学省は2017（平成29）年度から「キャリア・パスポート（仮称）」普及・定着事業を実施し、2019（平成31）年に「『キャリア・パスポート』例示資料について」を発出している。キャリア・パスポートとは、キャリア教育用に用意された学修ポートフォリオといえるものであり、「中学校高等学校キャリア教育の手引き」では以下のように内容を整理して紹介している（pp.31-32）。

ポートフォリオ：金融業界では「財産目録」、芸術・クリエイティブ業界では「作品集」など、用いられる文脈によって表現は異なるが、共通に「情報を整理しひとまとめにしたもの」の意味があり、教育領域では大きく「学習の記録」を意味する。そして体験活動及びそのふり返りの記録、作品・作文などの制作物、学期末学年末での全体的な振り返りの記録など多様なものが収集し整理しまとめていく対象となる。

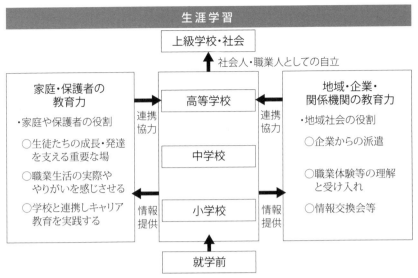

図3　小学校・中学校・高等学校の連携と家庭・地域との連携（文部科学省，2023，p.50）

1）児童生徒自らが記録し，学期，学年，入学から卒業までの学習を見通し，振り返るとともに，将来への展望を図ることができるものとする。
2）学校生活及び家庭，地域における学びを含む内容とする。
3）学年，校種を越えてもち上がることができるものとする。
4）大人（家庭や教師，地域住民等）が対話的に関わることができるものとする
5）詳しい説明がなくても児童生徒が記述できるものとすること（以下，6から9まで省略）

　そして，この説明に続けて「生徒が自分のよさや可能性を認識できるようにするための一つの活動が『見通しを立て，振り返る』であり，そのツールとして『キャリア・パスポート』が提案されている」（p.32）としている。つまりは，先述の自己理解や職業理解の結果のまとめ，啓発的経験の記録などをひとまとめにして，それを小学校から中学校，高等学校と継続的に記録し続けることで，いつでもそれまでの振り返りを行うことができ，新たな気づき・発見を行ったり再確認したりできるようにするものとして導入されたものである。中学校，高等学校において教師が「生徒のこれまで」を確認して，指導したり相談に応じたりすることを可能にするツールであるともいえる。藤田（2019）はキャリア・パスポートについて，「これまで多くの学校で行ってきた学びの振り返りを，全国的に推進し，それを小学校から高等学校までつないで行うとするものです。それを通して，児童生徒が肯定的に自己の成長を受け止め，次のステップに向けて頑張ろうと思えるようになることが最も重要です」と述べている。肯定的な自己の成長を確認できるようにキャリア・パスポートを使えるように，それに基づいて教師が児童生徒と対話的関わりを行うなど，指導する側の工夫も求められるわけである。

IV．進路相談，キャリアガイダンス，キャリアカウンセリングの基となる理論

　続いて，キャリア教育の実践やキャリアガイダンスやキャリアカウンセリングに活用される理論を紹介しよう。

1．マッチング理論

　パーソンズ Parsons, F. から始まる「特性因子論」と呼ばれる考え方がその代表である。

この考えのもとでは，個人のもつ特性（適性，能力など）と職業の特徴（その職業に求められる資質など）が合致・適合することが「より賢明な職業選択」のために必要だと考えるものである。そのためには，個人の適性・能力・興味が明確に示されることが必要となり，先に紹介したような適性検査の発展に寄与した。もちろん，個人と職業のより良い適合という考えは現在のキャリア支援・進路支援の基本的な考えであることには変わりない。ただし，このマッチング論に基づく援助には，ある種の欠点も指摘できる。それは，検査で示された適性を静的に捉えるかどうか，ということである。先の「自己理解」の項で述べたことと関連するが，「今現在のその人の適性にぴったりとはまる職業は何か」を考えることは，「その人がこの先どう変わるか，どう変わりたいか」という変化を考慮していない。ある時点での適性や興味関心をもとに「自分にぴったりはまる職業」を見つけることにこだわったとしても，適正や興味関心のほうが変わってしまうこともあるわけである。

2．職業的発達理論

特性因子論が，「その時点でのマッチング」に焦点をあてているのに対して，「ある（職業的）選択へとたどりつくまでの過程」に焦点をあてたのが，職業的発達理論である。この考え方の代表が，先のキャリアの定義の際に紹介したスーパーである。スーパーの職業的発達段階の設定は，成長段階・探索段階・確立段階・維持段階・衰退段階という大きなライフステージから構成されている。特に成長段階と探索段階を以下にまとめる。

> 成長段階
> 空想期（4～10歳）：欲求中心，空想の中での役割遂行が重要な意義をもつ。
> 興味期（11～12歳）：好みが志望と活動の主たる決定因子となる。
> 能力期（13～14歳）：能力により重点が置かれる。職務要件が考慮される。
>
> 探索段階
> 暫定期（15～17歳）：欲求・興味・能力・価値観・雇用機会の全てが考慮される。暫定的な選択がなされ，それが空想・討論・仕事の中で試みられる。
> 移行期（18～21歳）：労働市場や専門訓練に入り，そこで自己概念を充足しようと試みる段階で現実への配慮が重視されるようになる。
> 試行期（22～24歳）：表面上適切な分野に位置づけられると，その分野での初歩的な任務が与えられる。そして，それが生涯の職業として試みられる。コミットメントは暫定的なものであり，職業が適切でない場合は，好みの具体化・特定化・実行が再度行われる。

このうち，本書の対象となる中学生・高校生が該当するのは，成長段階の能力期，探索段階の暫定期および移行期となるだろう。発達課題として，暫定期では，職業的好みの具体化（結晶化），職業的好みの移行期では「特定化」が設定されている。移行期の記述に「自己概念の充足」という表現があるが，自己概念は単なる「私が私をこのように捉えている」という主観的把握をさすことに留まらず，環境との関わりの中から（客観的な）フィードバックを得ることで，自他の評価と一致するか否かということから「正確さ」を問われることにもなる。成長段階という「キャリア発達のスタート地点」では，まずは「好き・嫌い」「（スター，アイドル，興味を持ったモデル等への）憧れ」から構成されたキャリアに関する自己概念であっても，そこから「自己概念の吟味」を行い，興味・価値観が明確になるとともに，自己の「能力・適性・技能」を理解していくことによって，特定の職業が具体化され，自己の選択対象として特定化されていくことになる。

このように，人間の発達という大きな流れの中で，各時期において段階的に形成して

> スーパーの職業的発達理論：他の段階の年齢設定は以下の通り。確立段階（25歳～），維持段階（45歳～），衰退段階（解放段階とも表記される，65歳～）。

就学前	小学校	中学校	高等学校	大学・専門学校・社会人
	〈キャリア発達段階〉			
	進路の探索・選択にかかる基盤形成の時期	現実的探索と暫定的選択の時期	現実的探索・試行と社会的移行準備の時期	
	・自己および他者への積極的関心の形成・発展 ・身のまわりの仕事や環境への関心・意欲の向上 ・夢や希望，憧れる自己のイメージの獲得 ・勤労を重んじ目標に向かって努力する態度の形成	・肯定的自己理解と自己有用感の獲得 ・興味・関心等に基づく勤労観・職業観の形成 ・進路計画の立案と暫定的選択 ・生き方や進路に関する現実的探索	・自己理解の深化と自己受容 ・選択基準としての勤労観・職業観の確立 ・将来設計の立案と社会的移行の準備 ・進路の現実吟味と試行的参加	

図4　小学校・中学校・高等学校におけるキャリア発達（文部科学省，2011, p.19）

いく課題を整理し，明確化したものが発達課題ということになる。キャリア発達を促すことを目的とするキャリア教育においても，学校段階に合わせて図4のような発達課題が設定されている。

基礎形成→暫定的選択→試行と社会的移行準備という段階を踏まえて，社会の一員となるプロセスを歩んでいくことを社会が児童・生徒に期待していることがここから理解できよう。

3．自己効力理論

「職場体験」「職業人インタビュー」や「インターンシップ」などの活動がなぜ有効とされるのか，その背景にこの理論がある。**自己効力理論**はそもそもバンデューラ Bandura, A. の提唱した理論であり，自己効力を高めるためには，「直接体験」「モデリング」「言語的説得」「生理的覚醒」という4つの要素が指摘されている。職場体験などでは，実際に職場を体験し（直接体験），その場で働く人を参考にし（モデリング），説明をうける（言語的説得）ことで，効力感を得ることができると想定されているわけである。

キャリアに関する自己効力は，特に2つの側面に整理される。

A：キャリアに対する自己効力
ある職業領域に対して持つ自己効力である。自分がどのような分野や領域に効力をもつか，ということに関係する。例えば，伝統的に女性主体の職業を男性が希望する場合，性別ということが理由となり，その仕事をする効力に疑問を感じるという場合があてはまる。

B：キャリア選択に対する自己効力
キャリアの選択を行うプロセスを進めることへの効力である。さまざまな評価(自己，職業の両方を含む) を適切に行うことができるか，情報収集を効率的に行うことができるか，選択と絞り込み，決断といった問題解決を行うことができるか，ということに関わる。

特にBの効力を考えると，効力感をもてる職業がいくつあっても選択・決定プロセスを進められないために「決められない」という不決断の問題を抱えることにもなりうるわけである。プロセスを進められない背景には，性格的な優柔不断さというべきものが理由となっている場合もあるだろうし，進め方・決め方を知らないということもある

自己効力：ある結果を生み出すために必要な行動をどのくらい効果的に行うことができるのかという確信。

だろう。

ここで，浦上・三宅・横山（2004）は，「進路決定のむずかしさ」を以下のようにまとめている。

① どうしたらよいかわからないからむずかしい，どうやって考えたらいいかわからないからむずかしい。
② 将来のことをきめることだからむずかしい，不確定要素が多いからむずかしい。
③ 選択肢や基準があいまいで絶対的なものがないからむずかしい，基準がはっきりといいあらわせないからむずかしい。
④ やる気や関心が少ないからむずかしい，これまでなんとかなってきたし，時間まかせ，他人まかせだからむずかしく感じる。

何かを選択し決定するということ自体は日常生活の中で常に行われているはずのことである。何もかも充分に満足できるすばらしい選択を行うことができればそれに越したことはないが，③が言い表しているように，将来が関わる選択においては何がベストなのかは選択時点では確定できず，その時点でベターなものを選ぶしかないことになる。また，選択肢を一つに絞るということはその他の多くの可能性を「あきらめる」「わりきる」ということが必要となることも理解しておかなければならないだろう。

関連して，「職業選択・決定」ということが最終学校段階の間，もしくはその終わりかけの時期にだけ行うことなのか，という問題を考えてみよう。このことを考える上で大切なのは，中学校から高等学校へ，高等学校から大学・短大・専門学校へ，という選択の一つひとつがその後の選択につながっていくという，流れとして進路選択・決定を捉えることであろう。一つの選択経験は，「選択に対する直接経験」として次の選択時に役立つことが期待される。「何を選んだか」だけではなく「どうやって選んだか」ということもその先の選択につながっていくわけである。

ただし，一つの選択をしたら，その道を決して外してはいけないということではない。それぞれの学校段階での学びや積んできた経験から，「軌道修正」を行って自分自身にとってより良いものを追い求めることは大切なことであろう。そのためにも，自分で考え，自分で決める，という力が必要になる。

V．おわりに――これからの社会動向を踏まえたキャリア教育の方向性

下村（2009）は，キャリア教育を考えるうえでの社会動向として以下の3点を挙げている（p.74）。

① フリーターに限らず，今後も若者の働き方は多様になっていくことは変わらないでしょう。派遣社員や契約社員として働くことも，ますます普通になっていくでしょう。昔のように，学校を卒業したら，全員が正社員として働く世の中には戻らないと考えたほうがいいでしょう。
② 大学や大学院に進学することは，昔に比べれば楽にはなるでしょう。しかしこれは大学や大学院をただ卒業しただけで，昔のような就職が保証されるわけではないことも意味します。むしろ大学で何を学習し，何を得たのかが重要になってくるでしょう。
③ いろいろな面で流動化が進み，その結果として格差も広がってゆくことも今後の社会の動向として予測されていることです。これから社会全体であまり格差が広がらないように，みんなで力を合わせていったとしても，なかなか押しとどめるのは難しそうです。

2000年代の終わりに指摘されたこれらのことは2020年代においてその通りに現実化しているといえよう。冒頭に述べたように，若年層の雇用問題に対する問題意識から始まったキャリア教育も，社会的・職業的自立の名のもとに，「自分で自分の進路・キ

ャリアを考え，自分で決めていく」ことの重要性を強調するようになっている。ただし，「進路指導」の問題点としてあげた，「生徒個人の将来に関する問題を生徒自身ではなく周囲の大人が決定すること」は問題だということは確かだが，ならば「自分で決めたのならば何を決めたとしてもそれでよい」ということになるだろうか。ここで，生徒指導提要改訂版では，生徒指導の目的を「児童生徒一人一人の個性の発見とよさや可能性の伸長と社会的資質・能力の発達を支えると同時に，自己の幸福追求と社会に受け入れられる自己実現を支えること」（p.13）としている。ここでいう「自己の幸福追求と社会に受け入れられる自己実現」は，進路・キャリアの選択でも重要となることは言うまでもないだろう。社会が個人に求める「望ましさ」（望ましい職業・勤労観，望ましい選択など）と個人が思う「望ましさ」は時に対立的になることもあるだろうが，どちらも満たすように考え選択する力を進路指導・キャリア教育を通して身に付けることが児童生徒には求められている。もちろん児童生徒だけでなく指導にあたる大人たちも社会側の一員として，自らがもち児童生徒との関わりの中で用いられる「望ましさ」を自問する必要があるだろうし，これまでに説明してきた活動を通して児童生徒と社会をつなげる役割の一翼を担っているという意識を持つことも必要となるのではないだろうか。

✍ ワーク（考えてみよう）

1．中学校・高等学校において，従来から行われている「進路指導」と近年になって就学前段階から推進が強化されている「キャリア教育」の両者をどのように教育活動の中で両立させていけばよいか，考えてみよう。

2．中学校2年生の2学期に「働く大人の思いに触れる」ことを目的とした3日間の職場体験学習を計画しています。その事前・事後指導としてどのような実践を行ったらよいか考えてみよう。

3．いわゆる普通科進学校と呼ばれる高等学校において，大学進学者が大半を占める中，生徒に大学選択のみにとどまらない進路指導・キャリア教育としてどのような指導を行っていけばよいか考えてみよう。

✌ ワーク（やってみよう）

■ワーク１：職業について考えよう

●ねらい
- やってみたい活動内容から職業名を調べることを通して，職業世界に対する視野を広げる。
- やりたいことを実現するためには多様な選択肢が存在することに気づかせる。
- さまざまな職業に触れることを通じて，２年生で行う職場体験学習への動機づけを高める。

●対象：中学校１年生，６名グループを事前に作っておく。

●具体的展開（２時間分）：

〈前時の内容と事前の準備〉
- 職業情報サイトを活用した職業情報の探し方を理解し，実際に多様な職業に触れておく。
- 現時点での希望職業と，その職業に就きたい理由（その職業を通じてどのような活動をしたいと考えているか）をワークシートに記入し提出。
- 前の時間に提出された希望職業に関するワークシートの内容を踏まえ，教師が，似た活動内容を志す生徒同士を同グループに割り振っておく。

①割り振られたグループごとに，各テーマを把握する。（10分）
　例）「子どもと関わる」「スポーツが好き」「外国の人と関わりたい」……等

②そのテーマを実現することができる職業にはどのようなものがあるのか，前時に活用したHPや本などを参考に調べたり，アイデアを出し合う。（30分）

③②で出た職業名を付箋に記入し（一枚一職業），職業同士の関係に配慮しながら模造紙に貼る。（10分）

④各グループごとに作成した職業名リスト（モリモリ職業マップ）を示しながら，発表を行う。（30分）

⑤本時の内容を振り返りワークシートに記入する。

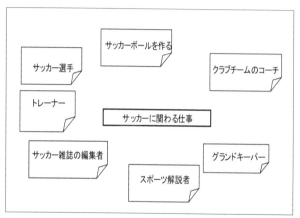

○模造紙記入例

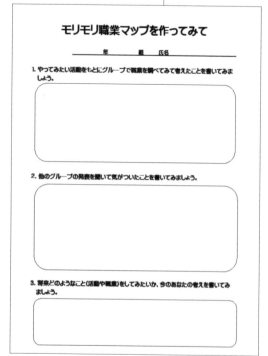

○振り返りワークシート（例）

■ワーク2：ライフプランを考えてみよう
　●ねらい
　・具体的な進学先の選択を迫られる3年生を前に，進学先のみでなく，さらにその先のライフ・キャリアにまで目を向けさせることで，長期的な視点に立った進路選択ができるよう促す。
　・自分のライフプランを描き，また仲間同士で情報交換することで，自分のライフプランに対する考え方を見つめ直し，進路選択に役立てる。

　●対象：高校2年生
　10名程度のグループを作り，さらに2人1組のペアを作る。
　●具体的展開：
　①各自，自分のライフプランを以下の項目ごとにワークシートに描いてみる。（10分）
　・学校
　・仕事
　・仕事のための挑戦（スキルアップ・資格など）
　・家族（結婚，子どもなど）
　・社会貢献，地域貢献，ボランティア，趣味など

　②ペアの一人が相手にライフプランについてインタビューし，ワークシートにメモする。（7分）

　③インタビューされた人がインタビューする立場に代わり，質問し，ワークシートにメモする。（7分）

　④グループ内でインタビューした人はメモを参考に相手のライフプランについてグループ内の仲間に紹介する。（20分）

　⑤振り返りシートの記入（6分）

○ワークシート（例）

（注：本実践の内容およびワークシート・振り返りシートは，吉田正義氏の実践をもとに筆者が加筆・修正したものである）

参考・引用文献

Bandura, A. (1977). Social Learning Theory. Pearson Education Inc.（原野広太郎（監訳）(2012). 社会的学習理論（オンデマンド版）　金子書房
中央教育審議会 (1999). 初等中等教育と高等教育との接続の改善について（答申）(http://www.mext.go.jp/b_menu/shingi/chuuou/toushin/991201.htm)
中央教育審議会 (2011). 今後の学校におけるキャリア教育・職業教育の在り方について（答申）(http://www.mext.go.jp/b_menu/shingi/chukyo/chukyo0/toushin/1301877.htm)
藤田晃之 (2019). キャリア教育フォービギナーズ　実業之日本社
厚生労働省　職業情報提供サイト（日本版 O-NET）jobtag　https://shigoto.mhlw.go.jp/User
文部省 (1983). 進路指導の手引―高等学校ホームルーム担任編　日本進路指導協会　p.3.
文部科学省 (2004). キャリア教育の推進に関する総合的調査研究協力者会議報告書
文部科学省 (2011). 中学校キャリア教育の手引き　https://www.mext.go.jp/a_menu/shotou/career/1306815.htm
文部科学省 (2011). 小学校キャリア教育の手引き（改訂版）　https://www.mext.go.jp/a_menu/shotou/career/1293933.htm
文部科学省 (2022). 生徒指導提要　https://www.mext.go.jp/content/20230220-mxt_jidou01-000024699-201-1.pdf
文部科学省 (2023). 中学校高等学校キャリア教育の手引き　https://www.mext.go.jp/a_menu/shotou/career/detail/mext_00010.html
文部科学省 (2023). 小学校キャリア教育の手引き（2022年3月）　https://www.mext.go.jp/a_menu/shotou/career/detail/mext_01951.html
村上龍 (2010). 新13歳のハローワーク　幻冬舎（13歳のハローワーク公式サイト　http://www.13hw.com/map/map.html）
中西信男 (1995). ライフ・キャリアの心理学―自己実現と成人期　ナカニシヤ出版
日本労働研究機構 (2001). 中学生・高校生の職業認知（資料シリーズ No.112）
日本労働政策研究・研修機構 (2003). 職業ハンドブック　OHBY
下村英雄 (2009). キャリア教育の心理学　東海大学出版会，pp.74-75.
Parsons. T. (1951). *The Social System.* Routledge & Kegan Paul.（佐藤勉（訳）(1974). 社会大系論　青木書店）
スタジオダンク (2005). サッカーでメシが食えるか　サッカーのお仕事大紹介　ノースランド出版
スタジオダンク (2005). サッカーでメシが食えるか　サッカーのお仕事大紹介2　ノースランド出版
Super, D. E. (1980). A life-span life-space approach to career development. *Journal of Vocational Behavior,* 16, 282-298.
株式会社トップアスリート　13歳のハローワーク公式サイト　https://13hw.com/home/index.html
浦上昌則 (2010). キャリア教育へのセカンドオピニオン　北大路書房
浦上昌則・三宅章介・横山明子 (2004). 就職活動をはじめる前に読む本　北大路書房

○振り返りシート（例）

コラム◈column
ひとり親家庭の現状と支援の手立て
萩臺美紀

　厚生労働省（2015）のひとり親家庭に関する報告によると，母子世帯は84.9万世帯（昭和63年）から123.8万世帯（平成23年）と約1.5倍，父子世帯も17.3万世帯（昭和63年）から22.3万世帯（平成23年）と約1.3倍に増加している。ひとり親になった理由として，最も多いのが離婚であり，死別，未婚と続く。このように，ひとり親家庭が増加している現代において，学校現場では親との死別や親の離婚を経験した生徒やその親の現状および対応について理解を深めることが重要となる。そこで，本稿ではひとり親家庭における子どもの現状を踏まえ，必要な支援について考えてみたい。

1．ひとりで抱え込みがちな親への支援
　ひとり親家庭の親は人的なサポート源が乏しく，社会的なサポートに関する情報も不足しているため，問題をひとりで抱え込む傾向にある。特に不登校やひきこもりに至った子どものひとり親は，複雑な家庭事情に問題の原因を帰属し，ひとり親の自分を責め，「ひとりでなんとかしなければ……」とさらに自分自身を追い詰め，子どもに余裕を持った関わりができずますます問題が悪化することもある。このような親への支援の基本は信頼関係の構築である。現在の困り事や心配事を安心して話せる相手がいること自体がひとり親の心理的な負担の軽減につながる。時には，ひとり親が子育てについて相談できる社会的支援，例えば，子育て支援相談窓口や，スクールカウンセラーの利用を提案することも必要となる。ただし，就労と子育てを両立するひとり親にとって社会的支援を受ける心理的負担が逆効果となる場合も稀ではない。社会的支援の提案においてはひとり親のニーズと負担感を十分に理解する必要がある。

2．経済的困窮を抱える子どもの進路指導
　経済的な困窮は，ひとり親家庭（特に母子家庭）の特徴の一つである。子どもが高校生の場合，ひとり親家庭における経済的負担の増加に伴い子どものアルバイト時間が増加し，大学進学を断念しやすい（神原，2014）。また，親の苦労を十分に理解している場合も多く，そのような子どもは自分の望む職業や夢を断念することも想定される。神原（2014）は，ひとり親家庭の高校生に対する進路指導においては，生徒が将来への希望を持てるように支援する重要性を指摘している。具体的には，希望する進路を選ぶことができるような進路選択のアドバイスや，情報提供，資金援助，スキルアップのサポートである。このように，複雑な事情を抱えながらも，子どもが自身の将来について希望を持って真剣に考えられるきっかけを作り，子どもが将来の可能性を自ら断念してしまわないような指導が必要である。

3．子どもの自立性を育む支援
　ひとり親家庭による影響はネガティブな側面だけではない。ひとり親家庭の子どもは自己決定や自己選択の機会が増えるため自立性が育まれるという主張もある（Sessa & Steinberg, 1991）。一見すると否定的な影響しかないようにみえても，肯定的な側面も存在する。特にひとり親家庭の子どもと関わる場合には，困難な状況で子どもはどのような能力を身に付けているのか，将来どのように役立つのかといった視点を持つことが重要である。ひとり親家庭という枠組みに囚われ一方的な支援をするのではなく，子どもの能力や可能性を最大限に生かすような形で，自立性を育むような関わりをすることが重要だと考えられる。

参考・引用文献
神原文子 (2014). 子づれシングルと子どもたち―ひとり親家族で育つ子どもたちの生活実態　明石書店
厚生労働省 (2015). ひとり親家庭の現状等について
https://www.mhlw.go.jp/file/06-Seisakujouhou-11900000-Koyoukintoujidoukateikyoku/0000083324.pdf
Sessa, F. M. & Steinberg, L. (1991). Family structure and the development of autonomy during adolescence. *The Journal of Family Adolescence*, 11(1), 38-55.

> コラム ❖ column
>
> 子どもと貧困
> ──現状と支援の実際
> 二本松直人

　2014年に，子どもの貧困対策法が制定され，子どもの貧困を防ごうとする社会の動きがみてとれる。子どもの貧困は，教育の機会均等および健やかな生育環境に基づいて判断される。例えば，学校に行くことができているかどうか，学習をどれくらい理解できているかどうか，毎日きちんとご飯を食べているかどうかなどである。

　子どもの貧困率は，厚生労働省の国民生活基礎調査によれば，2015年時点で13.9％である。そして，子どもがいる世帯で，大人が1人である世帯では，半数以上の50.8％となっている。つまり，片親世帯への支援の重要性がみてとれる。

　一方，貧困の子どもたちおよびその家庭には現在どのような支援が行われているのだろうか。その一つとして，「NPO法人豊島子どもWAKUWAKUネットワーク」（以下WAKUWAKUと略記）について紹介しよう。WAKUWAKUは，夜間の児童館運営や子ども食堂，家庭訪問をするホームスタートなどの暮らしサポート，遊び場づくりをする遊びサポート，無料学習支援の3つを取り組みの柱として掲げている。中でも，子ども食堂は，2012年に東京都大田区で誕生した「子どもが1人でも安心して来られる無料または低額の食堂」のことであり，最近注目されている支援活動の一つである。栗林（2018）では，WAKUWAKUの支援を受けたKさんの手記が紹介されている。Kさんは，娘が2人いるにもかかわらず貧困に苦しんでいる中，WAKUWAKUの子ども食堂や勉強会に娘が参加するようになってから，それが心の支えとなり，Kさん自らWAKUWAKUで自分と同じような境遇にいる人たちを支援するようになっていったという。このように，WAKUWAKUでは世帯における乳幼児～成人になるプロセスを見据えて，遊び場提供，子ども食堂，学習支援といった途切れのない支援が提案されている。

　他方では，子どもがいる世帯に関する生活保護受給のあり方についても検討がなされているなど，法的なサポート体制の整備も進みつつある。法的サポート整備を目指しつつ，法的サポートからこぼれ落ちてしまうような子どもを持つ世帯を，WAKUWAKUのようなNPO法人が絶え間なくサポートできる体制は，今後より望まれるに違いない。

引用・参考文献
厚生労働省 (2016). 国民生活基礎調査
https://www.mhlw.go.jp/toukei/saikin/hw/k-tyosa/k-tyosa16/dl/16.pdf（2019年5月24日閲覧）
栗林知絵子 (2018). シリーズ：生活困窮者支援から6　広がれ，子ども食堂の輪　つながれ！　ゆるやかなネットワーク―子ども食堂の可能性は無限大　貧困研究, 20, 106-113.

第13章

学級経営

岩本脩平・香月佳容子

Ⅰ．学級を経営するということ

1．学級経営とは

　生徒にとって学級・ホームルーム（「学習指導要領」では，中学校は「学級」，高等学校は「ホームルーム」と表記されるが，以降は「学級」と表記を統一する）は，1年間自分の身を置く所属集団である。当然ながら，学級に自分の居場所を確保できるかどうかは，生徒にとって重大な関心事となる。マズローの欲求段階説を引用するならば，学級は「生理的欲求」「安全欲求」に次ぐ，「社会的欲求」を満たしてくれる場である。つまり，学級が自分の居場所となり，「社会的欲求」が満たされれば自己実現に向かう階段を上ることができるが，満たされなければ不適応に陥ってしまうリスクがある。学習指導要領の総則にも，「学習や生活の基盤として，教師と生徒との信頼関係及び生徒相互のよりよい人間関係を育てるため，日頃から学級経営の充実を図ること」と述べられており，担任には全ての生徒にとって学級が居場所となるような，学級経営の手腕が求められる。

　そもそも，学級は部活動や委員会活動のように，自らその活動に取り組もうという意図を持って集まった集団とは異なる。割り振られた学級に各生徒が集まっているだけで，特に新入生の場合には生徒同士の関係性も最初のうちは希薄である。しかし，人が集まるところには，次第にその集団独自の力関係や風土が生まれてくる。教師と生徒，あるいは生徒同士の関係性の構築や，学級のルールや目標，「学級風土」などをともに醸成していく営みが，学級経営である。

　学級経営について赤坂（2013）は，教室という一カ所に集められた子どもたちを，無目的に集まっている「群れ」（グループ）から，課題解決集団としての「団」（チーム）にすることであると表現している。学級の生徒たちが自ら考え課題に取り組めるチームとなっていれば，学級内で起こる問題についても，自分たちで解決しようとする動きが自然と生じる。また，学級の雰囲気が良いと，教科学習をしている時間にも影響を与え，ひいては学力向上にもつながる。生徒が日々の活動拠点とする環境を整える意味でも，学級経営は教科教育と同様に，教師にとって大事な仕事であるといえる。

2．学級経営計画

　学級経営には，目標の設定，豊かな人間関係や自律的な集団づくり，生徒理解，他の教職員との連携，家庭や地域社会との連携などが求められる。これらの内容を意図的・計画的に実践し，よりよい学級づくりをしていくためには，年間を通した学級経営計画が必要である。

　例えば，川端（2016）は学級集団づくりに焦点をあてた年間計画の作成方法を提案している。まず学校や学年の教育目標に照らし合わせながら学級教育目標を決定する。さらに，学級を意志のある集団にするためには，その学級経営計画の中に「学級目標」

> マズローの欲求段階説：人間の欲求は5段階の階層に分かれており，低次の欲求が満たされると順々により高次の欲求を求めるようになるというもの。低次のものから順に「生理的欲求」「安全欲求」「社会的欲求」「尊厳欲求」「自己実現欲求」がある。

表1 「学級教育目標実現に向けた3つの柱と10の重点」による学級経営計画（川端，2016より引用）

学級教育目標	
○互いを尊重し信頼し合える生徒の育成 ○自分の責任を果たし協力し合える生徒の育成 ○思いを共感し他の為に貢献できる生徒の育成 ○夢や目標の実現に向けて精一杯取り組む生徒の育成	
学級教育目標達成に向けた3つの柱	
学級目標	□学級目標を学級経営の羅針盤として位置づけ，学級全員で考えさせる。 □学級目標は生徒の姿で表現し，学級全員でつくったという実感をもたせる。 □学級目標を学級経営の「評価規準」としてとらえて生徒への意識化を図る。
学級組織	□組織のリーダーは，リーダー像を全員で確認して信頼できる人を選ばせる。 □組織のメンバーは，班希望調査とリーダー会の話し合いの調整で決定する。 □生徒会専門部とは別に座席を単位とした「生活班」をつくる。 □生活班は，クジではなくリーダーを配置した意図的な席による班とする。
話し合い （学級討議）	□学級目標の実現に向けて，「短学活」を活用した定期的な話し合い活動を設ける。 □話し合い活動は「班」「リーダー」「学級全体」の3種類を位置づける。 □話し合いは，互いを認め合う場，問題解決やルールづくりの場を設ける。 □話し合いの内容は，必要に応じて原案を作成させて臨ませる。
学級づくり10の重点	
重点事項	具体策
席（班）替え	[1] 生徒にどの班になりたいか希望をとって，担任が調整して決める。 [2] 希望をとった後，担任の指導のもと，リーダーや班長に話し合わせて案をつくらせて決める。
リーダー育成	[1] 班長会を活用してリーダーとしての意識を高める。 [2] 班日誌指導を通して，リーダーとしてのものの見方・考え方を高める。
給食指導	[1] 生活班を単位とした給食当番や食事時の際の班づくりを行う。 [2] 配膳の仕方のルールやおかわりのルールを決める。
清掃指導	[1] 当番のメンバーの決め方「リーダーを入れる」「人間関係に配慮する」。 [2] 清掃開始時には，自分の掃除場所にいることをルールとして決める。また，担任は清掃場所を巡回し，具体的に掃除の仕方を教える。
短学活	[1] 朝の会や帰りの会を生徒の課題の解決の場所と位置づける。 [2] また，交流の場としてもとらえ，互いに認め合う場づくりを併せて行う。
学習指導	[1] 授業で，互いに認め合い助け合う関係づくりがなされる場を設定する。 [2] テストに向けた取り組みや家庭学習の充実のための指導を定期的に行う。
学校行事	[1] 行事では，全員参加全員活躍を目指して実行委員会を組織する。 [2] 行事ごとの振り返りを書かせ，個人ポートフォリオ作成につなげる。
学級設営	[1] 設営を学級経営の柱の一つとして位置づけ，意図的・計画的に取り組む。 [2] 目標達成を意識させる設営，学級の成長と歴史を綴る設営にする。
家庭連携	[1] 学級通信を活用して指導方針を保護者に理解してもらう。 [2] 良いことを伝える電話連絡や積極的な家庭訪問を行う。
日直指導	[1] 日直は，班で行い1週間を単位にする。 [2] 日直の活動に学級全体を点検・評価する活動を取り入れる。

をどう決めるかといったことや，リーダーの育成といった「学級組織」の形成，組織を動かすための「話し合い（学級討議）」の位置づけを盛り込むことが欠かせない。また，教員自身がそれぞれの生活場面で具体的にどのような指導を行うのかを明確にしておくために，重点的な取り組みを計画する（表1）。教科担当制をとっている中学校・高等学校においては，学級だけではなく，学年としてのつながりも重視される。そのため，学級経営計画は学校・学年の教育計画と調和がとれていることも大事である。あまりに

他の学級とかけ離れた指導にならないよう，基本方針を共有したうえで，各担任の特色を出すよう心掛けたい。

3．特別活動としての学級活動

　学級活動は特別活動の一つとして位置づけられている。特別活動は，生徒が自分達で課題解決できるチームとなっていくためのきっかけを与える時間である。特別活動には，学級活動・ホームルーム活動のように学級単位で行うものもあれば，生徒会活動，学校行事のように，学級や学年の枠を超えて取り組むものも含まれている。しかし，特別活動の中でも，学級・ホームルーム活動はその核となり，そこでの活動の充実を図ることが生徒指導の充実につながるとされている（梅澤，2015）。そのため，学級担任は生徒達が所属する部活動や委員会でどのような体験を重ねているのかを知り，学級内でもそれぞれの個性を伸ばし，力を発揮していけるように工夫する必要がある。

　なお，特別活動の目標は，中学校・高等学校ともに，その学習指導要領（文部科学省，2017，2018）において以下のように示されている。なお，この目標は，特別活動に含まれる学級活動，生徒会活動および学校行事の目標を総括するものである。

　　集団や社会の形成者としての見方・考え方を働かせ，さまざまな集団活動に自主的，実践的に取り組み，互いのよさや可能性を発揮しながら集団や自己の生活上の課題を解決することを通して，次のとおり資質・能力を育成することを目指す。

（1）多様な他者と協働するさまざまな集団活動の意義や活動を行ううえで必要となることについて理解し，行動の仕方を身に付けるようにする。
（2）集団や自己の生活，人間関係の課題を見いだし，解決するために話し合い，合意形成を図ったり，意思決定したりすることができるようにする。
（3）自主的，実践的な集団活動を通して身に付けたことを生かして，集団や社会における生活および人間関係をよりよく形成するとともに，人間としての生き方についての考えを深め，自己実現を図ろうとする態度を養う。

Ⅱ．学級を組織化するために

1．学級をチーム化する

　学級はよほどの事情がない限り，生徒が自動的に割り振られる形で形成されている。この「群れ」の状態を課題解決できる「チーム」へと成長させていく営みはチームビルディングと呼ばれ，学級経営に不可欠な概念である。赤坂（2013）は，教師の指導性と子どもの自由度をキーワードとして，学級をチーム化する4段階を示している（表2）。最初は教師が学級に対して働きかけることが多く，教師主導で学級が動いていくが，次第に学級内のルールや規範が生徒に理解されることで，生徒の自主的な活動が展開されて行く。学級は自然と「チーム」になっていくのではなく，段階を得て成熟していくものであり，それぞれの段階に応じた対応が担任には求められる。

2．学級経営を成功させるために

　学級を「チーム」にしていくために，学級担任はさまざまな仕掛けをしていく。このような取り組みは，思いつきで行うのではなく，学級経営の軸に沿ったものである必要がある。例えば，学級開きを迎える年度当初の3日間を「黄金の3日間」と呼ぶ長谷川（2016）は，この3日間で学級のルールや仕組みを徹底するために，教師側の準備が欠かせないことを指摘しており，表3に示す内容を全て，生徒に語る言葉で用意しておく

> チームビルディング：課題や目標に向かってチームのメンバーが知恵を出し合い，コミュニケーションをとりながら課題を解決することにより，チームとメンバーが成長する取り組みのこと。

表2　学級をチーム化する4つのステップ（赤坂，2013より引用）

第1段階：緊張期 学級がスタートした段階であり，教師と子どもの人間関係ができておらず，指導性が発揮できない状態。子ども同士も人間関係ができていないため，お互いに緊張状態である。
第2段階：教師の指導性優位期 ルールを示し，学級に定着をさせる時期。あいさつ，持ち物の指導，日直や係の仕事など，教師が主導して学級生活をつくっていく。各教科においても，ノートの使い方や話し方，聴き方などを伝えていく。この時期には，教師と子どもたち一人ひとりとの関係をつくっていくことで学級は安定していくが，チームとしての動きはまだできない段階。
第3段階：子どもの自由度増加期 ペアやグループ活動が成り立ったり，教師の指導の下で学級全体が一つの課題に取り組むことができたりする段階。小集団でのリーダーが登場したり，子ども発の課題が提案されたりする。しかし，まだ教師の指導の下で動いている状態である。
第4段階：自治的集団期 子どもたちが誰とでも話せて，協力的活動ができている状態である。学級内でトラブルが生じたとしても，当事者たちで解決することができる。この状態になると，学級内のルールや価値が個人に内在化しているため，教師は見かけ上指導をしなくとも学級が動いていく状態である。

表3　年度当初の3日間の準備（長谷川，2016より引用）

□自己紹介の中身	□給食のシステム
□入学式までにしておくこと	□掃除のシステム
□入学式後の学活ですること	□休み時間のルール
□2日目の学活ですること	□朝の会の次第
□3日目の学活ですること	□帰りの会の次第
□欠席者への連絡のルール	□席替えのルール
□トイレ使用のルール（特に授業中に行きたくなった場合について）	□掲示物のルール
□体調が悪くなった時の対処法（保健室の使い方も含む）	□日記・生活記録他提出物のルール
□学級目標の決め方	□筆箱に必ず入れておく物のルール
□方針演説の中身	□忘れ物をした時の対処法
□委員会や当番の決め方	□道具の貸し借りのルール
□一人一当番のシステム	□授業のルール（手の挙げ方，返事の仕方，発表の仕方，ノートの見せ方，黒板の使い方等）
□日直のシステム	

ことを提唱している。

また，長瀬（2014）は，学級経営に大切な5つの視点を紹介している。

①ゴール（学級の目標や願い・思い）

どのような集団も，集まればそこには組織が編成される。組織の目的は，その組織の目標を達成することである。これは学級においても同様である。無目的に集められた生徒たちに対して，学級目標を設定して，その目標に向かって共に協働する集団へと変化させていくことが必要である。学級目標の設定方法はさまざまだが，例えば，担任から生徒たちに向かってこの1年間で身に付けてもらいたい力や姿勢を伝え，そのうえで学級目標を作成していく方法がある。

設定する目標は，曖昧なものや1年間を通して覚えていられないようなものでは意味がない。具体的に行動レベルで描写できるものでなければ，目標が達成できているのか誰も判断することができなくなってしまう。これらの目標は生徒が主体となって設定するものではあるが，「あいさつを頑張る」といったあいまいな目標を立てた場合には，

さらに具体性を持たせるように提案したい。例えば、「知り合いだけではなく，校内で出会った人にはすすんであいさつをしよう」としてみるなど，行動がイメージできて，いつでも目標を参照できるようにしておく必要がある。

②システム（学級を動かす仕組み）

日直，当番，給食，掃除など，生徒たちが学校生活を営むうえで必要な役割を決める。最終的には，出張等で担任がいなくとも学級の自治運営ができるようになることが望ましい。そのために，生徒たちに対しては時間管理の方法と，具体的に何をすればよいのかを提示する必要がある。全ての生徒が何らかの役割を担い，学級への帰属意識を持つきっかけとしたい。

③ルール（学級の約束）

学級でのルールには，他者を攻撃してはいけないといった「安全・危機管理のルール」と，発表の仕方や教室の整理の仕方といった「集団を維持・向上するためのルール」，授業を成立させ，学力を身に付けていくための「学習規律のルール」，自分自身を高めていくための目標に近い「自己実現のためのルール」がある（長瀬，2014）。ルールはあまり多すぎると，何がルールだったのかを忘れてしまう。ルールを作成する時は，数を少なく，最低限のことに限るのがポイントである。

さらに，ルールを一度決めたら，それに全員が従うことも大切である。担任が一貫した対応をせず，ルール違反に対して「今日は仕方ないか……」などと思っていると，生徒も「ルールなんてうわべだけ」と思うようになる。このようなヒドゥン・カリキュラムは，学級の和を乱す可能性があるため，教師は言行一致を心掛けるべきである（堀，2011b）。つまり，ルールを守れている時にはしっかりと褒め，ルールを外れた時には注意するよう心掛けたい。

ヒドゥン・カリキュラム：教師の無意識的，無自覚的な言動により，児童・生徒に伝わっていく知識・文化・規範などのこと。

④リレーション（学級内の関係づくり）

学級内の生徒がつながっていくためには，関係性を作り出すような活動が必要になる。学校には，年間を通してさまざまな行事がある。これらの行事は，生徒間の関係性を築きあげていく大切な機会である。それぞれの行事には得手不得手があるかもしれないが，生徒達が協働してともに何かを作り上げていく大切な機会であり，体験的に学級内がつながり，お互いが承認されていくことを感じられるチャンスとして活用したい。

⑤カルチャー（学級の文化・雰囲気づくり）

いわゆる「学級風土」と言われるものである。係活動やホームルームの時間などをベースとして形成されていくものであり，「人の話を聞く」「少数の意見であっても大事にする」といった雰囲気が醸成されていくのも，スクールカーストができていくのも，こうした学級の文化によるものである。

3．学校行事と学級経営

学校には特別活動として，球技大会や体育大会，文化祭，合唱祭，修学旅行など，大小さまざまな行事がある。これらの行事は，学級をチームとして成長させる大事な機会である。学習指導要領上では，「全校又は学年の生徒で協力し（高等学校は「全校もしくは学年又はそれらに準ずる集団で協力し」），よりよい学校生活を築くための体験的な活動を通して，集団への所属感や連帯感を深め，公共の精神を養いながら，第1の目標（本章Ⅰ－3参照）に掲げる資質・能力を育成することを目指す」ことが学校行事の目標とされている。行事そのものは，その日だけで終わってしまう「点」だとしても，そこに至るまでの学級での取り組みを通して生徒達を成長させる「線」の視点が担任には求められる。

学校行事を引っ張るのは学級担任だけの仕事ではない。あくまでも学級担任は学級集団をチーム化することが役割であり、行事に主体的に取り組むのは生徒自身である。生徒が主体的に動くためには、生徒の中にリーダー役がいることが不可欠である。多くの場合は、学級委員や、行事ごとに決定される実行委員といった役職についた生徒がリーダーの役割を務めることになる。このとき、リーダーは生まれ持った素質ではなく、「リーダーという役職が生徒を育てる」という認識を持つことが重要である。そもそも、どのような学級状況であっても、中心になって難なく動くことができるスーパーリーダー型（第5章表1参照）の生徒はほとんど存在しない（堀、2011a）。人前で話したり、先行きを見通したりするのが特段得意ではない生徒であっても、その行事を通して、リーダーとして成長するように担任はサポートしていく。そのためには、事前に情報提供をしたり、人前で目立つ場面を設定したりと、リーダーが率先して動けるような仕掛けを作りたい。また、リーダーを引き受けた生徒に過度な責任をかけることは、負担感を増大させ、燃え尽きにつながりかねない。あくまでも、行事の責任は学級担任にあると認識することが重要である。

一方、中心になって取り組んでいる生徒以外が受け身にならないように各自の役割を認識させる必要がある。「2・6・2の法則」と呼ばれるように、集団には組織の進むべき方向を見出し、全体を引っ張ろうとする層が2割、集団の動きに関係なくわが道を行ったり、ネガティブな動きをしたりする層が2割、その間にはさまれ、その時々の空気に流されながら同調する層が6割いるとされる（堀、2011b）。この6割の生徒をポジティブな方向に引っ張り、リーダーを支援するフォロワーとしていく関わりも担任には求められる。

4．教科教育と学級経営

生徒にとって、学校生活の中心は授業である。生徒指導提要（2022）では、授業は全ての生徒を対象とした発達支持的生徒指導の場であり、教員が学習指導と生徒指導の専門性をあわせ持つ日本型学校教育の強みを活かし、以下のような授業づくりをすることが提唱されている。

1）自己存在感の感受を促進する授業づくり
2）共感的な人間関係を育成する授業
3）自己決定の場を提供する授業づくり
4）安全・安心な「居場所づくり」に配慮した授業

こうした授業を展開していくためには、授業方法の工夫が求められる。その一つに、**アクティブラーニング型授業**の導入が挙げられる（小林、2015）。アクティブラーニングを取り入れることにより、言語力や思考力、コミュニケーション力、人間関係力が育つと言われている（片山・森口、2016）。授業場面において生徒同士が交流する機会を持てば、「共に学び合うチーム」として成長させるチャンスとなる。中学・高等学校の学習指導要領（2017, 2018）においても、「知識の理解の質を高め資質・能力を育む主体的・対話的で深い学び」が行えるように、授業改善を行うことが求められている。専門的な知識をトップダウンで伝えるだけではなく、生徒がさまざまな情報を精査して何かを考えだしたり、問題を見出して解決方法を考えたりするような、生徒が学び合う環境やプロセスを整備する役割も教師は担っている。教科担当制である中学校・高等学校においては、小学校ほど学級経営と授業の関係が密接というわけではないが、授業時間中にできた「チーム」としての感覚は、日頃の学級集団の関係性にも影響してくること

> アクティブラーニング：伝統的な教員による一方向的な講義形式の教育とは異なり、学習者の能動的な学習への参加を取り入れた教授・学習法の総称。学習者が能動的に学ぶことによって、後で学んだ情報を思い出しやすい、あるいは異なる文脈でもその情報を使いこなしやすいという理由から用いられる。

を意識しておきたい。

また,「教科等横断的な学習の充実」も必要とされており,教科を超えて課題を設定する等の工夫も求められている。しかし,どのような活動を行うかということや,何を教材とするかといった内容（コンテンツ）ばかりに目を奪われるのではなく,教科を通して生徒にどのような能力・資質（コンピテンシー）をつけさせたいのかというねらいがあってこそ各種の活動が生きてくることを忘れてはならない。

5．学級経営を振り返る

自身の実践が学級目標や生徒の現状とかけ離れていないかを確認するために,ときには自らの学級経営を振り返る必要がある。もっとも基本的な方法は,学年主任や副担任,教科担当者等に学級の状態を聞くことである。また,他の教科担当者の授業を見に行くことも有効である。担任の科目以外に生徒が違う表情を見せていることは多々あることであり,生徒の新たな側面に気づかされる機会となる。学校にはいろいろな個性を持った大人がいるため,各自の個性を生かし,複数の目で見た情報を集約することにより,学級の状態や生徒についての多面的な情報が得られる。周囲に学級と自分の実践についてのフィードバックをもらう習慣をつけておくことで,不適切な関わりや過度な指導をしていないかをチェックしたい。

学級の状態をアセスメントするには,客観的な尺度を用いることも可能である。例えば,『楽しい学校生活を送るためのアンケートQ-U』は,生徒の学級生活についてたずねる質問紙である。質問紙は,「学級満足度尺度」と「学校生活意欲尺度」から構成される（河村, 2004）。「学校満足度尺度」では,子ども達の存在や行動が教師や友人等から認められているかという「承認得点」を縦軸に,不適応感を感じたり,いじめや冷やかし等を受けたりしていないかといった「被侵害得点」を横軸にとり,各生徒が座標軸上にプロットされる（図1）。プロットされた生徒は,その位置により「満足群」「非承認群」「侵害行為認知群」「不満足群」「要支援群」に分類され,「要支援群」には早急な対応が必要とされる。また,「満足群」以外の生徒についても,個別の声かけなどのフォローを行う必要があることを知るきっかけとなる。

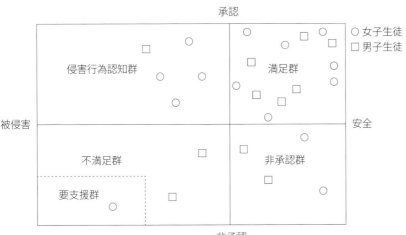

図1 「学級満足度尺度」によるプロット

Ⅲ．学級経営と保護者との連携

1．生徒の背後にいる保護者

　保護者に学級経営の方針を了解してもらうことは重要である。もしも家庭と学級の教育方針に大きなギャップがあるならば，生徒が両者の方針の違いに混乱してしまい，日々の教育実践で効果をあげられないからである。保護者と協力的な関係を築いていくために，学級通信や保護者会，家庭訪問などの機会を通じて，担任のスタンスや思いを伝えるとともに，保護者の考えを理解していく必要がある。毎日顔を合わせて直接対応する相手は生徒だが，その後ろには保護者がいるのである。生徒により良い教育を行いたいという思いは担任も保護者も共通であるため，過度に意識する必要はないが，生徒からの情報や学級通信等を通して，担任は保護者からも評価を受けていることは覚えておきたい。

2．家族理解

　①家族とは

　「家族」という言葉を聞いた時に，どのような家族像を思い浮かべるだろうか。テレビドラマ等でも，両親と子どもで構成されている家族が多く描かれるが，実際の家族のあり方はもっと多様である。ひとり親家庭や**特別養子縁組**による家庭もあれば，再婚・事実婚による**ステップファミリー**も増加している。現在の家族の定義は「そこで暮らしているメンバーが家族と思っているメンバー」と呼べるほどの多様性がある。生徒の家族成員が教員自身の原家族や思い描く家族像と違っていたとしても，そこに家族生活が営まれていることに違いはないのである。近年，子どもたちが家庭内で介護者の役割を担う，**ヤングケアラー**という概念も注目されている。2020年には「ヤングケアラーの実態に関する調査研究」が行われ，世話をしている家族が「いる」と回答したのは，中学2年生5.7％，全日制高校2年生4.1％という実態が明らかとなった（三菱UFJリサーチ＆コンサルティング，2021）。自身が担任する生徒がどのような家族構成であるのかを把握し，生徒が何か課題を呈したり，しんどそうにしたりする際には，生徒の家庭での生活にも想像を働かせたい。

　また，保護者にも「仕事人」としての姿や，「親を介護する子ども」としての姿があるかもしれない。保護者に連絡がつきにくい場合にも「子どもに無関心だ」等と，安易に考えるのではなく，それぞれの保護者が置かれている状況にまで想像を働かせられるようにしたい。

　②子どもの貧困と就学援助

　国民生活基礎調査（厚生労働省，2013）によれば，**子どもの貧困率**は2012年で16.3％と，子どもの6人に1人が貧困状態であると言われ，2013年には「子どもの貧困対策の推進に関する法律」が成立した。10年後の調査（厚生労働省，2023）では子どもの貧困率が11.5％と改善したものの（図2），母子世帯は75.2％，児童のいる世帯は54.7％が「生活が苦しい」と感じており，子育て世帯の厳しい経済状況がうかがえる。学校教育法第19条において，「経済的理由によって，就学困難と認められる学齢児童生徒の保護者に対しては，市町村は，必要な援助を与えなければならない」とされている。**就学援助**は，生活保護法第6条2項に規定する要保護者と，準要保護者を対象として行われる（図3）。この図から，**生活保護**世帯は2011年，就学援助率は2012年を境に徐々に減少しているものの，経済面での支援が必要な家庭がいまだ数多く存在することが分かる。生徒の就学や進学を援助する制度は各自治体によって詳細が異なるため，担任は

特別養子縁組：特別養子縁組は，さまざまな事情によって生みの親のもとを離れなければならない子どもと法的な親子関係を築く手続きの養子縁組のことである。普通養子縁組と異なり，産みの親との親子関係は終了となる。

ステップファミリー：親の離婚・再婚によって生じてくる血縁関係のない親子関係，兄弟姉妹関係を内包して成立している家族。離婚率の上昇に伴い日本においても増加している。

ヤングケアラー：障害や慢性的な疾病，精神的問題や依存症などを抱える親や高齢の祖父母，兄弟姉妹や親戚に対して，ケアの責任を引き受け，家事や家族の世話，介護や見守り，感情面のサポートなどを行っている18歳未満の子どもや若者のこと。

子どもの（相対的）貧困率：平均所得の半分を下回る世帯で暮らしている18歳未満の子どもの割合。

就学援助：経済的な理由によって，就学が困難な中学生の保護者に対して，学用品費等の一部を援助する制度。生活保護を受給している世帯と，生活保護は受給していないが，経済的に困難な世帯が対象。

生活保護：生活に困窮する全ての国民に対し，最低限の生活を保障するため，その困窮の程度に応じて国が行なう保護。

国民生活基礎調査：

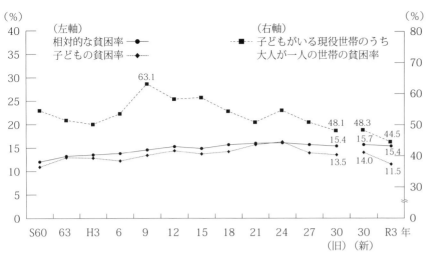

図2　貧困率の年次推移（厚生労働省，2023『令和4年国民生活基礎調査』より）
　注1）貧困率は，OECDの作成基準に基づいて算出している。注2）大人とは18歳以上の者，子どもとは17歳以下の者をいい，現役世帯とは世帯主が18歳以上65歳未満の世帯をいう。注3）等価可処分所得金額不詳の世帯員は除く。注4）1994（平成6）年の数値は，兵庫県を除いたものである。注5）2015（平成27）年の数値は，熊本県を除いたものである。注6）2018（平成30）年の「新基準」は，2015年に改定されたOECDの所得定義の新たな基準で，従来の可処分所得から更に「自動車税・軽自動車税・自動車重量税」，「企業年金の掛金」及び「仕送り額」を差し引いたものである。注7）2021（令和3）年からは，新基準の数値である。

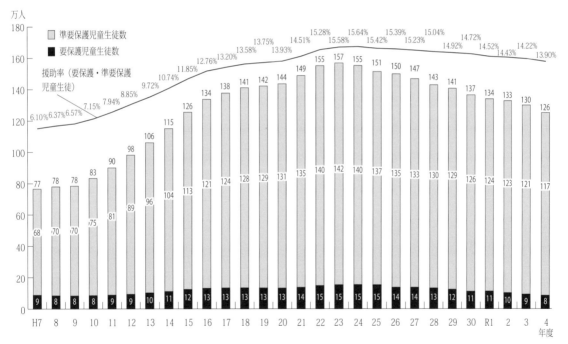

図3　要保護及び準要保護児童生徒数の推移（文部科学省，2022『就学援助実施状況等調査結果』より）
　注）要保護児童生徒数：生活保護法に規定する要保護者の数。準要保護児童生徒数：要保護児童生徒に準ずるものとして，市町村教育委員会がそれぞれの基準に基づき認定した者の数。

所属する自治体の制度を知っておきたい。なお，学級内で金銭のやりとりをする場面では，担任は就学援助を受けている家庭を把握しておくとともに，支払いの催促が必要な場合は生徒を通じてではなく，保護者に直接連絡をする等の配慮が必要である。

3．保護者会の運営

　保護者会のねらいは時期によって異なるが，年度初めの会であれば，ねらいは以下の4点である（鈴木，2014）。

1）担任の自己紹介。
2）学校側の連絡・要望。
3）保護者が不安に思っていることを聞く。
4）保護者同士の交流。

　保護者会は生徒の家庭での様子を知るとともに，保護者同士が情報を交流する機会であるため，入念に準備をして取り組みたい。自己紹介では，「どのような学級にしていきたいか」といった担任の所信表明も行う。そのうえで，学級目標を達成していくために保護者に協力してもらいたいことを伝えていく。その後，保護者同士の関係づくりを行うために，構成的グループエンカウンターなどのアクティビティを行うのも有効である。限られた時間での進行となるので，有意義な会にするためには，時間予定を綿密に立てておく必要がある。

　2回目以降の保護者会では，生徒の頑張りや学級目標の達成度を伝える機会を持つ。そのために，日頃から生徒の学級活動への取り組みが分かるような動画や写真を撮影しておくなど，生徒の顔が見える資料を準備しておきたい。なお，保護者会でそのような資料を上映する場合は，必ず学級の生徒全員が写っていることを確認することも大切である。また，欠席された保護者にもメッセージを届けるために，最低限伝えたい内容をプリントにして配布する等の工夫も適宜行うとよい。

4．学級通信

　学級通信は，生徒の日々の頑張りを学級内で共有するとともに，保護者に向けて担任からメッセージを伝える大切な機会である。中高生ともなると，家庭で学校のことを話さなくなったり，保護者も大きな行事でもないと学校に足を運ばなくなったりするため，保護者は我が子の様子を知る機会が減ってしまう。学級通信に子どもたちが写真付きで紹介される紙面を作れば，保護者の「うちの子は学校でちゃんとやれているのだろうか」といった不安を解消する助けとなる。

　通信は定期発行を心掛けたい。「通信は毎週出します！」と年度当初に宣言しても，ついつい業務の忙しさから発行が追いつかない場合もある。そこで，「今週は出せなかったけれど，来週出せばいいか」と思っていると，ヒドゥン・カリキュラムとして生徒や保護者に「少しくらいルールが変わってもいい」というメッセージが伝わってしまう（堀，2011a）。そうならないためにも，必ず発行できるペースを決め，宣言したら同じペースで発行し続けることが大切である。自分が可能なペースで定期発行をしつつ，もしも，大きな行事があった場合や，その日感動した出来事などがあった場合には，臨時号を間に差し挟む形をとればよい。

5．ICT の利用と保護者連携

　「令和4年度青少年のインターネット利用環境実態調査　調査結果（概要）」（内閣府，2023）によれば，インターネットの利用率は，中学生で99.0％，高校生で98.9％である。インターネットに接続可能な機器は，パソコンやスマートフォン，タブレット型端末や携帯音楽プレーヤー等があるが，中学生で91.0％，高校生では98.9％が自分専用のスマートフォンを所持している。近年では，格安スマートフォンやスマートテレ

ICT（Information and Communication Technology）:「情報通信技術」。情報処理や通信に関連する技術，産業，設備，サービスなどの総称。

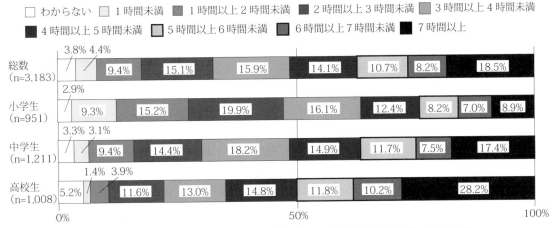

図4 青少年のインターネットの利用時間（利用機器の合計／平日1日あたり）（内閣府，2023より）

表4 青少年のインターネットの利用内容（内閣府，2023より）

		投稿やメッセージ交換をする	ニュースをみる	検索する	地図を使う	音楽を聴く	動画を見る	読書をする	マンガを読む	ゲームをする	買い物をする	勉強をする	撮影や制作、記録をする	その他
いずれかの機器	総数(n=3,183)	69.9%	51.9%	84.5%	45.1%	75.1%	92.9%	14.6%	31.2%	83.0%	19.7%	72.1%	35.9%	13.5%
	小学生(n=951)	43.0%	32.4%	74.1%	20.3%	51.9%	88.1%	6.8%	11.7%	86.2%	4.5%	70.0%	28.7%	14.6%
	中学生(n=1,211)	74.6%	55.9%	87.4%	45.1%	79.9%	93.9%	13.7%	31.9%	84.9%	15.2%	71.2%	34.9%	13.9%
	高校生(n=1008)	89.8%	65.5%	91.2%	68.3%	91.0%	96.2%	22.7%	48.6%	77.9%	39.0%	75.6%	43.8%	12.0%
スマートフォン	総数(n=2,370)	80.9%	44.0%	83.6%	50.1%	78.5%	86.3%	14.7%	35.9%	69.6%	22.5%	43.4%	36.8%	3.9%
	小学生(n=417)	55.6%	18.9%	65.9%	16.8%	49.2%	68.6%	3.4%	13.2%	64.7%	4.1%	20.4%	31.4%	3.6%
	中学生(n=955)	82.2%	42.6%	84.7%	45.8%	79.0%	85.7%	12.3%	32.7%	70.4%	14.7%	41.4%	34.3%	5.1%
	高校生(n=987)	90.4%	55.7%	90.2%	68.3%	90.5%	94.4%	21.7%	48.4%	70.8%	37.4%	55.1%	41.2%	2.6%
GIGA端末	総数(n=2,055)	6.5%	10.9%	61.6%	11.3%	6.2%	15.5%	3.2%	1.6%	4.5%	0.7%	79.8%	14.5%	6.7%

ビ，スマートスピーカー等の普及やGIGAスクール構想によって1人1台の端末を配布されていることにより，インターネットはさらに身近になっている。インターネットの利用時間についても，1日に3時間以上利用する割合は，中学生が69.9%，高校生では78.0%と年々増加している（図4）。インターネットの利用内容では，全年齢ともに動画視聴の割合が高いが，勉強に使用する割合が中学生で71.2%，高校生で75.6%と，学習ツールとしての活用が伸びていることが分かる（表4）。投稿やメッセージ交換をする割合もスマートフォンに限れば中学生で82.2%，高校生で90.4%であり，オンラインゲームでの交流もあると想定すれば，生徒たちは，学校外でもインターネットを介してコミュニケーションをとり続けているのが実態であろう。教員が学校で見て

青少年のインターネット利用環境実態調査：

いるだけでは気づかないやりとりが生徒間でなされているということにも想像を働かせたい。

　タブレット端末等のICT機器を学校教育で活用する取り組みが行われており，実践の蓄積もされてきている。ICT機器の利用は，生徒個人の学びを深めるだけでなく，反転学習や生徒同士の協働学習を促進する役割も期待されている（文部科学省，2014）。2016年に公布された「義務教育の段階における普通教育に相当する教育の機会の確保等に関する法律」において，不登校児童生徒等に対する教育機会の確保について述べられているが，教材をプールする学習ポータルサイトによって，生徒は自宅にいながら教材にアクセスできるようになっており，学習支援アプリを通じて教員に課題を提出できる仕組みが利用されている（反田，2014）。生徒の実態が多様化する中で，公正に個別最適化された学びを実現するために，ICT先端技術や教育ビッグデータを活用することが目指されている（文部科学省，2019）。

　ICT機器は生徒の学びに有効活用できる一方で，用い方を間違えれば，他者を傷つけることもあれば，将来を台無しにするような結果を招くリスクも抱えている。生徒達は各家庭でICT機器を持たせてもらっている場合も多く，情報リテラシーを学校だけで指導しきるのは不可能である。警察やNPO，アプリやスマートフォン事業者が，生徒や教員，保護者向けに講演会や出前授業を行っているため，それらを活用しながら学校と保護者が連携して生徒に情報リテラシー教育を行っていく必要がある。

> 情報リテラシー：情報手段の特性の理解と目的に応じた適切な選択，情報の収集・判断・評価・発信の能力，情報および情報手段・情報技術の役割や影響に対する理解など，「情報の取り扱い」に関する広範囲な知識と能力のこと。

🖐 ワーク（考えてみよう）

1. 学校には数々の行事があり，その多くが生徒達を「チーム」にしていくチャンスである。自分が中高生だった時のことを振り返り，印象深かった行事についてグループで話し合ってみよう。

   ┌─────────────────────────────────────┐
   │   │
   │   │
   └─────────────────────────────────────┘

2. 学級内では，生徒各自が学級の運営を担っているという意識を持つために，一人ひとりに役割を与えることが大切だとされている（長瀬，2014）。全員に役割を割り振るために，どのような係や役割を用意すればよいだろうか。

   ┌─────────────────────────────────────┐
   │   │
   │   │
   └─────────────────────────────────────┘

3. 自分が学級担任を受け持つことになった場合，「どのような学級にしていきたいか」という所信表明を生徒と保護者に対して行うことになる。自分が担任になったと想定して，所信表明を考えてみよう。

   ┌─────────────────────────────────────┐
   │   │
   │   │
   └─────────────────────────────────────┘

✌ ワーク（事例）

■事例1　学園祭の劇を通じての学級づくり

　男女共学の中学校2年A組は，4月当初，不登校生徒を抱えるおとなしいメンバーの多い学級であったが，リーダーになる生徒もいなかった。お互いに目立つのを避け，牽制しあっている様子の学級だった。表面的なトラブルもない代わりに，積極的に関わり合おうとせず，学校行事への取り組み方も消極的だった。

　6月から学園祭の劇への取り組みが始まり，生徒達は自分が何をすればよいのか，取り組み方や自分にできることが分からずにモヤモヤしているように担任には感じられた。生徒はそれぞれに何かをやりたい気持ちはあったが，どうすればよいのか分からず，誰かが引っ張ってくれるのを待っている状態であった。

　取り組み初期，生徒達は「台詞を言う，歌を歌う，踊る」といった行動を恥ずかしがり，思うように取り組めなかった（第1段階：緊張期）。しかし，連日練習を繰り返していると，急に恥ずかしさを振り切った演技をする瞬間が見られるようになってきた。担任はその瞬間を逃さず，学級全員で演技を褒め合うように促した。すると，段々と練習の雰囲気が楽しいものへと変わり，クオリティが上がっていった（第2段階：教師の指導性優位期）。この頃には，「もっとこうした方がいいのではないか」等と，いろいろな台詞の言い方や動き，演技を生徒達が考え，互いにアドバイスし合うようになった。時には意見が食い違いぶつかりあうこともあったが，生徒自身が「最高だ」と思える演技を選び取りながらシーンを完成させていった（第3段階：子どもの自由度増加期）。

　それと同時に，クラスメイトの関係性も変わっていった。日常生活や学習の場面でも，率直に意見が言い合える関係，褒め合える関係に変化していった。それは一人ひとりに居心地の良さを生みだし，その居心地の良さがさらに劇づくりの意欲へとつながっていった。シーンごとの仕上がりを高めるリーダーが自然と生まれ，それぞれが自分の役割を意識して行動し，劇の完成へと向かっていった。そして，本番の発表を終えて学級として一丸となって取り組んだ劇の成功に感動し達成感を味わうことができた（第4段階：自治的集団期）。

　その後，A組のメンバーは自信を持って次の学校行事へと向かっていった。その中には不登校生徒もいた。その生徒も劇への参加を通じて学級での居場所を見つけ，登校する意欲につながっていった。そして翌年，学級はバラバラになったが，3年生の各学級の劇を中心となって引っ張っていったのは元2年A組の生徒達だった。

解説：なぜ解決したのか？

　劇づくりを通したチームビルディング活動は，他者の気持ちを思いやる「共感する力」，自分の意見を発信するための「考える力」，異なる価値観をもった人々とコミュニケーションし協働していくための「共生する力」をつくるための貴重な機会である。担任は，この貴重なチームビルディング活動を学級作りの機会と捉えて取り組んだ。劇への取り組みを通じて，生徒たちは自分をクラスメイトの前で解放していくことを学ぶ。劇を良くするという共通の課題を達成するために，うわべだけではなく，何でも言い合える関係性がこの劇を作る過程で培われていった。

　生徒達は自分が傷つかないように，自然と他者との間に「壁」を作ってしまっていた。しかし，このような「壁」は，自身の成長を阻んでしまうことがある。「人間という生き物は本来歌ったり踊ったりすることが好きな動物である」と言われるが，劇づくりで

は，この「壁」から生徒が顔を出す瞬間を自然と発生させていた。生徒が自分の「壁」を超えた瞬間を担任が見つけ，すかさず全体にフィードバックを行い，褒めることで，「自分をオープンにさらけ出すことをよしとする」学級風土を作り上げていった。ここが本事例におけるチームビルディングのポイントであり，そうすることで生徒を成長させる集団としての学級を作っていくことができた。演劇を通じて，生徒の持つ力を発揮させ，率直な意見を仲間とぶつけ合う経験をしたことで，日常生活での関係性も変化していった。仲間と演劇を作りあげる達成感と学級集団の成長が相乗効果となり，学級がチームとして機能するようになっていった。そして，その価値観は生徒たちに内在化し，翌年以降も劇の取り組みに活かされていくこととなった。

■事例2　保護者のサポートを得るために

　中学校2年生を担当したB先生は，学級内で生徒間トラブルが起こったとき，保護者同士の関係性ができていないために，事態がこじれる経験をしていた。そこで，今回は保護者同士の関係を意識的に構築するため，初めての保護者懇談会で構成的グループエンカウンターを通じた関係作りを行った。まずアクティビティとして，1分間何もしゃべらず，お互いの顔を見ながら教室の中をぐるぐる歩いてもらった。教示は「目が合っても微笑むだけで，決してしゃべらず，あいさつをしてもいけません」とした。話しかけてはいけないことで相当ストレスを感じたと思われる保護者に対し，また1分間で「できるだけたくさんの方とあいさつをしてください」と教示すると，我慢していたものを爆発させるかのように初対面の保護者同士が次々にあいさつをして，和やかな雰囲気となった。

　次に，言葉を発せずに身振り手振りだけで誕生日順に1月から12月までの円をつくってもらった（「バースデーライン」）。わずか3分ほどで円ができあがり，答えあわせをすると大正解であった。初対面であるにも関わらず，チームワークを発揮できたことを担任が褒めると，保護者は手を叩き合って喜びを分かち合っていた。その後，リラックスしたムードの中で，円の形のままで自己紹介を行った。担任からは，保護者同士が仲良くすることで子ども同士に問題があってもこじれずに解決できること，担任と保護者がチームワークを発揮し，団結して子どもたちの成長をサポートしていかなければならないことの2点を伝えた。

　2回目の保護者懇談会では，くじ引きで4〜5人のグループを作ってもらい，自分の子どもの良いところを3分で紙に書いてもらい，その後1分ずつ交代で話してもらった。次に，互いに自分の子どもの良さを話して気づいたことを，グループごとに発表してもらった。自分では気づいていない視点からの子どもの見方や，クラスメイトの良いところを聞き，気分よく帰宅されたようだった。

　懇談会終わりに保護者の方から「これまでは懇談会に行っても誰としゃべったらいいのか分からないこともあったけれど，今年の懇談会では初対面の人とも深い話で盛り上がることができたし，懇談会に来てよかった」との感想が語られた。

　その後も，何か心配事がある時には気軽に連絡をしてきてくれたり，学校行事に協力してくれたりと，学級経営をスムーズに行うことができた。

解説：なぜ解決したのか？

　学級経営を円滑におこなうためには保護者の協力が不可欠である。それは学校と保護者の協力と，保護者同士の協力の両方である。保護者懇談会は，保護者と担任，保護者同士の人間関係作りができるチャンスである。

この事例では，担任が構成的グループエンカウンターをきっかけとして，保護者のチーム化を行っている。初回の保護者会は，保護者同士も初対面である場合があるため，知り合いがいないという状況も想定できた。そこで，担任はあえて「無言でいること」というアクティビティを用いることで，「保護者会＝知らない人と話さないといけない」といった緊張を解くこととなった。「無言でいること」を強いられることで，保護者には「この人はどういう思いで参加しているのだろう？」「さっき目があった時に会釈をした人だなぁ」といった思いが自然と湧いてくる。すると，いざ会話をしてもよいタイミングになると，それまでの緊張が解けるのと同時に共同の課題を達成したメンバー同士としての会話が自然と生まれるのである。このように，最初に「しゃべってはいけない」という場面を意図的に設定したことが，保護者の緊張を下げたといえる。

　また，このアクティビティは，その後に伝えたい担任のメッセージを暗示するメタファーとしての効果もあったのではないだろうか。協力する体験をすることで，「学校と保護者，あるいは保護者同士の協力が教育には欠かせない」という担任からのメッセージを保護者が受け入れるための構えを作ることとなった。

　第2回の保護者会においても，保護者全員で「いいとこ探し」を行っている。このアクティビティも，他の保護者に対して，自分の子どもの良さを分かってもらう機会であると同時に，自身の子どもを肯定的に見返す機会にもなっている。さらにグループや全体でシェアリングすることにより，子どもを見る際の新しい視点を知る機会も提供している。ともすれば，保護者懇談会は自己紹介やグループでの自由討論だけで終わってしまいがちになってしまうが，自由討論では話をする人が偏ってしまったり，盛り上がらないグループが出てきたりすることがある。この事例では担任が意識的に課題と話し合い時間を設定することで，各自が平等に話をする体験を持つと同時に，話を聞いてもらう体験を提供できた。

参考・引用文献

赤坂真二 (2013). スペシャリスト直伝！　学級を最高のチームにする極意　明治図書
長谷川博之 (2016). 黄金の三日間が学級の1年間を規定する　長谷川博之（編）　中学の学級開き―黄金のスタートを切る3日間の準備ネタ　学芸みらい社　pp.8-17.
堀裕嗣 (2011a). 学級経営10の原理・100の原則―困難な毎日を乗り切る110のメソッド　学事出版
堀裕嗣 (2011b). 生徒指導10の原理・100の原則―気になる子にも指導が通る110のメソッド　学事出版
片山紀子・森口光輔 (2016). 誰のため　何のため　できてるつもりのアクティブラーニング　学事出版
川端成實 (2016). 本気でつくろう学級経営計画！―「学級集団づくり」に焦点を当てた計画づくり　月刊生徒指導　2016年1月号，22-25.
河村茂雄 (2004).「応研レポート」財団法人応用教育研究所　No. 70
小林昭文 (2015). アクティブラーニング入門―アクティブラーニングが授業と生徒を変える　産業能率大学出版部
厚生労働省 (2013). 平成25年国民生活基礎調査の概況　http://www.mhlw.go.jp/toukei/saikin/hw/k-tyosa/k-tyosa13/index.html（2024年4月25日閲覧）
厚生労働省 (2023). 令和4年国民生活基礎調査の概況　https://www.mhlw.go.jp/toukei/saikin/hw/k-tyosa/k-tyosa22/index.html（2024年4月25日閲覧）
三菱UFJリサーチ＆コンサルティング (2021). ヤングケアラーの実態に関する調査研究
文部科学省 (2014). 学びのイノベーション　事業実証研究報告書
文部科学省 (2016). 義務教育の段階における普通教育に相当する教育の機会の確保等に関する法律
文部科学省 (2017). 中学校学習指導要領
文部科学省 (2018). 高等学校学習指導要領
文部科学省 (2019). 新時代の学びを支える先端技術活用推進方策（最終まとめ）https://www.mext.go.jp/component/a_menu/other/detail/__icsFiles/afieldfile/2019/06/24/1418387_02.pdf

（2024 年 4 月 25 日閲覧）

文部科学省 (2022). 就学援助実施状況等調査結果　https://www.mext.go.jp/content/20221222-mxt_shuugaku-000018788_001.pdf（2024 年 4 月 25 日閲覧）

文部科学省 (2022). 生徒指導提要

長瀬拓也 (2014). ゼロから学べる学級経営―若い教師のためのクラスづくり入門　明治図書

内閣府 (2023). 令和 4 年度　青少年のインターネット利用環境実態調査　調査結果（概要）　https://www.cfa.go.jp/assets/contents/node/basic_page/field_ref_resources/ce23136f-8091-4491-9f29-01fc8a98cf83/18a29c16/20230401_councils_internet-kaigi_ce23136f_10.pdf（2024 年 4 月 25 日閲覧）

鈴木公美 (2014). 信頼関係をつくる保護者会運営のポイント　月刊生徒指導　2014 年 11 月号，27-31.

反田任 (2014). 一人一台の iPad と学習ポータルサイトで変化する生徒の「学び」　日本デジタル教科書学会年次大会発表原稿集　Vol. 3, 35-36.

梅澤秀監 (2015). 一年を見通した生徒指導と学級・ホームルーム経営　月刊生徒指導　2015 年 4 月号，18-21.

コラム❖column
非行少年の家族支援と就労支援
板倉憲政・小林　智

　子ども・若者の健やかな成長を社会全体で支えるための環境整備が現在進められている（内閣府，2013）。その中で，近年では，少年院に在院している非行少年の家族の再統合や就労支援等を通して，青少年の再犯予防が行われている（内閣府，2005，2013）。

　実際，子どもが少年院を出院し家庭に戻ってきたときに，親は，子どもの反省意識を促そうとして子どもに厳しい対応や言葉がけを行ないがちである。そのため，少年院から戻ってきた際に，今までよりも家族関係が悪化する場合もある。また，親自身も，子どもが犯罪を犯してしまったことに負い目を感じ，人付き合いを避けるようになり，地域から孤立しやすくなる。加えて，他の機関からの支援や介入が得られないまま，家庭内の問題が放置されることになる。そのため，子どもは家族から孤立したまま，生計を立てることがままならず，犯罪を繰り返しながら生活していく環境に身を置くことしかできない状況に追いやられてしまうのである。さらに，一度，犯罪を犯してしまったことで，自らが望む仕事に就くことができず，低賃金の仕事しか与えらない。そのために，経済的な問題から，再犯を重ねてしまう恐れがあるのである。

　非行少年の支援の方向性としては，まずは，保護者の自責の念を和らげることが重要となる。特に，母親は，これまでの自分の育て方が原因で我が子が犯罪を犯してしまったという思いが強い場合もある。その際には，母親の子育てと子どもが犯した事件とは関係がないことを説明するなどして，母親の自責の念の緩和に努めるべきであろう。そのうえで，今後陥りやすい子どもへの対応の悪循環についての心理教育を行ないながら，家族関係の調整等を進めていくべきである。さらに，非行少年の立ち直りを支援する際に，支援者や家族が，まずは少年の反省を促すといった，特定のプロセスに固執する必要はなく，多様な支援の方向性を想定し，その中で少年本人が主体的に取り組むことのできる対象を見つけることも重要になる。実際，周囲の大人が，スポーツや受験勉強，就労といった，それぞれの少年の関心がある物事への取り組みを評価する，もしくは，少年がその物事に取り組むことを期待する働きかけをすることの有効性が示されている（栗田，2013）。このことから，柔軟性を持ったNPO法人と行政機関が連携し，非行少年の主体性を尊重した進路・就労支援のプログラムの構築がよりいっそう重要になってくるのではないだろうか。

参考・引用文献
栗田裕生 (2013). 非行少年の立ち直りにおける人間関係の変化に関する研究　平成24年度東北大学大学院教育学研究科修士論文（未公刊）
内閣府 (2005). 少年非行事例等に関する調査研究報告書（第二期）http://www8.cao.go.jp/youth/suisin/hikou/kenkyu2/index_pdf.html（2013年11月5日閲覧）
内閣府 (2013). 25年度版 子ども・若者白書

コラム❖column

介護者としての子ども
——ヤングケアラーとは
奥山滋樹

日本社会の急速に進む高齢化により，介護にまつわる問題が社会問題化して久しい。マス・メディアで報道される"介護離職"や"介護うつ"といった言葉にもみられるように，介護に伴う負担の大きさ，社会生活上への影響への懸念も広く共有されつつある。

介護者に関する言説において，"介護者"として想定されるのは成人である。中年期にある子が年老いた親の介護を担う，あるいは夫の父母の介護を嫁が担うという状況がイメージされ，子どもや青年が親や祖父母の介護を担うという状況は一般的に想定しにくい。しかしながら，親の代理で子どもが認知症の祖父母の介護を担ったり，何らかの障害のある親の介護を担ったりするなど，子どもや青年が家庭内で介護を担うケースの存在は身近である。

そうした，家庭内で家族成員の介護を担う役割にある子どもや青年を「ヤングケアラー」という。平成29年就業構造基本調査（総務省，2017）によれば，家庭内で介護を行っている30歳未満の者の数は日本全国でおよそ20万人に上り，その中にも一定数のヤングケアラーの存在が想定される。

成人の場合と同様に，その介護への関与が大きくなるに伴い，ヤングケアラーにも種々の問題が生じる。それらの問題には介護負担による心身の疲弊のみでなく，家庭内の介護と学校などの社会生活の両立による，学業や友人関係を育むための時間的・体力的なゆとりの確保が困難であることに起因するものもみられる。例えば，家族を介護する必要からの欠席，家庭学習の時間が確保できないことによる学力不振，同年代の友人たちと交流できないために孤独に陥るといった事柄が挙げられる。こうした困難から，イギリスやオーストラリアといった国では公的な支援の対象ともされている。

筆者は複数の公立中学校の教員を対象にヤングケアラーに関する調査を行い，ヤングケアラーと思われる生徒に学校生活上で生じる問題を明らかとした。上述したように出席や遅刻の頻回，成績への影響，疲労による日中の集中力の低下といったことが報告された。さらには，欠席や学業成績の不振が持続することで内申点が下がり，志望校のレベルを下げざるを得なかったという例も述べられた。こうした報告からは，ヤングケアラーであることが一時的な負担となるのみでなく，その子どもの中長期的な人生にも影響を及ぼし得ることが示唆される。

先に記した筆者の行った調査からは，対象となった学校の普通学級の総数を母数とした際に，約11％のクラスで「ヤングケアラーと思われる生徒がいる」との結果が得られた。他の同様の調査（日本ケアラー連盟，2015，2018）からも，家族の介護やケアを日常的に担っている子どもの存在が示されている。これらの調査結果はあくまで調査回答者である学校教員が認識している部分のみであり，実際はさらに多くの当事者がいることが考えられる。

ヤングケアラーである当事者は自身の置かれた状況を周囲に打ち明け，助けを求めることに抵抗を覚えることが報告されている（森田，2010）。それは，"子どもが介護をしている"という想定が一般的には浸透しておらず，そのために「自分のことを話しても理解はされないであろう」という予想が当事者の側でなされるためである。そのため，公的な支援対象とも認識されていない現状では，学校現場で支援を行う教員側が子どもの自発的な助けに応えるというのみではなく，普段の様子や家庭状況などを鑑みて，教員の側でヤングケアラーである子どもの困難を発見していくような姿勢も求められるであろう。

引用文献

森田久美子 (2010). メンタルヘルス問題の親を持つ子どもの経験―不安障害の親をケアする青年のライフストーリー　立正社会福祉研究，12(1).

総務省 (2017). 平成29年就業基本構造調査　表番号22701　男女，介護の有無・頻度・介護休業等制度利用の有無，年齢，就業状態・仕事の主従別人口（15歳以上人口）－全国　https://www.e-stat.go.jp/dbview?sid=0003222705（2019年6月7日閲覧）

日本ケアラー連盟 (2015). 南魚沼市「ケアを担う子ども（ヤングケアラー）に関する調査」≪教員調査≫報告書

日本ケアラー連盟 (2018). 藤沢市「ケアを担う子ども（ヤングケアラー）に関する調査」《教員調査》報告書

さくいん

数字・アルファベット

13歳のハローワーク 177
ADHD 16　→注意欠陥・多動性障害，注意欠如・多動症
DSM 96, 97, 110-115
EMDR 157
ICD 60, 110, 168
ICF 74, 92, 93, 96　→国際生活機能分類
ICT 171, 178, 200, 202
IP 165
KABC-Ⅱ 22, 26
LD 16　→学習障害
QOL 101, 103　→生活の質
Q-U 51, 197
SNS　→ソーシャル・ネットワーキング・サービス
SOSのサイン 15
SSRI 115
WISC 22-26

あ行

愛着 85, 88, 92, 144, 155
アイデンティティ 29, 34, 35, 38, 39, 41, 110, 115, 178
悪循環 15, 47, 54, 89, 136, 157, 161, 162, 164, 167, 207
アクティブラーニング 196
アサーション・トレーニング 158, 159
アスペルガー障害 97, 104-106
遊び 31, 62, 77, 94, 97, 190
アリエス Ariès, P. 31
安保闘争 38
意識障害 113
いじめ 12, 13, 15, 16, 21, 50, 62-73, 75, 77, 82, 85, 95, 103, 109, 119, 120, 127, 129, 130, 133-135, 147, 159, 162, 166, 170, 197
　――の四層構造論 63, 65, 68, 69
　――防止対策推進法 63, 82
　ネット―― 63, 67, 68, 75, 170
一次的援助サービス 15
一般職業適性検査 173
遺伝・環境論争 32
イド 155
インシデントプロセス法 165
ヴィゴツキー Vygotsky, L. S. 32
ウェクスラー Wechsler, D. 23, 24
　――式知能検査 23

エビデンス 157
エリクソン Erikson, E. H. 29, 32, 34-36, 41, 155
エンカウンターグループ 156, 158

か行

解決志向アプローチ 61, 157
外在化 90, 167-169
解離性障害 155
カウフマンモデル 26
カウンセリング 11, 13, 15, 20, 29, 53, 90, 100, 104, 105, 119-121, 124, 134, 136, 139, 140, 155-160, 162, 164, 166, 167, 181
　――・マインド 156
加害者 60, 62, 65-69, 72, 73, 75, 82-84, 98, 127, 133
学習指導要領 11, 16, 60, 96, 101, 170, 173, 176, 180, 191, 193, 195, 196
学習障害 92, 96
学生運動 38
過剰適応 49, 58
カスタマータイプ 163, 164
仮説演繹的思考 37
家族の矮小化 38
家族理解 198
家族療法 15, 52, 84, 89, 90, 115, 153, 155, 157, 164, 165
課題解決 191, 193
学級経営 51, 52, 191-198, 204
学級担任 14, 88, 89, 125, 193, 196, 202
　――制 14
学級通信 192, 198, 200
学級風土 191, 195, 204
学校教育法 11-13, 16-18, 92, 101, 198
学校行事 11, 72, 176, 192, 193, 195, 196, 203, 204
学校恐怖症 45
学校警察連絡制度 143
学校の危機 126, 128
家庭裁判所 15, 80, 142, 143, 145, 146
家庭内暴力 16, 77, 83, 84, 86, 88, 89
カミナリ族 77
観察法 22
観衆 65, 66, 68
感情の反射 156
絆 85, 133
吃音 92
規範観念 85
キャリア教育 17, 38, 39, 101, 171-173, 175-177, 179-181, 183-185
キャリア発達 39, 101, 102, 172-175, 182, 183
教育相談 11, 13, 14, 29, 51, 54, 56, 57, 60, 99, 128, 142, 144, 150, 151, 164
教科担任制 14, 23, 57
共感 13, 14, 49, 53, 66, 72, 95, 98, 99, 116, 118, 120, 121, 150, 156, 160, 161, 168, 192, 196, 203
協調の三型 163, 164
強迫性障害，強迫症 16, 48, 50, 110, 112, 113, 115
勤労観・職業観 183
虞犯少年 76, 77, 80, 146

クライエント 19, 20, 54, 120, 156, 157, 160, 163-165
　　──中心療法 156, 160
繰り返し 156
群発自殺 130, 133
刑事裁判 146
継次処理・同時処理 26
刑事責任能力 77
傾聴 13, 49, 53, 56, 120, 121, 132, 156, 160
軽犯罪法 78
ゲーム依存 167, 168
ゲシュタルト療法 157
幻覚 116, 142
検査で得られた得点 27
高機能自閉症 97, 103, 210
構成的グループエンカウンター 15, 156, 158, 200, 204, 205
校則 12, 17
公的自己意識 110, 115
行動療法 113, 115-117, 120, 155-160
校内暴力 12, 77, 81, 82, 146
高認検定 48
校務分掌 12
国際生活機能分類 74, 92, 93
告知 93, 96, 98-100, 104, 105, 148
コ・スーパーヴィジョン 164
個性的発達 92
個別支援計画 100
個別の指導計画 101, 106, 107
コラム法 157
コンサルテーション 20, 53, 149
コンプリメント 160, 166
コンプレイナントタイプ 163

さ行

サポート校 48
惨事ストレス 136
三次的援助サービス 15, 16
ジェノグラム 165
ジェンドリン Gendlin, E. T. 156
自我 33, 35, 111, 142, 155, 157
　　──同一性 35
自己形成プロセス 29
自己効力 183
　　──理論 183
自己指導能力 76, 86, 171
自己中心性 37
自己理解 93, 96-100, 105, 171, 173, 175, 177-179, 181-183
自殺 12, 16, 62, 64, 65, 68, 109, 117, 118, 126, 127, 129-135, 159
　　──対策基本法 109
私事化 49
自傷行為 48, 97, 98, 114, 117, 118, 121, 122, 129-132, 167
システム 14, 38, 51, 52, 84, 104, 111, 126, 128, 133, 136, 139, 145, 157, 165, 168, 194, 195
　　──論 84

自尊感情 159
七五三問題 172
シティズンシップ教育 41
児童虐待 16, 49, 85
児童自立支援施設 80, 81, 145, 146
児童生徒理解 13, 14, 52
児童相談所 12, 15, 49, 80, 81, 86-89, 99, 139, 140, 143-146, 149, 150, 153
児童福祉法 49, 81, 140, 144
児童養護施設 81, 144-146
自閉症 92, 96, 97, 100, 103-105
自閉スペクトラム症 96, 97
社会性と情動の学習 99, 100, 103
社会的コントロール理論（社会的絆理論）85, 88
就学援助 198, 199
修正藤田モデル 66-68
就労 61, 100, 102, 103, 154, 189, 207
出席停止制度 13
受容 13, 38, 53, 156, 160, 183
障害児のセクシャリティ 98
生涯発達心理学 33, 36
少年院 80, 81, 139, 145, 146, 207
少年刑務所 80, 145, 146
少年審判 80
少年法 76, 77, 79, 85, 139, 140, 142, 145, 146
消費文化 38
情報収集 17, 22, 23, 125, 128, 134, 178, 183
情報処理能力 24, 26, 37
情報モラル教育（メディア・リテラシー）68, 75, 170
職業指導 16, 39, 172
職業的発達理論 182
触法少年 76-80, 87, 142, 143, 146
初発型非行 84
自立活動 96, 103
自律訓練法 159
自立生活 101, 103
人格成長型アプローチ 155
審判不開始 80, 146
心理アセスメント 20, 23
心理教育 15, 16, 42, 99, 104, 105, 113, 114, 116, 118, 136, 159, 207
心理教育的援助サービス 15, 16
心理劇 165
心理検査法 21, 22
心理社会的危機 35, 36, 110
進路指導 11, 16, 17, 39, 88, 147, 171-173, 176, 177, 185, 189
進路選択 16, 29, 130, 171, 172, 184, 187, 189
スクールカースト 63, 65-69, 195
スクールカウンセラー 12, 14, 20, 29, 52, 56, 58, 69, 71, 75, 91, 118, 120, 124, 126, 128, 129, 133-136, 141, 142, 149, 154, 160, 167, 189
　　──活用補助事業 12
スクールサポーター 143
スクールソーシャルワーカー 126, 128, 129
スクリーニング検査 99, 105
ストレスマネジメント 98, 118, 157, 159, 175

生活の質 101, 103
性教育 37, 42, 60, 97, 98, 103, 159
精神疾患 60, 97, 110, 113, 118, 130, 132, 139, 142, 151, 154, 159
精神分析 19, 32, 34, 35, 117, 155, 156
　　──学 19, 32
　　──的心理療法 155
精神保健福祉センター 141
生徒指導 11-14, 18, 20, 22, 45, 51, 56, 60, 72, 76, 92, 124, 126, 142, 158, 163, 171, 185, 193, 196
　　──主事 11-13, 56
　　──提要 11, 22, 142, 158, 171, 185, 196
　　──部 12
生徒理解 11, 13, 14, 20-23, 27, 52, 171, 177, 191
青年期 13, 14, 29, 31-39, 41, 45, 48, 50, 53, 76, 92, 97, 109-118, 130, 154, 171, 178
赤面恐怖 115
セクシャリティ 60, 98, 103
摂食障害 16, 36, 130, 154
ゼロ・トレランス 85
潜伏期 34
相称的関係 89
ソーシャルスキル 85, 157-159
　　──・トレーニング 157-159
ソーシャル・ネットワーキング・サービス 75, 170
ソリューション・フォーカスト 15

た行

対人恐怖 50, 110, 112, 115, 116, 120
態度の二重構造 63, 68, 69
第二次性徴 13, 36, 37, 60, 92, 93, 97, 98, 110
体罰 12, 13, 17, 18
田中ビネー知能検査 25-27
多方向への肩入れ 161
単位制高等学校 101, 102
チーム 14, 18, 118, 120, 125, 128, 129, 149, 164, 165, 175, 191, 193-196, 202-205
チームビルディング 193, 203, 204
知能検査 22-28, 36, 93
注意欠陥・多動性障害，注意欠如・多動症 92, 96
中1ギャップ 45, 57, 147
中二病 37
昼夜逆転 47, 88, 167, 168
懲戒 12, 13, 18
超自我 111, 155
通級学級 103
月3日の欠席管理 52
ツッパリ 12
デイケア 116
定型発達 92
提出物・作品法 22, 23
デートDV 42, 159
適応指導教室 15, 50, 54, 55, 58, 59, 147
デス・エデュケーション 109
デュルケムの自殺論 65
てんかん 97, 142
登校拒否 45, 77
統合失調症 16, 45, 48, 112, 116, 142, 151, 154
投資 85, 88
同時処理 26
特別活動 11, 41, 176, 193, 195
特別支援学級 96, 101, 103
特別支援学校 13, 96, 102
特別支援教育コーディネーター 14
トラウマ 50, 128
トラブル 18, 46, 67, 92, 96, 106, 107, 127, 143, 170, 194, 203, 204

な行

内観療法 157
ナラティヴ・アプローチ 90
ナラティヴ・セラピー 157
なりすまし 68
ニート 74, 172
二次的援助サービス 15
西鉄バスジャック事件 77
認知行動療法 113, 115-117, 120, 156-159
能力観 175

は行

パーソナリティ 14, 20, 22, 30, 116, 117, 139
バーンアウト 53
ハヴィガースト Havighurst, R. J. 32, 33, 36
発達課題 14, 29, 31-36, 41, 60, 109, 155, 178, 182, 183
　　──論 33
発達障害 16, 27, 48, 50, 54, 92, 97-103, 105-107, 142, 153, 154
発達段階 14, 31-33, 35, 92, 97, 144, 155, 172, 182, 183
パニック障害 16
犯罪少年 76, 77, 80, 142, 146
ピアジェ Piaget, J. 32
被害者 62, 63, 65-70, 72, 73, 75, 82, 83, 85, 90, 98, 124, 127
ひきこもり 45, 74, 83, 115, 125, 153, 154, 189
非言語 19, 24-26, 53, 97, 158, 162, 163, 165
非行 11, 12, 15, 16, 49, 76-81, 84-88, 139, 142-146, 207
ビジタータイプ 163
ヒステリー 155
非正規雇用問題 38
ヒドゥン・カリキュラム 195, 200
否認 65, 112, 155
ビネー Binet, A. 24-27
比率IQ 25
フェルトセンス 156
フォーカシング指向心理療法 156
不潔恐怖 112
不処分 80, 146
不定愁訴 47, 111
不登校 12, 15, 16, 20, 29, 45-59, 75, 77, 83, 87-90, 96, 103, 115, 125, 126, 142, 147-151, 153, 154, 161, 162, 165, 189, 202, 203
フリースクール 48, 55, 147
フリーター 172, 184
ブリーフセラピー 157, 160, 163, 168, 169

プリベンション 132
不良行為少年 79, 80
プレイセラピー 155
フロイト Freud, S. 19, 32, 35, 156, 157
プロブレム・フォーカスト 15
文脈療法 161
分離不安 48
偏差知能指数 24, 25
傍観者 62, 65, 66, 68, 69, 73
暴走族 12, 77
ホームワーク 157
ホール Hall, G. S. 32
保護観察 80, 81, 145, 146
　　──所 80, 145, 146
保護司 139, 146
保護者会 128, 129, 198, 200, 205
保護処分 76, 77, 80, 145, 146
ポストベンション 132, 133
ポストモダン 49

ま行

巻き込み 85
マッチング理論 181
民生委員 49
無知の姿勢 54
明確化 156, 183
メタ認知 36, 37
面接法 22
妄想 37, 116, 142, 154
燃え尽き 53, 196　→バーンアウト
モラトリアム 36
森田療法 157
問題解決型アプローチ 155

や行

薬物療法 113, 115-117, 154
ヤングケアラー 198, 208
ユング Jung, C. G. 155
予防開発的アプローチ 158

ら行

ライフキャリアの虹 174
ラポール 11, 57
リストカット 16, 48, 50, 114, 117, 120, 121, 167
リソース 29, 49, 54, 160, 162-164
理念型藤田モデル 66, 67
リビドー 35
　　──発達論 35
リフレクティング・プロセス 164, 165
流動性知能 24, 37
　　──結晶性知能の理論 24, 37
良循環 54, 157, 161, 162, 164, 167, 169
臨床心理学 13, 52, 156
例外 84, 85, 157, 162, 164, 167-169
劣等感 29, 34, 99
連携 12, 14, 15, 17, 45, 49, 52-55, 60, 63, 70, 72, 86, 87, 89, 90, 102, 105, 106, 115, 118, 122, 124, 125, 128, 135, 136, 138-151, 167, 170, 180, 181, 191, 192, 198, 200, 202, 207
労働法 32, 178
ロールプレイ 106, 132, 159, 164, 165
ロジャーズ Rogers, C. R. 13, 156, 158, 160

わ行

ワーキングプア問題 38, 39
ワークライフバランス 101, 174
割れ窓理論 63, 68, 69, 85, 86

著者一覧（50音順）　＊は編者

赤木麻衣（（独）国立病院機構仙台医療センター）
浅井継悟（北海道教育大学釧路校）
生田倫子（神奈川県立保健福祉大学）
石井佳世（熊本県立大学共通教育センター）
石井宏祐（佐賀大学教育学部附属教育実践総合センター）
板倉憲政（岐阜大学教育学部学校教育講座）
伊東　優（カウンセリングオフィスSHIPS）
岩本脩平（ファミリーカウンセリングルーム松ヶ崎　ふくらむ）
上西　創（仙台城南高等学校）
奥野誠一（立正大学心理学部）
奥野雅子（岩手大学人文社会科学部）
奥山滋樹（鈴鹿医療科学大学保健衛生学部）
香月佳容子（同志社中学校・高等学校）
加藤高弘（米沢市立病院）
神谷哲司（東北大学大学院教育学研究科）
亀倉大地（宮城教育大学教育学部）
河合陽子（長浜市立北中学校）
久保順也（宮城教育大学教職大学院）
小岩広平（東北大学大学院教育学研究科）
狐塚貴博（名古屋大学大学院教育発達科学研究科）
小林大介（新潟青陵大学大学院臨床心理学研究科）
小林　智（新潟青陵大学大学院臨床心理学研究科）
佐藤宏平（山形大学地域教育文化学部）＊
小林なぎさ（旧姓三道　新潟医療福祉大学心理・福祉学部）
高綱睦美（愛知教育大学）
高橋恵子（みやぎ県南中核病院がん診療相談支援室／尚絅学院大学非常勤講師）
田上恭子（久留米大学文学部）
張　新荷（［中国］西南大学心理学部）
中村　修（東北福祉大学総合福祉学部）
二本松直人（福島県立医科大学放射線医学県民健康管理センター）
萩臺美紀（柴田学園大学生活創生学部）
長谷川啓三（東北大学名誉教授）＊
花田里欧子（東京女子大学現代教養学部）＊
古澤あや（公立学校共済組合東北中央病院）
古澤雄太（山形県福祉相談センター）
松田喜弘（山形県飯豊町立手ノ子小学校）
松本宏明（志學館大学人間関係学部）
三上貴宏（山形県立こころの医療センター）
三澤文紀（福島県立医科大学総合科学教育研究センター）
三谷聖也（東北福祉大学総合福祉学部）
宮﨑　昭（環境とこころとからだの研究所）
森川夏乃（愛知県立大学教育福祉学部）
山中　亮（名古屋市立大学大学院人間文化研究科）
兪　幃蘭（宮城学院女子大学教育学部）
横谷謙次（徳島大学大学院社会産業理工学研究部）
吉中　淳（弘前大学教育学部）
若島孔文（東北大学大学院教育学研究科）
渡部敦子（尚絅学院大学心理・教育学群心理学類）

編者略歴

長谷川啓三（はせがわ・けいぞう）
東北大学名誉教授，日本家族カウンセリング協会理事長，ITC家族心理研究センター代表，日本ブリーフセラピー協会代表。教育学博士，臨床心理士。
主な著訳書：「ソリューション・バンク」（金子書房，単著），「震災心理社会支援ガイドブック」（金子書房，共編），「解決志向介護コミュニケーション」（誠信書房，編著），ワツラウィック他著「変化の原理」（法政大学出版局，単訳），ド・シェイザー著「解決志向の言語学」（法政大学出版会，監訳）ほか多数。

佐藤宏平（さとう・こうへい）
山形大学地域教育文化学部教授，日本心理臨床学会代議員・学会誌編集委員，日本家族心理学会代表理事，日本カウンセリング学会編集委員。教育学博士，公認心理師，臨床心理士。
主な著訳書：「事例で学ぶ家族療法・短期療法・物語療法」（金子書房，共著），「学校臨床ヒント集」（金剛出版，共著），「社会構成主義のプラグマティズム」（金子書房・共著），日本家族心理学会編「家族心理学ハンドブック」（金子書房，共著），フランクリンら編「解決志向ブリーフセラピーハンドブック」（金剛出版，共訳），ソバーン＆セクストン著「家族心理学―理論・研究・実践」（遠見書房，共訳）ほか多数。

花田里欧子（はなだ・りょうこ）
東京女子大学現代教養学部教授，日本家族心理学会理事，日本ブリーフセラピー協会理事。教育学博士，公認心理師，臨床心理士。
主な著訳書：「パターンの臨床心理学―G.ベイトソンによるコミュニケーション理論の実証的研究」（風間書房，単著），「ナラティヴからコミュニケーションへ」（弘文堂，共著），「学校臨床―子ども・学校をめぐる教育課題への理解と対応」（金子書房，共著），「心理療法の交差点―精神分析・認知行動療法・家族療法・ナラティヴセラピー」（新曜社，共著），「トラウマを生きる」（京都大学学術出版会，共著），「テキスト家族心理学」（金剛出版，共著）ほか多数。

事例で学ぶ　生徒指導・進路指導・教育相談
中学校・高等学校編　[第4版]

2014年 4月15日　第1版　第1刷
2024年 8月25日　第4版　第1刷

編　者　長谷川啓三・佐藤宏平・花田里欧子
発行人　山内俊介
発行所　遠見書房

〒181-0001　東京都三鷹市井の頭 2-28-16
株式会社　遠見書房
Tel 0422-26-6711　Fax 050-3488-3894
tomi@tomishobo.com　https://tomishobo.com
遠見書房の書店　https://tomishobo.stores.jp/

印刷・製本　モリモト印刷

ISBN978-4-86616-184-6　C3011

©Hasegawa Keizo, Sato Kohei & Hanada Ryoko 2024
Printed in Japan

※心と社会の学術出版 遠見書房の本※

遠見書房

＝本書の姉妹編＝

事例で学ぶ
生徒指導・進路指導・教育相談――小学校編［第3改訂版］
長谷川啓三・花田里欧子・佐藤宏平編
ISBN978-4-86616-183-9　C3011　本体（2,800円＋税）

この本は，学校教員にとって授業や学級経営とともに重要な仕事である「生徒指導」「進路指導」「教育相談」の基本と実践をまとめたものです。幅広い学際的な知識や現代社会における家庭の状況など幅広い視点をまとめた上で，解決にいたったさまざまな事例を検討し，具体的に生徒指導・進路指導・教育相談を学べるようになっています。出来うる限りの生きた知恵を詰めた必読の一冊です。

学校における自殺予防教育のすすめ方［改訂版］
だれにでもこころが苦しいときがあるから
　　　　　窪田由紀・シャルマ直美編
痛ましく悲しい子どもの自殺。食い止めるには，予防のための啓発活動をやることが必須。本書は，学校の授業でできる自殺予防教育の手引き。資料を入れ替え，大改訂をしました。2,860円，A5並

チーム学校で子どもとコミュニティを支える
教師とSCのための学校臨床のリアルと対応
　　　　（九州大学名誉教授）増田健太郎著
不登校・いじめ・学級崩壊・保護者のクレームなど，学校が抱える問題に教師やSCらがチーム学校で対応するための学校臨床の手引き。援助が楽になる関係者必読の一冊。3,080円，A5並

学校におけるトラウマ・インフォームド・ケア
SC・教職員のためのTIC導入に向けたガイド
　　　　　　　　　　　　　　卜部　明著
ブックレット：子どもの心と学校臨床（9）ベテランSCによる学校のための「トラウマの理解に基づいた支援」導入のための手引。トラウマの理解によって学校臨床が豊かになる。1,870円，A5並

外国にルーツをもつ子どもたちの
学校生活とウェルビーイング
児童生徒・教職員・家族を支える心理学
　　　　　　　　松本真理子・野村あすか編著
ブックレット：子どもの心と学校臨床（8）日本に暮らす外国にルーツを持つ子どもたちへの支援を考える。幸福な未来のための1冊。2,200円，A5並

N:ナラティヴとケア
ナラティヴがキーワードの臨床・支援者向け雑誌。第15号：オープンダイアローグの可能性をひらく（森川すいめい編）年1刊行，1,980円

よくわかる 学校で役立つ子どもの認知行動療法
理論と実践をむすぶ
　　　　（スクールカウンセラー）松丸未来著
ブックレット：子どもの心と学校臨床（7）子どもの認知行動療法を動機づけ，ケース・フォーミュレーション，心理教育，介入方法などに分け，実践的にわかりやすく伝えます。1,870円，A5並

ポリヴェーガル理論で実践する子ども支援
今日から保護者・教師・養護教諭・SCがとりくめること
　　　　（いとう発達・心理相談室）伊藤二三郎著
ブックレット：子どもの心と学校臨床（6）ポリヴェーガル理論で家庭や学校で健やかにすごそう！ 教室やスクールカウンセリングで，ノウハウ満載の役立つ1冊です。1,980円，A5並

図解 ケースで学ぶ家族療法
システムとナラティヴの見立てと介入
　　　　　（徳島大学准教授）横谷謙次著
カップルや家族の間で展開されている人間関係や悪循環を図にし，どう働きかけたらよいかがわかる実践入門書。家族療法を取り入れたい，取り組みたいセラピストにも最適。2,970円，四六並

発達支援につながる臨床心理アセスメント
ロールシャッハ・テストと発達障害の理解
　　　　　　　（中京大学教授）明翫光宜著
本書は，発達障害特性のあるクライエントを理解し，さらにその支援につなげるための心理アセスメント，発達検査，ロールシャッハ・テストについて詳しく解説し尽くした論文集。3,080円，A5並

臨床心理学中事典
　　（九州大学名誉教授）野島一彦監修
650超の項目，260人超の執筆者，3万超の索引項目からなる臨床心理学と学際領域の中項目主義の用語事典。臨床家必携！（編集：森岡正芳・岡村達也・坂井誠・黒木俊秀・津川律子・遠藤利彦・岩壁茂）7,480円，A5上製

マンガで学ぶセルフ・カウンセリング
まわせP循環！
　　　　　　東　豊著，見那ミノル画
思春期女子のたまひちゃんとその家族，そしてスクールカウンセラーのマンガと解説からできた本。悩み多き世代のための，こころの常備薬みたいに使ってください。1,540円，四六並

子どもと親のための
フレンドシップ・プログラム
人間関係が苦手な子の友だちづくりのヒント30
フレッド・フランクル著／辻井正次監訳
子どもの友だち関係のよくある悩みごとをステップバイステップで解決！ 親子のための科学的な根拠のある友だちのつくり方実践ガイド。3,080円，A5並

クラスで使える！　　（DLデータつき）
アサーション授業プログラム
『ハッキリンで互いの気持ちをキャッチしよう』 改訂版
　　　竹田伸也・松尾理沙・大塚美菜子著
プレゼンソフト対応のダウンロードデータでだれでもアサーション・トレーニングが出来る！ 2,970円，A5並

中学生・高校生向け
アンガーマネジメント・レッスン
怒りの感情を自分の力に変えよう
S・G・フィッチェル著／佐藤・竹田・古村訳
米国で広く使われるアンガーマネジメント・プログラム。自身の人生や感情をコントロールする力があることを学べる。教師・SCにお勧め。2,200円，四六並

公認心理師の基礎と実践　全23巻
　　　　　　　　野島一彦・繁桝算男 監修
公認心理師養成カリキュラム23単位のコンセプトを醸成したテキスト・シリーズ。本邦心理学界の最高の研究者・実践家が執筆。①公認心理師の職責〜㉓関係行政論 まで心理職に必須の知識が身に着く。各2,200円〜3,080円，A5並

価格は税込です